O que o dinheiro não compra

Título original em inglês: *What Money Can't Buy*

CIP-BRASIL. CATALOGAÇÃO NA FONTE
SINDICATO NACIONAL DOS EDITORES DE LIVROS, RJ

Sandel, Michael J.
S198q O que o dinheiro não compra : os limites morais do mercado / Michael J. Sandel ; tradução Clóvis Marques. - 1. ed. - Rio de Janeiro : Civilização Brasileira, 2025.

Tradução de: What money can't buy

ISBN 978-65-5802-171-1

1. Economia - Aspectos morais e éticos. 2. Capitalismo - Aspectos morais e éticos. 3. Riqueza - Aspectos morais e éticos. 4. Valor (Economia). I. Marques, Clóvis. II. Título.

CDD: 174
25-97476.1 CDU: 174

Gabriela Faray Ferreira Lopes - Bibliotecária - CRB-7/6643

Texto revisado segundo o novo Acordo Ortográfico da Língua Portuguesa.

Reservam-se os direitos desta tradução à
EDITORA CIVILIZAÇÃO BRASILEIRA
Um selo da
EDITORA JOSÉ OLYMPIO LTDA.
Rua Argentina, 171 – 20921-380 – Rio de Janeiro, RJ – Tel.: (21) 2585-2000.

Seja um leitor preferencial Record.
Cadastre-se em www.record.com.br e
receba informações sobre nossos lançamentos e nossas promoções.

Atendimento e venda direta ao leitor:
sac@record.com.br

Impresso no Brasil
2025

Em memória de Edmar Souto,
homem bom e justo que transformou
a vida dos que o cercavam.

Sumário

Introdução

O mercado e a moral

Há coisas que o dinheiro não compra, mas, atualmente, não muitas. Hoje, quase tudo está à venda. Alguns exemplos:

- *Upgrade na cela carcerária: US$ 82 por noite.* Em Santa Ana, Califórnia, e algumas outras cidades, os infratores não violentos podem pagar por acomodações melhores — uma cela limpa e tranquila na prisão, longe das celas dos prisioneiros não pagantes.[1]
- *Acesso às pistas de transporte solidário: US$ 8 nas horas do* rush. Para tentar diminuir o congestionamento do trânsito, Minneapolis e outras cidades estão permitindo que motoristas desacompanhados usem as pistas reservadas ao transporte solidário, a taxas que variam de acordo com a intensidade do tráfego.[2]
- *Barriga de aluguel indiana: US$ 6.250.* Os casais ocidentais em busca de uma mãe de aluguel recorrem cada vez mais à terceirização na Índia, onde a prática é legal e o preço corresponde a menos de um terço das taxas em vigor nos Estados Unidos.[3]
- *Direito de ser imigrante nos Estados Unidos: US$ 500.000.* Os estrangeiros que investem US$ 500.000 e geram pelo menos dez empregos numa região de alto nível de desemprego recebem um *green card* que lhes dá direito de residência permanente.[4]
- *Direito de abater um rinoceronte negro ameaçado de extinção: US$ 150.000.* A África do Sul passou a autorizar fazendeiros a vender a caçadores o direito de matar uma quantidade limitada

de rinocerontes para incentivá-los a criar e proteger a espécie, ameaçada de extinção.[5]

- *O celular do seu médico: US$ 1.500 ou mais por ano.* Um número cada vez maior de médicos "de butique" oferece acesso ao seu telefone celular e consultas para o mesmo dia a pacientes dispostos a pagar taxas anuais que variam de US$ 1.500 a US$ 25.000.[6]
- *O direito de lançar uma tonelada métrica de gás carbônico na atmosfera: € 13 (aproximadamente US$ 18).* A União Europeia mantém um mercado de emissões de gás carbônico que permite às empresas comprar e vender o direito de poluir.[7]
- *Matrícula do seu filho numa universidade de prestígio?* Embora o preço não seja divulgado, funcionários de certas universidades de primeira linha disseram ao *Wall Street Journal* que aceitam alunos não propriamente brilhantes cujos pais sejam ricos e suscetíveis de fazer doações financeiras substanciais.[8]

Nem todo mundo pode pagar por essas benesses. Mas hoje não faltam maneiras de ganhar dinheiro. Se você está precisando ganhar algum a mais, aqui vão algumas possibilidades inovadoras:

- *Alugar espaço na testa (ou em outra parte do corpo) para publicidade comercial: US$ 777.* A Air New Zealand contratou trinta pessoas para rasparem a cabeça e usarem tatuagens temporárias com o slogan "Precisando mudar? Vá para a Nova Zelândia".[9]
- *Servir de cobaia humana em testes de laboratórios farmacêuticos para novas medicações: US$ 7.500.* A remuneração pode ser maior ou menor; depende da agressividade do procedimento usado para testar o efeito da nova droga, assim como do desconforto envolvido.[10]
- *Combater na Somália ou no Afeganistão num contingente militar privado: US$ 250 por mês a US$ 1.000 por dia.* O pagamento varia de acordo com a qualificação, a experiência e a nacionalidade.[11]
- *Fazer fila durante a noite no Congresso americano para guardar lugar para um lobista que pretenda comparecer a uma audiência*

no dia seguinte: US$ 15-US$ 20 por hora. Os lobistas pagam a empresas contratantes, que recorrem a pessoas sem teto e outros para entrar nas filas.[12]

- *Ler um livro, no caso de um aluno do 2° ano do ensino fundamental numa escola de Dallas com baixo desempenho: US$ 2.* Para estimular a leitura, as escolas pagam às crianças por cada livro que leem.[13]
- *Perder seis quilos em quatro meses, no caso de um obeso: US$ 378.* Empresas e seguradoras oferecem incentivos financeiros à perda de peso e outros tipos de comportamento saudável.[14]
- *Comprar a apólice de seguro de uma pessoa idosa ou doente, pagar os prêmios anuais enquanto ela está viva e receber a indenização quando morrer: potencialmente, milhões de dólares (dependendo da apólice).* Esse tipo de aposta na vida de estranhos transformou-se numa indústria de US$ 30 bilhões. Quanto mais cedo o estranho morrer, mais o investidor ganhará.[15]

Vivemos numa época em que quase tudo pode ser comprado e vendido. Nas três últimas décadas, os mercados — e os valores de mercado — passaram a governar nossa vida como nunca. Não chegamos a essa situação por escolha deliberada. É quase como se a coisa tivesse se abatido sobre nós.

Quando a guerra fria acabou, os mercados e o pensamento pautado pelo mercado passaram a desfrutar de um prestígio sem igual, e muito compreensivelmente. Nenhum outro mecanismo de organização da produção e distribuição de bens tinha se revelado tão bem-sucedido na geração de afluência e prosperidade. Mas, enquanto um número cada vez maior de países em todo o mundo adotava mecanismos de mercado na gestão da economia, algo mais também acontecia. Os valores de mercado passavam a desempenhar um papel cada vez maior na vida social. A economia tornava-se um domínio imperial. Hoje, a lógica da compra e venda não se aplica mais apenas a bens materiais: governa crescentemente a vida como um todo. Está na hora de perguntarmos se queremos viver assim.

A era do triunfalismo de mercado

Os anos anteriores à crise financeira de 2008 foram um período temerário de aposta no mercado e na desregulamentação — uma era de triunfalismo de mercado. Essa era começou no início da década de 1980, quando Ronald Reagan e Margaret Thatcher proclamaram sua convicção de que os mercados, e não o governo, é que detinham a chave da prosperidade e da verdade. E prosseguiu na década de 1990, com o liberalismo favorável ao mercado de Bill Clinton e Tony Blair, que moderou, porém consolidou a convicção de que os mercados constituem o principal meio para a consecução do bem público.

Hoje, essa convicção está em dúvida. A era do triunfalismo de mercado chegou ao fim. A crise financeira não serviu apenas para pôr em dúvida a capacidade dos mercados de gerir os riscos com eficiência. Generalizou também a impressão de que os mercados desvincularam-se da moral e de que de alguma forma precisamos restabelecer esse vínculo. Mas não parece evidente para ninguém o que isso pode significar nem como devemos proceder.

Há quem diga que a falha moral no cerne do triunfalismo de mercado era a ganância, que levou a assumir riscos de maneira irresponsável. A solução, segundo esse ponto de vista, consiste em coibir a ganância, insistir em maior integridade e responsabilidade da parte dos banqueiros e executivos de Wall Street e adotar normas sensatas para impedir que uma crise semelhante volte a ocorrer.

Trata-se, na melhor das hipóteses, de um diagnóstico parcial. Embora certamente seja verdade que a ganância desempenhou um papel na crise financeira, o que está em questão é algo maior. A mudança mais decisiva ocorrida nas três últimas décadas não foi o aumento da ganância, mas a extensão dos mercados, e de valores de mercado, a esferas da vida com as quais nada têm a ver.

Para enfrentar essa situação, não basta invectivar a ganância; devemos repensar o papel a ser desempenhado pelos mercados em nossa sociedade. Precisamos de um debate público sobre o que significa manter os mercados no seu devido lugar. Para que ocorra esse debate, precisamos analisar os limites morais do mercado. Precisamos perguntar se não existem certas coisas que o dinheiro não pode comprar.

A chegada do mercado e do pensamento centrado nele a aspectos da vida tradicionalmente governados por outras normas é um dos acontecimentos mais significativos da nossa época.

Veja-se, por exemplo, a proliferação de escolas, hospitais e prisões inseridos no sistema da busca de lucro, assim como a terceirização da guerra a empresários militares privados. (No Iraque e no Afeganistão, as forças de fornecedores privados tornaram-se mais numerosas do que as tropas militares americanas.[16])

Veja-se o eclipse das forças policiais públicas por empresas de segurança privada — especialmente nos Estados Unidos e na Grã-Bretanha, onde o número de guardas particulares chegou a mais do que o dobro do número de policiais da força pública.[17]

Veja-se, ainda, o agressivo marketing adotado pelos laboratórios farmacêuticos para a venda de remédios aos consumidores nos países ricos. (Se alguma vez você assistiu à publicidade de televisão durante o noticiário noturno nos Estados Unidos, seria compreensível se ficou achando que o maior problema de saúde do mundo não é a malária, a oncocercose ou a doença do sono, mas uma grave epidemia de disfunção erétil.)

Ou então vejam-se a invasão das escolas públicas pela publicidade comercial; a venda de "direitos de nome" a parques e espaços cívicos; a comercialização de óvulos e esperma "de grife" para a reprodução assistida; a terceirização da gravidez da mãe de aluguel no mundo desenvolvido; a compra e venda, por parte de empresas e países, do direito de poluir; um sistema de financiamento de campanhas eleitorais que chega perto de permitir a compra e venda das eleições.

Essas formas de utilização do mercado para fornecimento de saúde, educação, segurança pública, segurança nacional, justiça penal, proteção ambiental, recreação, procriação e outros bens sociais praticamente eram desconhecidas há trinta anos. Hoje, praticamente passaram a fazer parte da paisagem.

Tudo à venda

Por que ficar preocupado com o fato de estarmos caminhando para uma sociedade em que tudo está à venda?

Por dois motivos: um tem a ver com desigualdade; o outro, com corrupção. Veja-se a questão da desigualdade. Numa sociedade em que tudo está à venda, a vida fica mais difícil para os que dispõem de recursos modestos. Quanto mais o dinheiro pode comprar, mais importante é a afluência (ou a sua falta).

Se a única vantagem da afluência fosse a capacidade de comprar iates, carros esportivos e férias no exterior, as desigualdades de renda e riqueza não teriam grande importância. Mas, à medida que o dinheiro passa a comprar cada vez mais — influência política, bom atendimento médico, uma casa num bairro seguro, e não numa zona de alto índice de criminalidade, acesso a escolas de elite, e não às que apresentam maus resultados —, a questão da distribuição da renda e da riqueza adquire importância muito maior. Quando todas as coisas boas podem ser compradas e vendidas, ter dinheiro passa a fazer toda a diferença do mundo.

Por isso é que as últimas décadas se têm revelado particularmente difíceis para as famílias pobres e de classe média. Não só se agravou a defasagem entre ricos e pobres como a mercantilização de tudo aguçou a desigualdade e aumentou a importância do dinheiro.

O segundo motivo que nos deveria levar a hesitar em pôr tudo à venda é mais difícil de descrever. Não se trata mais de desigualdade e injustiça, mas da tendência corrosiva dos mercados. Eles podem ser corrompidos por essa prática de estabelecer preço para as coisas boas da vida. E isso porque os mercados não se limitam a distribuir bens; eles também expressam e promovem certas atitudes em relação aos produtos trocados. A remuneração de crianças para que leiam livros pode levá-las a ler mais, mas também faz com que passem a encarar a leitura como um estorvo, e não como fonte de satisfação em si mesma. O leilão de vagas numa instituição de ensino pode aumentar sua renda, mas também corrói a integridade do estabelecimento e o valor de seu diploma. A contratação de mercenários estrangeiros em guerras talvez sirva para poupar a vida dos nossos cidadãos, mas corrompe o significado da cidadania.

Os economistas costumam partir do princípio de que os mercados são inertes, de que não afetam os bens neles trocados. Mas não é verdade. Os mercados deixam sua marca. Às vezes, os valores de mercado são responsáveis pelo descarte de princípios que, não vinculados aos mercados, devem ser respeitados.

Naturalmente, pode haver discordância em torno dos princípios que valem a pena e das motivações a respeito. Assim, para decidir o que o dinheiro pode — e não pode — comprar, precisamos saber quais valores governarão as diferentes áreas da vida cívica e social. A análise dessa questão é o tema deste livro.

Eis aqui uma prévia das respostas que pretendo propor: quando decidimos que determinados bens podem ser comprados e vendidos, estamos decidindo, pelo menos implicitamente, que podem ser tratados como mercadorias, como instrumentos de lucro e uso. Mas nem todos os bens podem ser avaliados dessa maneira.[18] O exemplo mais óbvio são os seres humanos. A escravidão era ultrajante por tratar seres humanos como mercadorias, postas à venda em leilão. Esse tratamento não leva em conta os seres humanos de forma adequada — como pessoas que merecem respeito e tratamento condigno, e não como instrumentos de lucro e objetos de uso.

Algo semelhante pode ser dito a respeito dos bens e práticas que nos são valiosos. Não colocamos crianças à venda no mercado. Ainda que os compradores não maltratassem as crianças compradas, a existência de um mercado de crianças estaria expressando e promovendo uma maneira errada de tratá-las. As crianças não são bens de consumo, mas seres que merecem amor e cuidados. Ou, então, vejamos a questão dos direitos e das obrigações da cidadania. Se você for convocado a participar de um júri, não poderá contratar um substituto. E os cidadãos tampouco têm o direito de vender seus votos, embora não falte quem esteja ansioso por comprá-los. Por que não? Porque consideramos que os deveres cívicos não devem ser encarados como propriedade privada, mas como uma responsabilidade pública. Terceirizá-los significa aviltá-los, tratá-los de maneira errada.

Esses exemplos ilustram uma questão mais ampla: algumas das boas coisas da vida são corrompidas ou degradadas quando transformadas em mercadoria. Desse modo, para decidir em que circunstâncias o mercado faz sentido e quais aquelas em que deveria ser mantido a distância, temos de decidir que valor atribuir aos bens em questão — saúde, educação, vida familiar, natureza, arte, deveres cívicos e assim por diante. São questões de ordem moral e política, e não apenas econômicas. Para resolvê-las, precisamos debater, caso a caso, o significado moral desses bens e sua correta valorização.

É um debate que não ocorreu durante a era do triunfalismo de mercado. Em consequência, sem que nos déssemos conta, sem mesmo chegar a tomar uma decisão a respeito, fomos resvalando da situação de *ter* uma economia de mercado para a de *ser* uma sociedade de mercado.

A diferença é esta: uma economia de mercado é uma ferramenta — valiosa e eficaz — de organização de uma atividade produtiva. Uma sociedade de mercado é um modo de vida em que os valores de mercado permeiam cada aspecto da atividade humana. É um lugar em que as relações sociais são reformatadas à imagem do mercado.

O grande debate que está faltando na política contemporânea diz respeito ao papel e ao alcance dos mercados. Queremos uma economia de mercado ou uma sociedade de mercado? Que papel os mercados devem desempenhar na vida pública e nas relações pessoais? Como decidir que bens podem ser postos à venda e quais deles devem ser governados por outros valores que não os de mercado? Onde não pode prevalecer a lei do dinheiro?

São as questões de que este livro procurará tratar. Como elas envolvem visões polêmicas da sociedade ideal e da vida ideal, não posso prometer respostas definitivas. Mas pelo menos espero provocar um debate público a respeito e estabelecer um contexto filosófico para sua análise.

O papel dos mercados

Ainda que concordemos com o fato de que precisamos enfrentar as grandes questões relativas à moralidade do mercado, você pode ter lá suas dúvidas quanto à capacidade do discurso público nessa esfera. E a dúvida procede. Qualquer tentativa de repensar o papel e o alcance do mercado deve começar pelo reconhecimento de dois sérios obstáculos.

Um deles são os persistentes poder e prestígio do pensamento de mercado, mesmo depois do mais grave fracasso dele em oitenta anos. O outro é a animosidade e o vazio do discurso público. Essas duas situações não são totalmente alheias entre elas.

O primeiro obstáculo é desafiador. Na época, a crise financeira de 2008 foi considerada um autêntico veredito moral sobre a adoção acrítica dos mercados que prevalecera em todo o espectro político durante três décadas. O quase colapso de instituições financeiras outrora poderosas de Wall Street e a necessidade de socorro maciço à custa dos contribuintes pareciam indicar que viria uma pronta reavaliação dos mercados. Até Alan Greenspan, que na qualidade de presidente do Federal Reserve, o banco central americano, oficiava como grão-sacerdote da religião triunfalista de mercado, admitiu estar em "estado de choque e descrença" pelo fato de sua confiança na capacidade de autocorreção do livre mercado ter-se revelado equivocada.[19] Na capa da *Economist*, o semanário britânico campeão da ideologia de mercado, via-se um manual de economia desfazendo-se num lodaçal, sob o título: "O que deu errado na economia".[20]

A era do triunfalismo de mercado tivera um fim devastador. Certamente viria, então, um momento de reavaliação moral, um período de sensato reexame da religião de mercado. Mas não foi assim que as coisas se encaminharam.

O espetacular fracasso dos mercados financeiros não amorteceu muito a confiança nos mercados de maneira geral. Na verdade, a crise financeira deixou mais desacreditados os governos do que os bancos. Em 2011, certas pesquisas indicavam que o público americano culpava antes o governo federal do que as instituições financeiras de Wall Street pelos problemas econômicos enfrentados pelo país — com uma margem de mais de dois para um.[21]

A crise financeira projetara os Estados Unidos e boa parte da economia global na mais grave crise econômica desde a Grande Depressão do início da década de 1930 e lançara no desemprego milhões de pessoas.

Mas não levou a uma fundamental reavaliação dos mercados. Pelo contrário, sua consequência política mais saliente nos Estados Unidos foi a ascensão do movimento Tea Party, cujas ideias de hostilidade ao governo e total adesão ao livre mercado deixariam Ronald Reagan ruborizado. No outono de 2011, o movimento Occupy Wall Street originou manifestações de protesto em cidades de todo o território americano e em várias partes do mundo. Seu alvo eram os grandes bancos e o poder corporativo, assim como a crescente desigualdade da renda e da riqueza. Apesar da diferença de orientação ideológica, os militantes do Tea Party e do Occupy Wall Street davam igualmente voz a uma indignação populista contra o socorro às instituições financeiras em crise.[22]

Apesar dessas vozes de protesto, nossa vida política continua basicamente infensa a um debate sério sobre o papel e o alcance dos mercados. Democratas e republicanos continuam discutindo, como sempre fizeram, sobre impostos, gastos e déficits orçamentários, só que com espírito ainda mais partidário e muito pouca capacidade de inspirar ou convencer. A desilusão com a política aumenta entre cidadãos cada vez mais frustrados com um sistema incapaz de atender ao bem público ou enfrentar as questões que realmente importam.

Essa perigosa situação do discurso público é o segundo obstáculo a um debate a respeito dos limites morais do mercado. Numa época em que o debate político consiste essencialmente em pugilato verbal na televisão a cabo, acusações partidárias no rádio e refregas ideológicas no plenário do Congresso, seria difícil imaginar um debate público ponderado sobre questões morais polêmicas, como a maneira correta de atribuir valor a procriação, filhos, educação, saúde, meio ambiente, cidadania e outros bens. Mas creio que esse debate é possível e que haveria de revigorar a vida pública.

Há quem veja na animosidade de nossa política um excesso de convicção moral: são muitos aqueles que acreditam demais, de maneira por demais agressiva, nas próprias convicções, querendo impô-las aos outros. Tenho para mim que se trata de uma leitura equivocada do transe em que nos encontramos. O problema na nossa política não é uma questão de convicções morais de mais, mas de menos. Nossa política é tão exaltada por causa do seu essencial vazio, em conteúdo moral ou espiritual. Ela não é capaz de enfrentar as grandes questões que importam a todos.

O vazio moral da política contemporânea tem algumas explicações. Uma delas é a tentativa de banir do discurso público a questão dos ideais. Na esperança de evitar confrontos sectários, muitas vezes insistimos em que os cidadãos deixem suas convicções morais e espirituais para trás ao entrar na arena pública. Apesar da boa intenção, contudo, a relutância em aceitar na política argumentos sobre os ideais de vida abriu caminho para o triunfalismo de mercado e a constante ascendência do raciocínio mercadológico.

À sua maneira, o pensamento mercadológico também priva a vida pública de fundo moral. O interesse do mercado decorre em parte do fato de não julgar as preferências a que atende. Ele não quer saber se determinadas maneiras de avaliar os bens são preferíveis a outras ou mais condignas. Se alguém estiver disposto a pagar por sexo ou por um rim e um adulto se dispuser a vendê-lo, a única pergunta que o economista faz é: “Quanto?” Os mercados não apontam o polegar para cima ou para baixo. Não discriminam entre preferências louváveis ou condenáveis. Cada parte envolvida num trato decide por si mesma que valor atribuir aos objetos trocados.

Essa oposição isenta de julgamento em relação aos valores está no cerne do pensamento mercadológico e explica boa parte do seu interesse. Mas nossa relutância em considerar os argumentos morais e espirituais, nesse movimento de adoção da lógica de mercado, veio a cobrar um preço alto: privou o discurso público de energia moral e cívica, e contribuiu para a política tecnocrática e gerencial que hoje aflige muitas sociedades.

Um debate sobre o limite moral do mercado nos permitiria decidir, como sociedade, em que circunstâncias os mercados atendem ao bem público e quais aquelas em que eles são intrusos. Também contribuiria para revigorar a política e abrir espaço para ideais concorrentes na arena pública. Pois de que outra maneira poderia ter curso esse tipo de debate? Caso você concorde que a compra e a venda de certos bens os corrompem ou degradam, será forçosamente porque acredita que certas maneiras de lhes atribuir valor são mais adequadas do que outras. Não faria sentido

Michael J. Sandel

O que o dinheiro não compra

Os limites morais do mercado

Tradução de
Clóvis Marques

1ª edição

CIVILIZAÇÃO BRASILEIRA

Rio de Janeiro
2025

falar da corrupção de determinada atividade — a criação de filhos, por exemplo, ou a cidadania — se não acreditarmos que certas maneiras de ser um pai ou um cidadão são melhores do que outras.

São avaliações morais dessa natureza que estão por trás das poucas limitações ao mercado que ainda podemos constatar. Não permitimos que os pais vendam os filhos ou que os cidadãos vendam os votos. E um dos motivos disso, para ser franco, comporta nada mais nada menos do que um julgamento moral: acreditamos que vender essas coisas significa uma maneira errada de lhes atribuir valor, cultivando atitudes negativas.

A análise dos limites morais do mercado torna inevitáveis tais questões. Ela requer que pensemos juntos, em público, como atribuir valor aos bens sociais que prezamos. Seria absurdo esperar que um discurso público de maior robustez moral fosse capaz de levar, mesmo nas melhores condições, a algum consenso em torno de cada questão polêmica. Mas certamente teríamos aí uma vida pública mais saudável. E estaríamos mais conscientes do preço que pagamos por viver numa sociedade em que tudo está à venda.

Ao pensar na moralidade do mercado, pensamos antes de mais nada nos bancos de Wall Street e seus imprudentes desmandos, em *hedge funds*, operações de salvamento financeiro e reforma normativa. Mas o desafio moral e político que hoje enfrentamos é mais capilarizado e mais prosaico: repensar o papel e o alcance do mercado em nossas práticas sociais, nas relações humanas e na vida cotidiana.

1. Furando a fila

Ninguém gosta de esperar numa fila. Às vezes é até possível pagar para furá-la. Há muito se sabe que nos restaurantes da moda uma bela gorjeta ao *maître* pode abrir caminho numa noite muito concorrida. Essas gorjetas são quase formas de suborno, passadas discretamente. Não há nenhum cartaz que avise da disponibilidade imediata de uma mesa para quem se dispuser a molhar a mão da recepcionista com uma nota de US$ 50. Nos últimos anos, contudo, a venda do direito de furar fila saltou para a luz do dia e tornou-se uma prática habitual.

Pista livre

As longas filas nos pontos de verificação de segurança dos aeroportos transformam uma viagem numa provação. Os que compram passagens de primeira classe ou classe executiva podem usar corredores prioritários para pular à frente da fila de checagem. A British Airways dá a esse sistema o nome de *Fast Track*, ou Pista Livre, serviço que também permite aos passageiros mais abonados furar a fila nos controles de passaportes e imigração.[1]

Mas a maioria das pessoas não pode voar de primeira classe e, assim, as empresas de aviação começaram a oferecer aos passageiros a oportunidade de comprar o privilégio de furar fila, como um benefício *à la carte*. Por US$ 39 a mais, a United Airlines vende o direito de embarque prioritário no voo de Denver a Boston, juntamente com o direito de furar a fila no controle de segurança. Na Grã-Bretanha, o aeroporto londrino de Luton oferece uma opção de pista livre ainda mais acessível: esperar na longa fila da checagem de segurança ou pagar £ 3 (US$ 5) e passar à frente de todo mundo.[2]

Os críticos queixam-se de que não se deveria pôr à venda um *fast track* na segurança dos aeroportos. Lembram que a verificação de segurança é uma questão de defesa nacional, e não um mero conforto, como certos privilégios no ato de embarque ou maior espaço para descansar as pernas; o preço para impedir a entrada de terroristas nos aviões deveria ser pago igualmente por todos os passageiros. As empresas retrucam que todos são submetidos ao mesmo nível de checagem; a única coisa que varia com o preço é o tempo de espera. Desde que todos tenham o corpo igualmente escaneado, afirmam elas, um tempo menor de espera na fila é uma conveniência que podem perfeitamente vender.[3]

Os parques de diversão também começaram a vender o direito de furar a fila. Normalmente, os visitantes podem passar horas na fila de espera pelos brinquedos e pelas atrações mais concorridos. Mas agora a Universal Studios Hollywood e outros parques temáticos oferecem uma maneira de contornar a espera: por cerca do dobro do preço de entrada, vendem um passe que leva o freguês diretamente à frente da fila. O acesso mais rápido às emoções da Vingança da Múmia pode ser moralmente menos condenável do que o acesso privilegiado à verificação de segurança num aeroporto, mas certos observadores ainda assim lastimam a prática, pois consideram que solapa um saudável hábito cívico: "Foi-se a época em que a fila do parque temático era o lugar da igualdade de todos", escreveu um observador, "aquele onde cada família de férias esperava sua vez democraticamente".[4]

Curiosamente, os parques de diversão muitas vezes parecem querer esconder os privilégios que vendem. Para não ofender os clientes normais, alguns deles encaminham os clientes especiais por saídas nos fundos e portas separadas; outros fornecem uma escolta para acompanhar os clientes VIP que furam a fila. Essa necessidade de discrição parece indicar que a prática de furar fila mediante pagamento — mesmo num parque de diversão — esbarra na incômoda sensação de que o justo é esperar a vez. Mas é o tipo de preocupação que não vamos encontrar no site de venda de entradas da Universal, que oferece o Passe Frente da Fila a US$ 149 com brutal franqueza: "Pule para a FRENTE em todos os passeios, shows e atrações!"[5]

Se não se sentir à vontade em furar a fila em parques de diversão, talvez você possa optar por um passeio turístico tradicional, como o Empire State Building. Por US$ 22 (US$ 16 no caso das crianças), é possível pegar o elevador para o mirante do 86° andar e apreciar uma vista espetacular de Nova York. Infelizmente, o local atrai milhões de visitantes por ano, e a espera do elevador pode às vezes levar horas. O Empire State Building passou então a oferecer uma pista livre. Por US$ 45 por pessoa, pode-se comprar um Passe Expresso que permite furar a fila — tanto da checagem de segurança quanto do elevador. Desembolsar US$ 180 no caso de uma família de quatro pessoas pode parecer um preço salgado para chegar mais rapidamente ao topo. Mas, como lembra o site de venda de entradas, o Passe Expresso é "uma oportunidade fantástica" de "aproveitar melhor seu tempo em Nova York — e no Empire State Building — evitando filas e indo diretamente às melhores vistas".[6]

Pistas Lexus*

A tendência da pista livre também pode ser encontrada em autoestradas de todo o território dos Estados Unidos. Cada vez mais os usuários podem pagar para abrir caminho, livrar-se do congestionamento e sair por uma via expressa onde tudo flui. A coisa teve início na década de 1980, com as pistas destinadas ao transporte solidário. Muitos Estados, na esperança de reduzir os congestionamentos e a poluição do ar, criaram vias expressas para os usuários dispostos a compartilhar a viagem. Os

*Modelo de carro de luxo da Toyota. (*N. do T.*)

motoristas sozinhos que eram apanhados nessas vias amargavam multas bem salgadas. Havia quem pusesse bonecas infláveis no assento do carona na esperança de ludibriar as patrulhas. Num dos episódios da comédia televisiva *Curb Your Enthusiasm*, Larry David inventa uma maneira engenhosa de comprar acesso à via preferencial do transporte solidário: diante de um tráfego pesado numa autoestrada, a caminho de um jogo de beisebol dos Los Angeles Dodgers, ele contrata uma prostituta — não para fazer sexo, mas para acompanhá-lo no carro a caminho do estádio. E com certeza a viagem pela pista do transporte solidário permite-lhe chegar a tempo para as primeiras jogadas.[7]

Hoje, muitos usuários podem fazer o mesmo — sem precisar de ajuda remunerada. A taxas que chegam a US$ 10 na hora do rush, os motoristas desacompanhados podem comprar o direito de usar as vias de transporte solidário. San Diego, Minneapolis, Houston, Denver, Miami, Seattle e San Francisco estão entre as cidades que passaram a vender o direito ao uso das pistas mais rápidas. O custo costuma variar de acordo com a intensidade do trânsito — quanto mais pesado, maior a taxa. (Na maioria dos casos, os carros com dois ou mais ocupantes ainda podem usar as vias expressas de graça.) Na Riverside Freeway, a leste de Los Angeles, o trânsito na hora do *rush* costuma arrastar-se em média a 20-30 quilômetros por hora nas pistas livres, ao passo que os usuários que pagam para usar a via expressa zarpam a 95-100 por hora.[8]

Há quem faça objeção à ideia de vender o direito de furar fila. Essas pessoas sustentam que a proliferação de esquemas de pista livre aumenta as vantagens da afluência e condena os pobres a ficar sempre no fim da fila. Os que se opõem às vias expressas costumam chamá-las de “pistas Lexus”, considerado-as injustas com os usuários de poucos recursos. Mas há quem discorde. Esses sustentam que não há nada errado em cobrar mais por um serviço mais rápido. A Federal Express cobra uma taxa extra por entregas em prazo de 24 horas. A lavanderia local cobra a mais para entrega no mesmo dia. E no entanto ninguém considera injusto que a FedEx ou a lavanderia entregue a sua encomenda ou lave a sua roupa antes de atender outros clientes.

Do ponto de vista de um economista, as longas filas de espera por bens ou serviços significam desperdício e ineficiência, um sinal de que o sistema de preços não foi capaz de alinhar oferta e demanda. O fato de as pessoas poderem pagar por serviços mais rápidos nos aeroportos, nos parques de diversão e nas autoestradas aumenta a eficiência econômica e permite que cada um estabeleça o preço do seu próprio tempo.

O negócio das filas

Mesmo sem poder pagar para abrir caminho até a frente da fila, você pode às vezes contratar alguém para entrar na fila no seu lugar. No verão, a companhia de Teatro Público da cidade de Nova York apresenta gratuitamente encenações de peças de Shakespeare ao ar livre, no Central Park. As senhas para as récitas noturnas começam a ser distribuídas às 13h e horas antes já se forma uma fila. Em 2010, quando Al Pacino desempenhou o papel de Shylock em *O mercador de Veneza*, a procura de entradas foi particularmente intensa.

Muitos nova-iorquinos estavam ansiosos por ver a peça, mas não tinham tempo para entrar na fila. Segundo o *New York Daily News*, essa situação deu origem a uma indústria artesanal: pessoas que se oferecem para entrar na fila e conseguir senhas para quem se dispuser a pagar pelo conforto. Os profissionais da fila apregoavam seus serviços em sites como Craigslist. Para entrar na fila e aguentar a espera, eles chegavam a cobrar de seus ocupados clientes até US$ 125 por entrada para as três récitas.[9]

A companhia tentou impedir os intermediários de exercer essa atividade sob a alegação de que "foge ao espírito do programa Shakespeare no Parque". O objetivo do Teatro Público, iniciativa sem fins lucrativos subsidiada pelo governo, é tornar o teatro de qualidade acessível a um amplo público de todas as camadas da sociedade. Andrew Cuomo, na época o procurador-geral de justiça em Nova York, pressionou Craigslist a suspender a publicação de anúncios de serviços de intermediação para compra de ingressos. "A venda de ingressos que deveriam ser gratuitos", argumentou ele, "impede que os nova-iorquinos desfrutem das vantagens proporcionadas por uma instituição sustentada pelos contribuintes"[10]

O Central Park não é o único lugar onde se pode ganhar dinheiro para ficar plantado esperando. Em Washington, a capital, o negócio da fila vai-se rapidamente transformando em algo normal nas esferas governamentais. Quando as comissões do Congresso fazem audiências para debater a legislação que está sendo elaborada, costumam reservar alguns assentos para jornalistas e outros para o público em geral, a serem ocupados pelos que chegarem primeiro. Dependendo do tema e do tamanho da sala, as filas para comparecimento a essas audiências podem começar a se formar um dia ou mais antes, às vezes debaixo de chuva ou no frio inclemente do inverno. Os lobistas das empresas estão sempre altamente interessados em comparecer a essas audiências, para puxar conversa com os parlamentares nos intervalos e acompanhar o andamento das leis que afetam suas indústrias. Mas é claro que detestam passar horas na fila para garantir um lugar. A solução: pagar milhares de dólares a empresas que contratam pessoas para entrar na fila por eles.

Essas empresas recrutam aposentados, mensageiros e, cada vez mais, pessoas desabrigadas para enfrentar as intempéries e guardar um lugar na fila. Elas esperam do lado de fora do prédio e à medida que a fila anda se encaminham pelos corredores dos prédios do Congresso para ficar em frente às salas de audiência. Pouco antes de ter início a audiência, chegam os prósperos lobistas, que trocam de lugar com seus maltrajados substitutos para ocupar seus assentos na sala.[11]

As empresas de formação de fila cobram dos lobistas entre US$ 36 e US$ 60 por hora pelo serviço, o que significa que conseguir um assento em audiência de uma dessas comissões pode custar US$ 1.000 ou mais. As pessoas que de fato entram na fila recebem entre US$ 10 e US$ 20 por hora. O *Washington Post* publicou um editorial contra a prática, considerando-a "desmoralizante" para o Congresso e "insultuosa para o público". A senadora Claire McCaskill (democrata-Missouri) tentou proibi-la, sem sucesso. "Para mim, a ideia de que grupos de interesses possam comprar assentos em audiências do Congresso como se comprassem entradas para um concerto ou um jogo de futebol é ultrajante", declarou ela.[12]

Esse negócio expandiu-se recentemente do Congresso para a Suprema Corte. Quando os juízes ouvem a exposição de argumentos orais em grandes casos constitucionais, não é fácil entrar. Mas se a pessoa estiver disposta a pagar pode contratar alguém para ficar na fila e conseguir um lugar privilegiado no mais alto tribunal do país.[13]

A empresa LineStanding.com apresenta-se como "líder no ramo de formação de filas no Congresso". Quando a senadora McCaskill tentou apresentar uma lei para proibir a prática, Mark Gross, o dono da firma, defendeu-a e comparou a formação comercial de filas à divisão do trabalho na linha de montagem de Henry Ford: "Na linha de montagem, cada operário era responsável por uma tarefa específica." Assim como os lobistas estão preparados para comparecer às audiências e "analisar os depoimentos", assim como os senadores e deputados são capazes de "tomar uma decisão bem-informada", os profissionais da fila são perfeitamente capazes de... esperar. "A divisão do trabalho faz da América um lugar excelente para se trabalhar", afirmava Gross. "A formação de filas pode parecer uma prática estranha, mas em última análise é um emprego perfeitamente honesto numa economia de livre mercado"[14]

Oliver Gomes, um desses profissionais da formação de fila, concorda. Ele vivia num abrigo para sem-teto ao ser recrutado para esse trabalho e foi entrevistado pela CNN ao guardar lugar para um lobista com vistas a uma audiência sobre mudanças climáticas. "Ficar sentado nos corredores do Congresso me fez sentir um pouco melhor", disse Gomes à CNN. "Me reconfortou e me deu a sensação... sabe como é, de ser útil, de poder contribuir de alguma forma, ainda que humildemente."[15]

Mas a oportunidade de Gomes significava frustração para certos ambientalistas. Um grupo deles tentou comparecer à audiência sobre mudanças climáticas, mas não conseguiu entrar. Os prepostos remunerados pelos lobistas já haviam ocupado todos os assentos disponíveis na sala de audiência.[16] Naturalmente, caberia argumentar que, se os ambientalistas estivessem realmente preocupados em comparecer à audiência, também poderiam ter formado fila durante a noite. Ou, então, contratado desabrigados para fazê-lo em seu lugar.

Cambistas de consultas médicas

Ganhar para entrar na fila não é um fenômeno exclusivamente americano. Recentemente, ao visitar a China, soube que o negócio da formação de filas tornou-se rotineiro nos principais hospitais de Pequim. As reformas de mercado das duas últimas décadas ocasionaram cortes de verbas para as clínicas e os hospitais públicos, especialmente nas regiões rurais. Assim é que agora os pacientes do interior precisam viajar até a capital em busca de hospitais públicos, o que origina longas filas nas recepções. Essas filas são formadas já durante a noite, às vezes ao longo de dias inteiros, para conseguir uma senha de consulta médica.[17]

As senhas de consulta são muito baratas — apenas 14 iuans (cerca de US$ 2). Mas não é fácil consegui-las. Em vez de acampar dias e noites inteiros na fila, alguns pacientes, desesperados por uma consulta, compram entradas de cambistas. Esses cambistas aproveitam-se do abismo instaurado entre a oferta e a procura. Contratam pessoas para entrar na fila de distribuição de senhas e as revendem por centenas de dólares — mais do que um camponês costuma ganhar em meses de trabalho. As consultas com especialistas renomados são particularmente valorizadas — e negociadas pelos cambistas como se fossem entradas para uma final de campeonato. O *Los Angeles Times* descreveu uma cena de tráfico de senhas em frente ao saguão de recepção de um hospital de Pequim: "Dr. Tang! Dr. Tang! Quem quer uma senha para o Dr. Tang? Reumatologia e imunologia".[18]

Há algo de revoltante no tráfico de senhas para consultas médicas. Para começo de conversa, o sistema recompensa intermediários, e não aqueles que fornecem o atendimento. O Dr. Tang bem que poderia perguntar por que diabos, se uma consulta de reumatologista vale US$ 100, a maior parte do dinheiro vai parar nas mãos dos cambistas, e não nas suas — nem nas do hospital. Os economistas talvez concordassem e recomendassem aos hospitais um aumento de preços. Na verdade, alguns hospitais de Pequim abriram novas possibilidades de marcação de consultas, a preços mais elevados e com filas muito menores.[19] Esse guichê de preços mais altos é o correspondente, nos hospitais, do passe especial livre de espera nos parques de diversão ou do *fast track* nos aeroportos — uma oportunidade de pagar para furar a fila.

Independentemente de saber quem embolsa o dinheiro da demanda em excesso, sejam os cambistas ou o hospital, a pista livre para o consultório do reumatologista levanta uma questão mais fundamental: tem cabimento que determinados pacientes furem a fila do atendimento médico simplesmente porque podem pagar por fora?

Os cambistas e os guichês especiais dos hospitais de Pequim põem a questão na ordem do dia. Mas a mesma pergunta pode ser feita a respeito de uma forma mais sutil de furar fila cada vez mais praticada nos EUA: a ascensão dos médicos "de butique".

Médicos de butique

Embora os hospitais americanos não sejam assaltados por cambistas, o atendimento médico muitas vezes é questão de longa espera. As consultas precisam ser marcadas semanas antes, às vezes meses. No dia da consulta, o paciente pode ter de mofar um bocado na sala de espera para conseguir afinal apressados dez ou 15 minutos com o médico. Motivo: as companhias de seguros e as empresas de planos médicos não remuneram bem os médicos pelas consultas rotineiras. Assim, para conseguirem uma remuneração decente, os médicos têm em geral um fichário de três mil pacientes ou mais, que com frequência enfileira 25 a 30 consultas por dia.[20]

Muitos pacientes e médicos sentem-se frustrados com tal sistema, que mal permite aos médicos conhecer efetivamente os pacientes ou responder a suas perguntas. Assim é que um número crescente de profissionais passou a oferecer uma forma de atendimento mais cuidadosa, conhecida como *concierge medicine*, ou medicina de butique. Como o *concierge*, ou porteiro, de um hotel cinco estrelas, o médico de butique está de plantão 24 horas por dia. Por uma taxa anual que pode variar de US$ 1.500 a US$ 25.000, os pacientes têm garantia de atendimento no mesmo dia ou no máximo no dia seguinte, sem espera, e de desfrutar de consultas tranquilas e com acesso ao médico por e-mail ou celular 24 horas por dia. E, se for necessário consultar um especialista, o médico de butique dará as coordenadas.[21]

Para fornecerem esse tipo de atendimento, os médicos de butique reduzem drasticamente o número de pacientes de que cuidam. Aqueles que decidem transformar sua prática num serviço "de butique" mandam uma carta aos pacientes do seu fichário e oferecem uma alternativa: contratar o novo serviço que isenta de espera, a uma taxa anual, ou achar outro médico.[22]

Uma das primeiras práticas desse tipo, também uma das mais caras, é a MD² ("MD Squared"), fundada em Seattle em 1996. A uma taxa anual de US$ 15.000 por cabeça (US$ 25.000 para uma família), a empresa promete "acesso absoluto, ilimitado e exclusivo ao seu médico particular".[23] Cada médico atende apenas cinquenta famílias. Em seu site, a empresa explica que "a disponibilidade e a qualidade do serviço que fornecemos exigem que limitemos o atendimento a alguns poucos".[24] Um artigo publicado na revista *Town & Country* informa que a sala de espera da MD² "mais se parece o saguão do Ritz-Carlton do que o consultório de um médico". Mas na verdade são poucos os que aparecem por ali. Em sua maioria, os clientes são "diretores executivos e empresários que não querem perder uma hora do seu dia para ir ao consultório médico e preferem ser atendidos na privacidade de sua casa ou de seu escritório".[25]

Outros desses serviços "de butique" voltam-se para a classe média alta. A MDVIP, rede de atendimento diferenciado sediada na Flórida, oferece consultas para o mesmo dia e pronto atendimento (atende ao telefonema no segundo toque) por US$ 1.500 a US$ 1.800 anuais e aceita pagamento pelos planos de saúde para os procedimentos médicos rotineiros. Os médicos envolvidos reduzem a seiscentos os pacientes em seu fichário, o que lhes permite passar mais tempo com cada um deles.[26] A empresa garante aos clientes que "a espera não fará parte da sua experiência de atendimento médico". Segundo o *New York Times*, uma clínica da MDVIP em Boca Raton oferece salada de frutas e bolo na sala de espera. Entretanto, como a espera é pouca ou nenhuma, a comida muitas vezes nem é tocada.[27]

Para os médicos de butique e seus clientes abonados, o atendimento preferencial é mesmo o que a medicina deveria ser. Os médicos podem atender oito a 12 pacientes por dia, e não 30, e ainda assim sair-se bem financeiramente. Os médicos filiados à MDVIP embolsam dois terços da taxa anual (um terço vai para a empresa), o que significa que uma clínica com seiscentos pacientes tem um rendimento anual de US$ 600.000 apenas com as taxas, sem contar os reembolsos dos planos de saúde. Para os pacientes que têm condições, as consultas sem atropelos e o acesso a um médico 24 horas por dia são luxos pelos quais vale a pena pagar.[28]

A desvantagem, naturalmente, é que o atendimento preferencial de alguns poucos implica relegar os demais às salas de espera abarrotadas dos outros médicos.[29] Levanta, assim, a mesma objeção suscitada por qualquer esquema de pista livre: é algo injusto para os que marcam passo na pista engarrafada.

Mas a medicina de butique certamente difere do sistema chinês de guichês de atendimento privilegiado e consultas traficadas por cambistas. Os que não podem pagar por um médico de butique geralmente encontram outras formas de atendimento condigno, ao passo que os que não têm condições de comprar de um cambista em Pequim estão fadados a dias e noites de espera.

Os dois sistemas, contudo, têm algo em comum: ambos permitem que os abastados furem a fila do atendimento médico. O fura-filas é mais descarado em Pequim do que em Boca Raton. A diferença é brutal entre o alarido do saguão de recepção apinhado e a calma da sala de espera com a salada de frutas intocada. Mas isso só acontece porque, quando o cliente preferencial chega para a consulta com um médico de butique, a triagem na fila já foi feita, sem que ninguém visse, através da cobrança de uma taxa.

Lógica de mercado

As realidades que acabamos de repassar são sinais dos tempos. Nos aeroportos e nos parques de diversão, nos corredores do Congresso e nas salas de espera dos consultórios médicos, a ética da fila — "quem chega primeiro é atendido primeiro" — vem sendo substituída por uma ética do mercado — "pagou, levou".

E essa mudança reflete algo ainda maior: a entrada cada vez mais intensa do dinheiro e do mercado em esferas da vida outrora governadas por normas alheias ao mercado.

A venda do direito de furar fila não é o caso mais grave nessa tendência. Mas a análise dos aspectos positivos e negativos das filas de aluguel, do tráfico de senhas e de outras formas de fura-fila pode ajudar-nos a entender a força moral — e os limites morais — da lógica de mercado.

Haveria algo de errado em contratar pessoas para ficarem na fila ou com o tráfico de formas de acesso? A maioria dos economistas considera que não. Eles não se identificam muito com a ética da fila. Se eu quiser contratar um sem-teto para ficar na fila por mim, perguntam, por que alguém haveria de se queixar? Se preferir vender o meu acesso em vez de usá-lo, por que seria impedido?

Os argumentos em favor dos mercados de preferência nas filas são de dois tipos. O primeiro é uma questão de respeito à liberdade individual; o outro, de maximizar o bem-estar ou a utilidade social. No primeiro caso, um argumento libertário. Ele sustenta que as pessoas devem ter liberdade de comprar e vender o que bem quiserem, desde que não violem os direitos de ninguém. Os libertários opõem-se a leis contra o tráfico de acesso pelo mesmo motivo que os leva a que se oponham a leis contra a prostituição ou a venda de órgãos humanos: consideram que essas leis violam a liberdade individual, interferindo nas escolhas de adultos donos do próprio nariz.

O segundo argumento em favor da ação do mercado, mais conhecido dos economistas, é de caráter utilitário. Afirma que as trocas no mercado beneficiam compradores e vendedores igualmente, contribuindo para o bem-estar coletivo ou a utilidade social. O fato de eu e a pessoa que ponho para esperar na fila estarmos firmando um contrato significa que ambos teremos a lucrar. Pagar US$ 125 para assistir à peça de Shakespeare sem esperar na fila deve ser bom para mim; caso contrário, eu não teria contratado outra pessoa para fazê-lo no meu lugar. E ganhar US$ 125 para passar horas numa fila deve ser conveniente; caso contrário, a pessoa não teria aceitado a tarefa. Ambos temos a lucrar com a troca feita, pois existe de fato uma utilidade. É o que os economistas querem dizer quando afirmam que o livre mercado distribui com eficiência os bens. Ao permitir que as pessoas façam acertos vantajosos para todos os envolvidos, o mercado distribui os bens para aqueles que lhes dão mais valor, o que é medido pela sua disposição de pagar.

Meu colega Greg Mankiw, economista, escreveu um dos mais consultados manuais de economia dos Estados Unidos. Ele usa o exemplo do tráfico de entradas para ilustrar as virtudes do livre mercado. Em primeiro lugar, explica que eficiência econômica é uma questão de distribuir os bens de uma forma que maximize "o bem-estar econômico de todos na sociedade". Observa em seguida que o livre mercado contribui para esse objetivo ao propiciar "o fornecimento de bens aos compradores que lhes dão mais valor, o que é medido por sua disposição de pagar".[30] Veja-se o caso dos cambistas:

> Para que uma economia distribua de maneira eficiente recursos escassos, os bens devem chegar às mãos dos consumidores que lhes dão mais valor. A ação dos cambistas é um exemplo da maneira como o mercado alcança resultados eficazes (...). Ao cobrarem o preço mais alto comportado pelo mercado, os cambistas contribuem para que os consumidores mais dispostos a pagar pelas entradas de fato as consigam.[31]

Se a lógica do livre mercado estiver certa, os cambistas e as empresas que contratam gente para entrar em filas não devem ser acusados por estar violando a integridade da fila, e sim honrados por aumentar o nível de utilidade social, ao fazer com que bens subvalorizados se tornem disponíveis para os que mais se dispõem a pagar por eles.

Mercados *versus* filas

Qual seria, então, a argumentação em favor da ética da fila? Por que tentar proibir ocupantes remunerados em filas e cambistas no Central Park ou no Congresso? Um porta-voz do Shakespeare no Parque apresentou a seguinte justificativa: “Essas pessoas estão privando de um lugar ou de uma entrada alguém que quer estar ali, ansioso por ver uma produção do Shakespeare no Parque. Queremos que as pessoas tenham essa experiência gratuitamente”[32]

A primeira parte do argumento é falha. Os prestadores contratados para entrar na fila não reduzem o número de pessoas que têm acesso à récita; são apenas *outras* pessoas. É verdade, como sustenta esse porta-voz, que os prestadores apoderaram-se de entradas que de outra maneira estariam nas mãos de pessoas que, mais atrás na fila, de fato estão ansiosas por ver a peça. Mas as entradas vão parar nas mãos de pessoas que também estão ansiosas por vê-la. Por isso é que desembolsam US$ 125 para contratar alguém que fique na fila.

O que o porta-voz provavelmente quis dizer é que a prática dos cambistas é injusta com quem não puder pagar US$ 125. Deixa as pessoas comuns em desvantagem, tornando mais difícil o acesso às entradas. Trata-se de um argumento de mais peso. Quando alguém contratado para ficar na fila ou um cambista consegue uma entrada, alguém que está mais atrás sai perdendo, uma pessoa que talvez não possa pagar o preço cobrado pelo cambista.

Os defensores do livre mercado poderiam responder da seguinte maneira: se o teatro realmente quiser ocupar os assentos com pessoas ansiosas por ver a peça e maximizar o prazer proporcionado por suas récitas, deveria querer que as entradas cheguem às mãos daqueles que realmente lhes dão mais valor. E essas são as pessoas que pagam mais caro por uma entrada. De modo que a melhor maneira de encher a casa com um público mais capaz de desfrutar da peça é permitir que o livre mercado funcione — seja ao vender entradas pelo preço que o mercado comportar ou permitir que os profissionais da fila e os cambistas vendam a quem pagar mais. Conseguir entradas para quem estiver disposto a pagar o preço mais alto é a melhor maneira de determinar quem é que dá mais valor à récita de uma peça de Shakespeare.

Mas o argumento não é convincente. Ainda que o objetivo seja maximizar a utilidade social, o livre mercado não tem nenhuma maneira mais confiável de fazê-lo senão com as filas. E o motivo disso é que a disposição de pagar por um bem não mostra realmente quem é que lhe atribui mais valor. Isso ocorre porque os preços de mercado refletem não só a disposição, mas também a possibilidade de pagar. As pessoas que mais desejam ver Shakespeare, ou uma final do campeonato de beisebol, talvez não possam pagar pela entrada. E em certos casos aqueles que pagam mais caro talvez não deem tanto valor assim à experiência.

Pude notar, por exemplo, que as pessoas que ocupam assentos no setor mais caro dos estádios muitas vezes chegam atrasadas e saem antes do fim. O que me leva a me perguntar o quanto gostam realmente de beisebol. Sua disposição de pagar por assentos nos lugares privilegiados pode ter mais a ver com a profundidade do bolso do que com a paixão pelo jogo. Elas certamente não apreciam tanto quanto certos torcedores, especialmente jovens, que não podem pagar por lugares caros, mas são capazes de descrever com detalhes o desempenho de cada jogador da equipe. Como os preços de mercado refletem não só a disposição, mas também a possibilidade de pagar, passam a constituir indicadores imperfeitos daqueles que mais valorizam determinado bem.

Trata-se de um argumento bem conhecido, e mesmo óbvio. Mas ele lança dúvida sobre a alegação dos economistas de que os mercados são sempre mais indicados do que as filas quando se trata de fazer com que os bens cheguem às mãos daqueles que lhes dão mais valor. Em certos casos, a disposição de ficar na fila — seja por entradas de teatro ou de jogos — pode indicar com mais clareza quem quer realmente estar presente do que a disposição de pagar.

Os defensores da ação dos cambistas queixam-se de que a fila "discrimina em favor de pessoas que dispõem de mais tempo livre".[33] O que é verdade, mas apenas no sentido de que os mercados também "discriminam" em favor de pessoas que têm mais dinheiro. Assim como os mercados distribuem os bens com base na possibilidade e na disposição de pagar, as filas os distribuem com base na possibilidade e na disposição de esperar. E não temos motivos para presumir que a disposição de pagar por um bem constitui melhor medida do seu valor para alguém do que a disposição de esperar.

De modo que o argumento utilitário em favor dos mercados, em detrimento das filas, é muito relativo. Às vezes, o mercado de fato encaminha os bens para aqueles que lhes dão mais valor; outras vezes, isso será feito pelas filas. Saber se em determinado caso a função será mais bem desempenhada pelo mercado ou pelas filas é uma questão empírica, não suscetível de ser resolvida de antemão por um raciocínio econômico abstrato.

Mercados e corrupção

Mas o argumento utilitário que dá preferência aos mercados sobre as filas enfrenta uma objeção ainda mais essencial: as considerações de ordem utilitária não são as únicas a ser levadas em conta. Certos bens têm um valor que transcende a utilidade para os compradores e os vendedores. A maneira como determinado bem é distribuído pode ser um elemento da sua essência.

Voltemos ao caso das récitas gratuitas de peças de Shakespeare montadas no verão pelo Teatro Público. "Queremos que as pessoas tenham essa experiência gratuitamente", disse o porta-voz, ao explicar a oposição do teatro à contratação de pessoas para entrar na fila. Mas por quê? Em que a experiência perderia se as entradas fossem postas à venda? Ela perderia, naturalmente, para aqueles que gostariam de ver a peça mas não têm condições de comprar uma entrada. Mas a equanimidade não é a única coisa em questão aqui. Algo se perde quando o teatro público e gratuito é transformado em mercadoria, algo que transcende a decepção dos que são impedidos de comparecer por falta de dinheiro.

O Teatro Público encara suas apresentações gratuitas ao ar livre como um festival com acesso para todos, uma espécie de celebração cívica. Trata-se, por assim dizer, de um presente que a cidade se dá. Naturalmente, o número de assentos não é ilimitado; não é possível o comparecimento da cidade inteira a uma récita. Mas a ideia é tornar Shakespeare gratuitamente acessível a todos, independentemente da possibilidade de pagar. Cobrar pela entrada ou permitir que cambistas lucrem com algo que deveria ser um presente vai de encontro a essa finalidade. Transforma-se um festival para todos num negócio, numa ferramenta da busca de lucro privado. Seria como se a cidade cobrasse para que a população assistisse aos fogos de artifício da data nacional do 4 de Julho.

Considerações dessa mesma ordem explicam o que há de errado com a fila remunerada no Congresso. Uma das objeções tem a ver com a equanimidade: é injusto que os lobistas ricos açambarquem o mercado das audiências parlamentares e privem os cidadãos comuns da possibilidade de comparecer. Mas a desigualdade no acesso não é o único aspecto inquietante dessa prática. Suponhamos que os lobistas tivessem de pagar uma taxa pela contratação de empresas fornecedoras de ocupantes de filas e os valores arrecadados fossem usados para permitir acesso dos cidadãos comuns a serviços remunerados de ocupação de lugar em filas. Os subsídios poderiam assumir a forma, por exemplo, de vales dando direito a preços reduzidos nessas empresas. Um esquema assim poderia compensar a falta de equanimidade do atual sistema. Mas continuaria de pé uma outra objeção: o Congresso é desvalorizado e degradado com a transformação do acesso a suas audiências num produto posto à venda.

Do ponto de vista econômico, o livre acesso às audiências parlamentares "subvaloriza" o bem e dá origem a filas. A indústria das filas compensa essa ineficiência estabelecendo um preço de mercado. Distribui assentos na sala de audiência aos que se dispuserem a pagar mais. Isso, no entanto, é uma forma equivocada de atribuir valor ao bem que é o governo representativo.

Poderemos entender melhor se perguntarmos, para começo de conversa, por que o Congresso "subvaloriza" a admissão a suas deliberações. Suponhamos que o Congresso, em luta hercúlea para reduzir a dívida nacional, decida cobrar entradas em suas audiências — US$ 1.000, digamos, por um assento na primeira fila da Comissão de Orçamento. Muitas pessoas levantariam objeções, não só pelo fato de a cobrança ser injusta com os que não puderem pagar, mas também porque cobrar para que o público possa comparecer a uma audiência parlamentar é uma forma de corrupção.

Costumamos associar o conceito de corrupção a lucros indébitos. Mas a corrupção não é apenas uma questão de suborno e pagamentos ilícitos. Corromper um bem ou uma prática social significa degradá-lo, atribuir-lhe uma valoração inferior à adequada. Nesse sentido, cobrar entradas em audiências parlamentares é uma forma de corrupção. Trata-se assim o Congresso como se fosse um negócio, e não uma instituição do governo representativo.

Os cínicos poderiam retrucar que o Congresso já é um negócio, na medida em que constantemente trafica influências e vende favores a interesses particulares. Nesse caso, por que não reconhecê-lo abertamente e cobrar pela entrada? A resposta é que a ação dos grupos de pressão, o tráfico de influências e o autofavorecimento que já conspurcam o Congresso são em si mesmos formas de corrupção. Representam a degradação do governo na esfera do interesse público. Em qualquer acusação de corrupção está implícita a concepção dos objetivos e das finalidades legitimamente perseguidos por uma instituição (no caso, o Congresso). A indústria da fila em Capitol Hill, uma extensão da indústria do *lobby*, é corrupta nesse sentido. Ela não é ilegal e os pagamentos são feitos abertamente. Mas degrada o Congresso ao tratá-lo como fonte de lucro privado, e não como um instrumento do bem público.

O que há de errado com os cambistas?

Por que será que certos casos de remuneração para entrar em filas ou furá-las e de tráfico de acesso nos parecem condenáveis e outros não? O motivo é que os valores de mercado são prejudiciais para certos bens, mas adequados para outros. Para decidir se determinado bem deve ser distribuído pelo mercado, pelas filas ou de alguma outra maneira, precisamos decidir de que tipo de bem se trata e como deve ser valorado.

Nem sempre é fácil. Vejamos três exemplos de bens "subvalorizados" que passaram recentemente a ser objeto de tráfico por parte de cambistas: áreas de acampamento no Parque Nacional Yosemite, missas do papa Bento XVI ao ar livre e shows de Bruce Springsteen.

Cambistas no acampamento

O Parque Nacional Yosemite, na Califórnia, atrai mais de quatro milhões de visitantes por ano. Cerca de novecentas de suas melhores áreas de acampamento podem ser reservadas antecipadamente, a um custo nominal de US$ 20 por noite. As reservas podem ser feitas por telefone ou online a partir das 7h do dia 15 de cada mês, com antecipação de até cinco meses. Mas não é fácil conseguir uma reserva. A demanda é tão grande, especialmente no verão, que as áreas de acampamento já estão ocupadas minutos depois de iniciado o período de reservas.

Em 2011, todavia, o *Sacramento Bee* informou que cambistas estavam vendendo áreas de acampamento nesse parque no site Craigslist por US$ 100 a US$ 150 por noite. O Serviço de Parques Nacionais, que proíbe a revenda de reservas, foi inundado de reclamações, que tentavam impedir o comércio ilegal, contra os cambistas.[34] Pela lógica normal de mercado, não parece muito evidente por que deveria fazê-lo: se o Serviço de Parques Nacionais desejar maximizar os benefícios a serem obtidos pela sociedade com o uso do Yosemite, deveria querer que as áreas de acampamento fossem usadas pelos que mais dão valor à experiência, de acordo com sua disposição de pagar. Em vez de tentar barrar o caminho dos cambistas, devia abrir-lhes os braços. Ou então aumentar o preço das reservas das áreas de acampamento, pelos valores de mercado, e eliminar a demanda em excesso.

Mas a indignação pública com a ação dos cambistas nos acampamentos de Yosemite rejeita essa lógica de mercado. O jornal que deu a notícia publicou um editorial que condenava os cambistas com o título "Cambistas atacam no Parque Yosemite: nada mais é sagrado?" O tráfico de acesso era visto como um golpe a ser prevenido, e não como um serviço de utilidade social. "As maravilhas do Yosemite pertencem a todos nós", dizia o editorial, "e não apenas aos que podem desembolsar dinheiro a mais para um cambista."[35]

Por trás da hostilidade à ação dos cambistas nas áreas de acampamento em Yosemite encontram-se na verdade duas objeções — uma na esfera da equanimidade, a outra na da maneira adequada de valorar um parque nacional. A primeira objeção expressa a preocupação de que a ação dos cambistas é injusta com pessoas de recursos modestos, que não podem pagar US$ 150 por noite para acampar. A segunda, subentendida na pergunta retórica do editorial ("Nada mais é sagrado?"), baseia-se na ideia de que certas coisas não estão à venda. Por esse raciocínio, os parques nacionais não são apenas objetos de uso ou entidades geradoras de utilidade social. São lugares de beleza e mistério natural, dignos de ser apreciados e mesmo de adoração. O tráfico do acesso a lugares assim por parte de cambistas é quase um sacrilégio.

Missas papais à venda

Eis um outro exemplo de colisão dos valores de mercado com um bem sagrado: quando o papa Bento XVI veio pela primeira vez aos Estados Unidos, a procura de entradas para as missas que rezaria em estádios de Nova York e Washington superou em muito a disponibilidade de assentos — até mesmo no Yankee Stadium. As entradas gratuitas eram distribuídas pelas dioceses e pelas paróquias católicas. Quando começou o inevitável tráfico dos cambistas — uma entrada vendida online por mais de US$ 200 — representantes da Igreja condenaram a prática, sob a alegação de que o acesso a um ritual religioso não pode ser posto à venda. "Não pode haver venda de entradas", disse uma porta-voz da Igreja. "Não se pode pagar para receber um sacramento."[36]

Mas os que compraram entradas nas mãos dos cambistas provavelmente discordariam. Conseguiram pagar para receber um sacramento. Mas o que a porta-voz da Igreja tentava dizer era algo diferente: embora seja possível comprar entradas de um cambista para ter acesso a uma missa do papa, o espírito do sacramento fica comprometido se a experiência for posta à venda. Tratar rituais religiosos ou maravilhas da natureza como mercadorias é uma falta de respeito. Transformar bens sagrados em objetos de lucro significa valorá-los de forma equivocada.

O mercado de Springsteen

E o que pensar de um evento que é em parte comercial e em parte algo diferente? Em 2009, Bruce Springsteen deu dois espetáculos no seu estado natal, Nova Jersey. Estabeleceu como preço mais alto US$ 95, embora pudesse ter cobrado muito mais e ainda assim se apresentado com lotação esgotada. A limitação do preço levou a um frenesi de cambistas, privando Springsteen de muito dinheiro. Pouco antes os Rolling Stones tinham cobrado US$ 450 pelos melhores lugares em sua turnê. Economistas que examinaram os valores cobrados num show anterior de Springsteen chegaram à conclusão de que, ao cobrar um preço inferior ao de mercado, ele abrira mão naquela noite de algo em torno de US$ 4 milhões.[37]

Por que então não cobrar o preço de mercado? Para Springsteen, manter os preços das entradas em patamar relativamente acessível é uma maneira de se manter vinculado com os fãs da classe trabalhadora. E também de expressar uma certa concepção dos próprios shows. Trata-se certamente de empreendimentos visando ao lucro, mas apenas em parte. São igualmente eventos de celebração, cujo sucesso depende do caráter e da composição do público. A performance não está apenas nas canções, mas também na relação entre o artista e o público, assim como no espírito que os reúne.

Em artigo sobre a economia dos concertos de rock publicado na revista *New Yorker*, John Seabrook frisa que esses espetáculos não são mercadorias, na estrita acepção do termo, nem bens de mercado; tratá-los como se fossem é reduzir seu significado: "Os discos são mercadorias; os concertos são eventos sociais e tentar transformar a experiência ao vivo numa mercadoria é correr o risco de estragar completamente a experiência." Ele cita Alan Krueger, um economista que analisou a política de preços dos shows de Springsteen: "Existe sempre nos concertos de rock algo que os aproxima mais de uma festa do que do mercado de produtos de consumo." Uma entrada para um show de Springsteen, argumentava Krueger, não é apenas um bem de mercado. É sob certos aspectos um presente. Se Springsteen cobrasse o que o mercado comportasse, comprometeria essa relação de doação com os fãs.[38]

Haverá quem veja nisso apenas uma questão de relações-públicas, uma estratégia destinada a abrir mão de um pouco de rendimento hoje para preservar a boa vontade e maximizar os ganhos a longo prazo.

Mas não é a única maneira de entendê-lo. Springsteen talvez acredite, e pode estar certo, que tratar suas apresentações ao vivo como um simples produto de mercado seria desvalorizá-las, dar-lhes uma valoração equivocada. Pelo menos sob esse aspecto, ele pode ter algo em comum com o papa Bento XVI.

A ética da fila

Vimos aqui várias maneiras de pagar para furar a fila: contratar prepostos, comprar entradas com cambistas ou adquirir direitos preferenciais diretamente, por exemplo, de uma companhia aérea ou de um parque de diversão. Cada uma dessas transações suplanta a ética da fila (esperar pela vez) com a ética do mercado (aceitar um preço por um serviço mais rápido).

Mercados e filas — pagar e esperar — são duas maneiras diferentes de distribuir as coisas, cada uma delas adequada para atividades diferentes. A ética da fila, "chegar primeiro para ser atendido primeiro", tem um apelo igualitário. Incita-nos a ignorar o privilégio, o poder e os bolsos profundos — pelo menos para certas finalidades. "Espere a sua vez", éramos advertidos na infância. "Não fure a fila."

O princípio parece adequado em playgrounds, pontos de ônibus e quando se forma uma fila para o banheiro público num teatro ou estádio. Não gostamos quando alguém passa à frente de nós. Se alguém com uma necessidade urgente pede para furar a fila, a maioria das pessoas concorda. Mas pareceria muito estranho se alguém no fim da fila oferecesse US$ 10 para trocar de lugar — ou se a gerência colocasse banheiros pagos ao lado dos gratuitos para atender a clientes abastados (ou desesperados).

Mas a ética da fila não prevalece em todas as ocasiões. Se eu puser minha casa à venda, não tenho qualquer obrigação de aceitar a primeira oferta simplesmente por ser a primeira. Vender a casa e esperar o ônibus são atividades diferentes, muito adequadamente regulamentadas por normas diferentes. Não há qualquer motivo para presumir que um único princípio — entrar na fila ou pagar — deva determinar a distribuição de todos os bens.

Às vezes as normas são alteradas e não fica claro que princípio deve prevalecer. Basta lembrar a mensagem gravada que ouvimos, infindáveis vezes, quando ligamos para o banco, o fornecedor de TV a cabo ou o plano de saúde: "Sua chamada será atendida pela ordem." Temos aí a essência da ética da fila. É como se a empresa tentasse aplacar nossa impaciência com o bálsamo da equanimidade.

Mas não leve muito a sério a mensagem gravada. Hoje, alguns telefonemas são atendidos com mais rapidez do que outros. Podemos falar aqui de pular na fila telefônica. É cada vez maior o número de bancos, companhias aéreas e cartões de crédito que fornecem números especiais aos melhores clientes ou transferem suas chamadas para centrais telefônicas de elite para um mais pronto atendimento. A tecnologia de centrais telefônicas permite que as empresas "classifiquem" os telefonemas e forneçam um serviço mais rápido aos provenientes de lugares afluentes. A Delta Airlines dispôs-se recentemente a proporcionar aos clientes habituais uma polêmica vantagem: a possibilidade de pagar US$ 5 a mais para serem atendidos por um funcionário nos próprios Estados Unidos em vez de ter suas chamadas transferidas para uma central telefônica na Índia. A desaprovação geral encontrada pela ideia levou a Delta a abandoná-la.[39]

Haveria algo de errado em atender primeiro aos telefonemas dos melhores (ou mais promissores) clientes? Depende do tipo de produto que é vendido. O chamado é sobre uma cobrança a mais ou uma cirurgia de apêndice?

Naturalmente, os mercados e as filas não são as únicas maneiras de distribuir as coisas. Certos bens são distribuídos por mérito, outros por necessidade e outros ainda por sorteio ou pelo acaso. As universidades costumam admitir alunos com maior potencial ou talento, e não os que se inscrevem primeiro nos concursos ou oferecem mais dinheiro por uma matrícula no primeiro ano. As emergências dos hospitais tratam os pacientes em função da urgência do seu estado, e não pela ordem de chegada ou de acordo com sua disposição de pagar por fora para ser atendido primeiro. Os membros de um júri são sorteados pelo sistema judicial; se você for convocado, não poderá contratar alguém para ocupar o seu lugar.

A tendência dos mercados para tomar o lugar das filas e outras formas não mercadológicas de distribuição de bens de tal maneira permeia a vida moderna que já nem a notamos mais. Não deixa de chamar a atenção que a maioria dos esquemas fura-filas aqui examinados — em aeroportos e parques de diversão, nos festivais shakespearianos e nas audiências parlamentares, nas centrais telefônicas de atendimento e nas clínicas médicas, nas autoestradas e nos parques nacionais — tenha começado a se manifestar recentemente e mal seria concebível três décadas atrás. O fim da ideia da fila nesses terrenos pode parecer estranho. Mas não são os únicos lugares invadidos pelo mercado.

2. Incentivos

Dinheiro para se esterilizar

Todo ano, centenas de milhares de bebês são trazidos ao mundo por mães viciadas em drogas. Alguns já nascem viciados também e muitos sofrerão abusos ou serão abandonados. Barbara Harris, fundadora da organização caritativa Project Prevention, sediada na Carolina do Norte, tem para o problema uma solução inspirada no mercado: oferecer às mães viciadas US$ 300 se aceitarem ser esterilizadas ou se submeter permanentemente ao controle de natalidade. Mais de três mil mulheres aceitaram a proposta desde o lançamento do programa, em 1997.[1]

Há quem considere o projeto "moralmente condenável", por redundar em "subornar pela esterilização". Essas pessoas argumentam que oferecer estímulo financeiro a viciadas em drogas para que abram mão de sua capacidade reprodutora vem a ser uma forma de coerção, especialmente se considerando que o programa está voltado para mulheres vulneráveis de bairros pobres. Em vez de ajudá-las a superar o vício, afirmam esses críticos, o dinheiro serve para financiá-lo. Frase promocional de um dos folhetos do programa: "Não deixe que uma gravidez comprometa o seu vício".[2]

Harris reconhece que quase sempre as clientes usam o dinheiro para comprar drogas. Mas ela considera ser isso um preço que vale a pena pagar para impedir o nascimento de crianças já viciadas. Certas mulheres que aceitam dinheiro em troca de esterilização já ficaram grávidas uma dúzia de vezes ou mais; muitas têm vários filhos aos cuidados de terceiros. "Por que uma mulher teria mais direito de procriar do que uma criança de ter uma vida normal?", pergunta Harris. Ela fala por experiência própria. Ela e o marido adotaram quatro filhos de uma viciada em crack em Los Angeles. "Faço qualquer coisa que tiver de fazer para impedir o sofrimento de bebês. Não acho que alguém tenha o direito de impingir o próprio vício a um outro ser humano."[3]

Em 2010, Harris levou seu programa de incentivos à Grã-Bretanha, onde a ideia de pagar pela esterilização de alguém encontrou forte oposição da imprensa — considerada uma "proposta horripilante" em artigo do *Telegraph* — e da Associação Médica Britânica. Sem se deixar impressionar, Harris já chegou ao Quênia, onde paga US$ 40 a mulheres com o vírus do HIV para que aceitem dispositivos intrauterinos de contracepção. No Quênia e na África do Sul, para onde ela pretende agora expandir seu projeto, não faltaram protestos e indignação da parte de funcionários do sistema de saúde e defensores dos direitos humanos.[4]

Do ponto de vista da lógica de mercado, não parece muito claro por que esse programa desperta tanta indignação. Embora certos críticos falem de uma semelhança com os projetos de eugenismo dos nazistas, o programa de pagamento contra esterilização é um acerto voluntário entre atores privados. O Estado não se envolve e ninguém é esterilizado contra a vontade. Há quem argumente que as viciadas, desesperadas por dinheiro, não estão em condições de fazer uma escolha realmente livre diante de uma oferta financeira. Mas Harris retruca justamente que, se sua capacidade decisória e de julgamento está assim tão comprometida, como se poderia esperar que elas tomassem decisões sensatas quanto à gestação e criação de filhos?[5]

Encarado como uma transação mercadológica, esse tipo de acordo gera vantagens para ambas as partes e contribui para a utilidade social. A viciada recebe US$ 300 em troca de abrir mão da possibilidade de ter filhos. Em troca desses US$ 300, Harris e sua organização recebem a garantia de que a viciada não vai mais gerar bebês viciados. Pela lógica habitual do mercado, a troca é eficiente do ponto de vista econômico. Fornece o bem — no caso, o controle da capacidade reprodutora de uma viciada — à pessoa (Harris) que se dispõe a pagar mais por ele e, portanto, pode ser considerada aquela que lhe atribui maior valor.

Por que, então, todo esse barulho? Por dois motivos, que ajudam a esclarecer os limites morais da lógica de mercado. Há quem critique o acerto dinheiro-por-esterilização como coercitivo; outros o consideram uma forma de suborno. São na verdade objeções diferentes. Cada uma delas assinala um motivo diferente para que resistamos à penetração do mercado em lugares onde ele não faz sentido.

O argumento da coerção considera que, ao aceitar ser esterilizada em troca de dinheiro, uma mulher viciada não está agindo livremente. Embora não haja nenhum revólver apontado para sua cabeça, o estímulo financeiro pode ser tentador demais para resistir. Considerando-se o vício e, na maioria dos casos, a pobreza, a escolha de ser esterilizada por US$ 300 pode não ser realmente livre. Essa mulher pode de fato estar sendo coagida por força de sua situação. Naturalmente, não existe um consenso sobre quais seriam os estímulos que redundam em coerção e em quais circunstâncias. Para avaliar, portanto, a moralidade de qualquer transação de mercado, precisamos primeiro fazer a pergunta: em que condições as relações de mercado refletem uma liberdade de escolha e em quais vêm a exercer algum tipo de coação?

A objeção do suborno é diferente. Não diz respeito às condições do trato, mas à natureza do bem que está sendo comprado e vendido. Vejamos um caso clássico de suborno. Se um indivíduo inescrupuloso suborna um juiz ou funcionário governamental em troca de uma vantagem ou favor ilícito, a condenável transação pode ser inteiramente voluntária. Nenhuma das duas partes terá sido coagida e ambas saem ganhando. O que torna o suborno condenável não é o fato de ser coercitivo, mas corrupto. A corrupção consiste em comprar e vender algo (um veredito favorável, por exemplo, ou influência política) que não pode ser posto à venda.

Muitas vezes associamos corrupção ao suborno de funcionários públicos. Como vimos no Capítulo 1, contudo, a corrupção também tem um significado mais amplo: corrompemos um bem, uma atividade ou uma prática social sempre que a tratamos de acordo com uma norma inferior ao padrão que lhe seria adequado. Assim, num exemplo extremo, ter um filho para vendê-lo é uma forma de corrupção da paternidade, pois o filho está sendo tratado como uma coisa a ser usada, e não como um ser a ser amado. A corrupção política pode ser encarada da mesma forma: quando um juiz aceita suborno para dar um veredito corrompido, está agindo como se sua autoridade judicial fosse um instrumento de ganho pessoal, e não da confiança pública. Degrada e rebaixa o cargo ao tratá-lo em função de uma norma inferior à que lhe seria adequada.

Esse conceito mais amplo de corrupção é o que está por trás da acusação de que o esquema de pagamento pela esterilização é uma forma de suborno. Aqueles que falam aqui de suborno consideram que, seja ou não coercitivo, um acordo dessa natureza é corrupto. E o motivo disso está no fato de ambas as partes — aquela que compra (Harris) e a que vende (a viciada) — valorarem de forma errada o bem vendido (a capacidade de gestação da vendedora). Harris trata as mulheres viciadas e contaminadas pelo HIV como se fossem máquinas danificadas de produção de bebês que podem ser desligadas por dinheiro. As que aceitam sua oferta concordam com essa visão degradante de si mesmas. É esse o peso moral da acusação de suborno. Como os juízes e os funcionários corruptos, as mulheres que aceitam ser esterilizadas em troca de dinheiro vendem algo que não pode ser vendido. Tratam a própria capacidade reprodutora como instrumento de ganho monetário, e não como um dom ou uma questão de confiança que obedece a normas de responsabilidade e cuidado.

Seria possível argumentar, em resposta, que a analogia é falha. Um juiz que aceita suborno vende algo que não está à venda; o veredito não é propriedade sua. Mas uma mulher que concorda em ser esterilizada em troca de dinheiro vende algo que lhe pertence — a saber, sua capacidade reprodutora. À parte o dinheiro, a mulher não faz nada de mal ao optar pela esterilização (ou por não ter filhos); mas o juiz faz mal ao dar um veredito injusto, mesmo na ausência de suborno. Há quem sustente que, se a mulher tem o direito de abrir mão da capacidade reprodutora por motivos pessoais, também deveria ter direito de cobrar um preço por isso.

Se aceitarmos esse argumento, a troca de dinheiro por esterilização de modo algum seria suborno. Assim, para decidir se a capacidade reprodutora de uma mulher pode ser objeto de uma transação mercadológica, temos de nos perguntar de que tipo de bem se trata: devemos encarar nosso corpo como uma posse de que podemos dispor e fazer uso como bem quisermos ou será que certas formas de uso do corpo redundam em autodegradação? É uma questão polêmica e cheia de desdobramentos que também surge em debates sobre a prostituição, as mães de aluguel e a compra e venda de óvulos e esperma. Antes de decidir se as relações de mercado são adequadas nessas esferas, precisamos saber que normas devem governar nossa vida sexual e a procriação.

A visão econômica da vida

A maioria dos economistas prefere não ter de lidar com questões morais, pelo menos não no desempenho profissional. Consideram que sua função é explicar os comportamentos, e não julgá-los. Insistem em que não lhes cabe dizer quais normas deveriam pautar esta ou aquela atividade ou de que maneira este ou aquele bem deve ser valorado. O sistema de preços distribui os bens de acordo com as preferências de cada um; mas não avalia se essas preferências são dignas, admiráveis ou adequadas às circunstâncias. Apesar dos protestos, contudo, os economistas cada vez mais se veem envolvidos em questões morais.

Isso acontece por dois motivos: um deles reflete uma mudança que vem correndo no mundo; o outro, uma mudança na maneira como os economistas encaram sua atividade.

Nas últimas décadas, os mercados e a lógica de mercado invadiram esferas da vida tradicionalmente governadas por outras normas. Cada vez mais, estamos atribuindo preço a bens não econômicos. Os US$ 300 oferecidos por Harris são um exemplo dessa tendência.

Ao mesmo tempo, os economistas reconfiguram sua disciplina e a tornam mais abstrata e mais ambiciosa. No passado, os economistas lidavam com questões reconhecidamente econômicas — inflação e desemprego, poupança e investimento, taxas de juros e comércio exterior. Explicavam de que maneira os países enriquecem e como o sistema de preços joga com a oferta e a demanda futura da carne de porco e outros bens de mercado.

Ultimamente, contudo, muitos economistas abraçaram um projeto mais ambicioso, porque a economia oferece, sustentam eles, não apenas um conjunto de percepções sobre a produção e o consumo de bens materiais, mas também uma ciência do comportamento humano. No cerne dessa ciência está uma ideia simples mas de grande alcance: em todas as esferas da vida, o comportamento humano pode ser explicado partindo-se do princípio de que as pessoas decidem o que fazer sopesando os custos e benefícios das opções à sua frente e escolhendo aquela que acreditam ser capaz de lhes proporcionar maior bem-estar ou que tenha maior utilidade.

Se essa ideia estiver correta, tudo tem seu preço. O preço pode ser explícito, como no caso dos carros, das torradeiras e da carne de porco. Ou será implícito, como no caso do sexo, do casamento, dos filhos, da educação, das atividades criminosas, da discriminação racial, da participação política, da proteção ambiental e até da vida humana. Tenhamos ou não consciência disso, a lei de oferta e procura governa o provimento de todas essas coisas.

A tese mais influente a respeito é sustentada por Gary Becker, economista da Universidade de Chicago, em *The Economic Approach to Human Behavior* [A abordagem econômica do comportamento humano] (1976). Ele rejeita a visão antiquada de que a economia é "o estudo da distribuição dos bens materiais". Especula que a persistência dessa visão tradicional deve-se "a uma relutância em submeter certos tipos de comportamento humano ao cálculo 'frio' da economia". Becker tenta nos desabituar dessa relutância.[6]

Segundo ele, as pessoas estão sempre empenhadas em maximizar seu bem-estar, quaisquer que sejam suas atividades. Esse pressuposto, "posto em prática incansável e invariavelmente, está no cerne da abordagem econômica" do comportamento humano. A abordagem econômica funciona independentemente dos bens que estejam em jogo. Ela explica decisões de vida ou morte e "a escolha de uma marca de café". Aplica-se à escolha de um parceiro e à compra de uma lata de tinta. Prossegue Becker:

> Cheguei à conclusão de que a abordagem econômica tem um caráter abrangente que a torna aplicável a todos os comportamentos humanos, envolvam preços monetários ou virtuais, decisões reiteradas ou raras, grandes ou pequenas, finalidades emocionais ou mecânicas, pessoas ricas ou pobres, homens ou mulheres, adultos ou crianças, pessoas inteligentes ou estúpidas, pacientes ou terapeutas, empresários ou políticos, professores ou alunos.[7]

Becker não afirma que pacientes e terapeutas, empresários e políticos, professores e alunos de fato entendam que suas decisões são governadas por imperativos econômicos. Mas isso ocorre apenas porque muitas vezes não vemos o que está na origem de nossos atos. "A abordagem econômica não parte do princípio" de que as pessoas "necessariamente têm consciência de seu empenho de maximizar ou podem verbalizar ou descrever de maneira informativa" os motivos de seu comportamento. Todavia, os mais atentos aos indícios de atribuição de preço implícitos em toda situação humana são capazes de ver que todo comportamento, por mais distante que possa parecer das preocupações de ordem material, pode ser explicado e previsto em termos de cálculo racional de custos e benefícios.[8]

Becker ilustra sua tese com uma análise econômica do casamento e do divórcio:

> De acordo com a abordagem econômica, uma pessoa decide casar-se quando a expectativa de utilidade do casamento supera a utilidade esperada do celibato ou da persistência na busca de um parceiro mais adequado. Da mesma forma, uma pessoa casada põe fim ao casamento quando a utilidade esperada da nova situação de celibato ou de casamento com outro parceiro supera a perda de utilidade ocorrida na separação,

> inclusive as perdas decorrentes da separação física dos filhos, da divisão de bens, dos custos jurídicos e assim por diante. Como muitas pessoas estão em busca de parceiros, pode-se dizer que existe um *mercado* de casamentos.[9]

Há quem considere que esse tipo de calculismo priva o casamento de todo romance. Essas pessoas sustentam que o amor, o compromisso e o vínculo são ideais que não podem ser reduzidos a termos monetários. Insistem em que um bom casamento não tem preço, é algo que o dinheiro não compra.

Para Becker, trata-se de um exemplo de sentimentalismo que impede o raciocínio claro. "Com um engenho que seria digno de admiração se fosse mais bem aproveitado", escreve ele, aqueles que resistem à abordagem econômica consideram que o comportamento humano é o resultado confuso e imprevisível de "ignorância e irracionalidade, de frequentes e inexplicáveis mudanças de valores, costumes e tradições, de um tipo de obediência de certa forma induzido pelas normas sociais". Becker não tem muita paciência com essa visão caótica. Um foco mais centrado na renda e nas considerações de preço, acredita, oferece bases mais sólidas à ciência social.[10]

Será então que toda ação humana pode ser entendida à luz de um mercado? A questão continua sendo objeto de debate entre economistas, cientistas políticos, juristas e outros especialistas. Mas o impressionante é a força adquirida por essa imagem — não só no mundo acadêmico, mas na vida cotidiana. Em grande medida, as relações sociais foram reconfiguradas nas últimas décadas à imagem das relações de mercado. Uma medida dessa transformação é o crescente uso de incentivos monetários para resolver problemas sociais.

Remunerar crianças pelas boas notas

Remunerar alguém para ser esterilizado é um exemplo flagrante. Eis aqui um outro: em várias partes dos Estados Unidos, o sistema escolar passou a tentar melhorar o desempenho acadêmico com a remuneração das crianças para estimulá-las a tirar boas notas ou obter boa pontuação em testes de avaliação. A ideia de que os incentivos em dinheiro podem resolver os problemas de nossas escolas surge como um pano de fundo do movimento pela reforma educacional.

Visitei um colégio excelente, mas excessivamente competitivo, em Pacific Palisades, na Califórnia. Ouvi aqui e ali comentários sobre pais que pagavam aos filhos por cada nota máxima obtida. A maioria de nós considerou o fato ligeiramente escandaloso. Mas não ocorreu a ninguém que a própria escola poderia pagar por boas notas. De fato, lembro-me de que o time de beisebol dos Los Angeles Dodgers tinha anos atrás uma promoção que oferecia entradas gratuitas a universitários que se saíssem bem na vida acadêmica. Certamente não fazíamos nenhuma objeção a esse tipo de promoção e meus amigos e eu fomos assim a um bom número de jogos. Mas ninguém achava que se tratasse de um incentivo, parecia mais uma espécie de desperdício sem maiores consequências.

Hoje as coisas são diferentes. Cada vez mais, os incentivos financeiros são considerados um elemento-chave do melhor desempenho educacional, especialmente no caso de alunos de escolas em centros urbanos com resultados medíocres.

Em edição recente, a revista *Time* levantava a questão sem rodeios em sua reportagem de capa: "Cabe às escolas subornar as crianças?"[11] Há quem considere que depende de se o suborno funciona ou não.

Roland Fryer Jr., professor de economia em Harvard, está tentando deslindar a questão. Americano de origem africana que cresceu em bairros problemáticos da Flórida e do Texas, Fryer considera que os incentivos em dinheiro podem contribuir para motivar as crianças nas escolas dos bairros carentes. Com recursos de uma fundação, ele testou sua ideia em alguns dos maiores distritos escolares dos Estados Unidos. A partir de 2007, seu projeto destinou US$ 6,3 milhões a alunos de 261 escolas urbanas de população predominantemente afro-americana e hispânica, provenientes de famílias de baixa renda. Diferentes esquemas de incentivo foram usados em cada uma das cidades.[12]

- Em Nova York, as escolas envolvidas pagavam US$ 25 a alunos da 4ª série se se saíssem bem em testes padronizados de avaliação. Os alunos da 7ª série podiam ganhar US$ 50 por teste. Esses ganhavam em média um total de US$ 231,55.[13]
- Em Washington, as escolas pagavam a alunos do ensino médio por comparecimento, bom comportamento e entrega dos trabalhos de casa. As crianças mais compenetradas podiam ganhar US$ 100 quinzenalmente. O aluno médio recebia cerca de US$ 40 nesse período e um total de US$ 532,85 ao longo do ano escolar.[14]
- Em Chicago, os alunos da 9ª série recebiam dinheiro pelas boas notas: US$ 50 por um A, US$ 35 por um B e US$ 20 por um C. O melhor aluno tinha uma arrecadação de US$ 1.875 durante o ano escolar.[15]
- Em Dallas, pagam US$ 2 aos alunos da 2ª série por cada livro que lerem. Para receber o dinheiro, os alunos devem responder a um questionário computadorizado e provar que leram o livro.[16]

Esses pagamentos em dinheiro deram resultados variáveis. Em Nova York, a remuneração da garotada por boas notas nos testes em nada contribuiu para melhorar seu desempenho acadêmico. O dinheiro em troca das boas notas em Chicago levou a melhores níveis de comparecimento, mas não melhorou os resultados dos testes padronizados. Em Washington, os pagamentos ajudaram alguns alunos (hispânicos, meninos e alunos com problemas comportamentais) a alcançar melhor desempenho de leitura. O dinheiro funcionou, sobretudo, com os alunos de 2ª série em Dallas; as crianças que receberam US$ 2 por livro chegaram ao fim do ano com melhor nível de compreensão na leitura.[17]

O projeto de Fryer é uma das muitas tentativas recentes de remunerar crianças para melhorar o desempenho na escola. Um outro programa premia com dinheiro as notas altas em exames de Advanced Placement.* Os cursos de AP dão acesso a esses alunos a conteúdos mais complexos

*Programa do sistema de ensino americano que consiste em oferecer a alunos do nível secundário cursos avançados que contam créditos no nível universitário. (*N. do T.*)

de matemática, história, ciência, inglês e outras matérias de nível universitário. Em 1996, o Texas lançou o Advanced Placement Incentive Program, que pagava entre US$ 100 e US$ 500 (dependendo da escola) aos alunos que fossem aprovados (com nota 3 ou superior) em exames de AP. Os professores também são recompensados com valores entre US$ 100 e US$ 500 por estudante aprovado no exame, além de bônus salariais adicionais. O programa de incentivo, atualmente adotado em sessenta colégios texanos, busca melhorar a capacitação de alunos de minorias e de baixa renda para o nível universitário. Já são hoje uma dúzia os Estados americanos que oferecem incentivos financeiros a alunos e professores pelo sucesso em testes de AP.[18]

Certos programas de incentivo estão antes voltados para os professores do que para os alunos. Embora os sindicatos de professores tenham reagido com cautela às propostas de remuneração do desempenho, a ideia de remunerar os professores pelos resultados acadêmicos dos alunos é bastante popular entre eleitores, políticos e alguns reformadores do sistema educacional. Desde 2005, esquemas de incentivo monetário aos professores foram implantados em Denver, Nova York, Washington, no condado de Guilford, na Carolina do Norte, e em Houston. Em 2006, o Congresso criou o Fundo de Incentivo ao Professor, com verbas destinadas a remunerar o desempenho de professores em escolas de resultados habitualmente medíocres. O governo Obama aumentou a verba desse programa. Recentemente, um projeto de incentivo financiado pelo setor privado em Nashville passou a oferecer a professores de matemática do ensino médio bônus em dinheiro de até US$ 15.000 pela melhoria dos resultados de seus alunos.[19]

Os bônus de Nashville, apesar de polpudos, praticamente não tiveram qualquer impacto nos resultados dos alunos de matemática. Mas no Texas e em outros Estados os programas de incentivo do Advanced Placement tiveram efeito positivo. Aumentou o número de alunos assim estimulados a entrar para esses cursos, inclusive alunos provenientes de meios de baixa renda e minoritários. E muitos estão se submetendo aos exames padronizados que capacitam a acumular créditos universitários, o que é uma excelente notícia. Mas nem por isso ela corrobora o ponto de vista econômico habitual sobre os incentivos financeiros: quanto mais se paga, com mais afinco os alunos haverão de trabalhar e melhor será o resultado. A coisa é mais complicada.

Os programas de incentivo AP que deram certo não oferecem apenas dinheiro aos alunos e professores, mas transformam a cultura das escolas e as atitudes dos alunos em relação aos resultados acadêmicos. Esses programas proporcionam treinamento especial aos professores, equipamentos de laboratório e sessões de monitoramento depois das aulas e aos sábados. Uma problemática escola urbana de Worcester, Massachusetts, criou classes de AP para todos os alunos, e não apenas para uma elite previamente escolhida, recrutando-os com cartazes envolvendo estrelas do rap e "apresentando como algo descolado para os garotos que idolatram rappers como Lil Wayne a entrada para os cursos mais difíceis". Ao que parece, o incentivo de US$ 100 pela aprovação no teste AP do fim do ano serviu de motivação antes pelo efeito de imagem do que pelo dinheiro propriamente dito. "O dinheiro é um negócio descolado", disse ao *New York Times* um dos alunos que se saíram bem. "É um extra e tanto." As sessões de monitoramento duas vezes por semana depois das aulas e as 18 horas de aulas aos sábados previstas no programa também ajudaram.[20]

Ao examinar de perto o programa de incentivo do Advanced Placement em escolas texanas de áreas de baixa renda, um economista constatou algo interessante: o programa conseguiu melhorar os resultados acadêmicos, mas não da maneira que se poderia esperar segundo o habitual "efeito preço" (quanto mais se paga, melhores as notas). Embora certas escolas pagassem US$ 100 pela aprovação no teste AP e outras chegassem a pagar US$ 500, os resultados não se revelaram melhores nas escolas que remuneravam mais. Os alunos e os professores "simplesmente não se comportavam como indivíduos empenhados em maximizar a renda", escreveu C. Kirabo Jackson, o autor do estudo.[21]

O que estava acontecendo, então? O dinheiro tinha um efeito expressivo, tornando "descolado" o bom desempenho acadêmico. Por isso é que o valor propriamente não era decisivo. Embora na maioria das escolas só os cursos AP de inglês, matemática e ciências fossem suscetíveis de incentivos monetários, o programa também levou ao aumento das matrículas em outros cursos AP, como história e estudos sociais. Os programas Advanced Placement de incentivo não tiveram êxito porque subornassem os alunos, mas por terem mudado as atitudes em relação ao desempenho e contribuído para a evolução da cultura das escolas.[22]

Subornos de saúde

O atendimento médico é uma outra área onde os incentivos em dinheiro estão em voga. Cada vez mais os médicos, os planos de saúde, as seguradoras e os empregadores estão remunerando para que as pessoas sejam saudáveis — para que tomem seus remédios, parem de fumar e percam peso. Você poderia pensar que evitar doenças e problemas de saúde que representem risco de vida seria uma motivação suficiente. Surpreendentemente, contudo, muitas vezes não é o que acontece. Entre um terço e metade dos pacientes não toma os remédios prescritos. Quando seu estado se agrava, o resultado global são bilhões de dólares por ano em custos adicionais de saúde. Assim é que os médicos e as seguradoras estão oferecendo incentivos em dinheiro para motivar os pacientes a tomar os remédios.[23]

Na Filadélfia, pacientes aos quais foi prescrita a droga anticoagulante Warfarin podem receber prêmios em dinheiro variando entre US$ 10 e US$ 100 para tomá-la. (Uma caixa de comprimidos computadorizada registra se eles tomaram o remédio e informa se saíram vencedores nesse dia.) Os participantes desse esquema de incentivo ganham em média US$ 90 por mês pelo bom comportamento. Na Grã-Bretanha, certos pacientes de distúrbio bipolar ou esquizofrenia recebem £ 15 (US$ 22) para comparecer mensalmente ao local onde devem tomar a injeção com drogas antipsicóticas. Panfletos distribuídos em shoppings oferecem £ 45 (US$ 68) a moças na adolescência que se disponham a se vacinar contra um vírus sexualmente transmissível que pode causar câncer cervical.[24]

O fumo gera custos elevados para as empresas que fornecem planos de saúde aos empregados. Assim foi que, em 2009, a General Electric começou a remunerar alguns deles para que parassem de fumar — US$

750 se o conseguissem por um ano. Os resultados foram tão promissores que a GE estendeu a oferta a todos os seus empregados nos Estados Unidos. A rede de supermercados Safeway oferece preços mais baixos em seus planos de saúde aos empregados que não fumam e mantêm sob controle o peso, a pressão arterial e os níveis de colesterol. É cada vez maior o número de empresas que combinam estímulos e penalidades para motivar os empregados a cuidar da saúde. Das grandes empresas americanas, 80% oferecem atualmente incentivos financeiros aos que participam de programas de bem-estar. E quase metade delas pune os trabalhadores por hábitos prejudiciais à saúde, em geral cobrando mais pelos planos de saúde.[25]

A perda de peso é o alvo mais atraente, apesar de problemático, dessas experiências de incentivo monetário. O *reality show The Biggest Loser*, da NBC, dramatiza essa onda atual de pagar para que as pessoas emagreçam. Oferece US$ 250.000 para o participante que conseguir a maior perda proporcional de peso durante a temporada.[26]

Médicos, pesquisadores e empregadores também têm tentado oferecer incentivos num nível mais modesto. Em estudo feito nos EUA, uma recompensa de algumas centenas de dólares motivou participantes obesos a perder cerca de seis quilos em quatro meses. (Infelizmente, a perda revelou-se temporária.) Na Grã-Bretanha, onde o Serviço Nacional de Saúde gasta 5% do orçamento tratando de doenças relacionadas à obesidade, a instituição tentou pagar até £ 425 (US$ 612) a pessoas com peso excessivo para um processo de emagrecimento que fosse mantido durante dois anos. O programa é conhecido como Libras por Libras.[27]*

Duas questões são suscitadas por essa tendência a pagar por um comportamento saudável: Funciona? É condenável?

Do ponto de vista econômico, o argumento em favor da prática de pagar pela boa saúde é uma simples questão de custo-benefício. A única questão real é saber se os sistemas de incentivo funcionam. Se o dinheiro incentiva as pessoas a tomarem os remédios, parar de fumar ou entrar para

*Jogo de palavras. *Pounds for pounds*, literalmente, significa libras (moeda) por libras (medida de peso). Anglo-saxões medem o peso em libras, e não em quilos, como os latinos. (*N. do T.*)

uma academia, e desse modo reduzir a necessidade de onerosos cuidados médicos, por que não?

E, no entanto, não falta quem levante objeções. O emprego de incentivos monetários para promover comportamentos saudáveis provoca uma acirrada polêmica de fundo moral. Uma das objeções envolve questões de equanimidade; outra, de suborno. A objeção da equanimidade é expressada de maneiras diferentes de ambos os lados do espectro político. Certos conservadores argumentam que as pessoas com excesso de peso devem emagrecer por conta própria; pagar para que o façam (especialmente com dinheiro dos contribuintes) significa uma recompensa indevida de comportamentos negligentes. Esses críticos consideram que os incentivos monetários são "uma recompensa à indulgência, e não uma forma de tratamento". Por trás dessa crítica está a ideia de que "somos todos capazes de controlar nosso próprio peso". É, portanto, injusto remunerar aqueles que não foram capazes de fazê-lo por conta própria — especialmente se a remuneração é gerada, como pode acontecer na Grã-Bretanha, pelo Serviço Nacional de Saúde. "Pagar a alguém para abrir mão de maus hábitos é o que pode haver em matéria de mentalidade infantilizante e exime essas pessoas de qualquer responsabilidade pela própria saúde"[28]

Certos liberais manifestam a preocupação exatamente oposta: que as recompensas financeiras pela boa saúde (e as penalidades pela má saúde) deixem injustamente em desvantagem pessoas acometidas de problemas médicos que não têm como controlar. O fato de empresas ou planos de saúde discriminarem entre pessoas saudáveis e não saudáveis no estabelecimento dos valores de atendimento é injusto com aqueles que têm saúde mais frágil ou incorrem em maior risco sem que nada tenham feito para isso. Uma coisa é oferecer descontos a todo mundo para estimular a frequência a academias de ginástica, mas outra muito diferente é estabelecer valores de seguro e atendimento com base em resultados de saúde que muitos não podem controlar.[29]

A objeção de suborno é mais difícil de apreender. A imprensa costuma chamar de suborno os incentivos à saúde, porém, será que são mesmo? No esquema de remuneração pela esterilização, o suborno é evidente. As mulheres são remuneradas para abrir mão de sua capacidade reprodutora, não por seu próprio bem, mas visando a uma finalidade externa: evitar o nascimento de bebês viciados em drogas. São pagas, pelo menos em muitos casos, para agir contra seu próprio interesse.

Mas o mesmo não pode ser dito dos incentivos monetários para ajudar as pessoas a parar de fumar ou a perder peso. Quaisquer que sejam as finalidades externas atendidas (como reduzir os custos de saúde nas empresas ou num serviço nacional de saúde), o dinheiro estimula comportamentos que promovem a saúde daquele que o recebe. Por que seria, então, considerado uma forma de suborno?[30] Ou, de um ponto de vista ligeiramente diferente, por que será que a acusação de suborno aparentemente se encaixa, embora o comportamento saudável seja do interesse da pessoa que está sendo subornada?

Ele se encaixa, na minha opinião, porque desconfiamos de que o motivo monetário se sobrepõe a outros motivos mais relevantes. Eis aqui como isso ocorre: a boa saúde não é apenas uma questão de conseguir um bom nível de colesterol e de massa corpórea. É também uma questão de assumir a atitude certa em relação ao nosso bem-estar físico e tratar nosso corpo com cuidado e respeito. Pagar a alguém para que tome sua medicação não contribui muito para desenvolver tais atitudes e pode até ter efeito contrário.

Isso ocorre porque o suborno manipula. Ele passa ao largo da persuasão e substitui uma razão intrínseca por outra, externa. “O seu próprio bem-estar não lhe parece tão importante que o faça parar de fumar ou perder peso? Pois então vou pagar-lhe US$ 750 para que o consiga.”

Os subornos na área da saúde são um truque para fazermos algo que deveríamos estar fazendo. Induzem-nos a fazer a coisa certa pelo motivo errado. Às vezes, um truque pode ajudar. Não é mesmo fácil parar de fumar ou perder peso. Mas devemos em algum momento transcender a manipulação. Caso contrário, o suborno pode criar hábito.

Se os subornos de saúde funcionam, a preocupação com a corrupção das atitudes certas em relação à saúde pode parecer algo muito idealista e fora de alcance. Se o dinheiro pode curar-nos da obesidade, por que criar caso em torno da manipulação? Uma possível resposta é que a devida preocupação com nosso bem-estar físico faz parte do respeito próprio. Mas existe uma outra resposta, de caráter mais prático: na ausência de atitudes capazes de promover a boa saúde, os quilos a mais voltarão quando os incentivos acabarem.

É o que aparentemente aconteceu nos esquemas de remuneração para a perda de peso estudados até agora. A remuneração para parar de fumar mostrou algum vislumbre de esperança. Mas até mesmo o estudo mais encorajador constatou que mais de 90% dos fumantes remunerados para abandonar o hábito voltaram a fumar seis meses depois do fim dos incentivos. De maneira geral, os incentivos monetários parecem funcionar melhor quando se trata de conseguir que alguém compareça para um compromisso específico — uma consulta médica ou uma injeção — do que nas tentativas de mudança de hábitos e comportamentos arraigados.[31]

Remunerar alguém em nome da saúde pode ser contraproducente, pelo fato de não serem cultivados, dessa maneira, os valores que efetivamente sustêm a boa saúde. Se isso for verdade, a pergunta do economista ("Os incentivos monetários funcionam?") e a pergunta do moralista ("Seriam condenáveis?") estão mais próximas do que parece à primeira vista. O efetivo "funcionamento" de um incentivo depende do objetivo. E o objetivo, entendido corretamente, pode incluir valores e atitudes contra os quais agem os incentivos em dinheiro.

Incentivos perversos

Um amigo meu costumava pagar US$ 1 aos filhos pequenos toda vez que escreviam um bilhete de agradecimento. (Geralmente dava para perceber, lendo os bilhetes, que tinham sido escritos sob pressão.) A longo prazo, essa política pode funcionar ou não. Pode acontecer que, depois de escrever muitos bilhetes, as crianças acabem aprendendo seu real significado e continuem manifestando gratidão ao receber alguma coisa, mesmo se não forem mais pagas por isso. Também é possível que aprendam a lição errada e encarem esses bilhetes como uma obrigação, uma tarefa a ser desempenhada em troca de remuneração. Nesse caso, o hábito não se fixará e elas pararão de escrever os bilhetes quando deixarem de ser pagas. Pior ainda, essa forma de suborno pode corromper sua educação moral e tornar mais difícil para elas o aprendizado da virtude da gratidão. Ainda que aumente a produtividade a curto prazo, o suborno pelos bilhetes de agradecimento terá fracassado e inculcado uma maneira errada de valorar o bem em questão.

Uma questão semelhante surge no caso da remuneração dos bons resultados escolares: por que não pagar a uma criança para tirar boas notas ou ler um livro? O objetivo é motivá-la a estudar ou ler. O pagamento é um incentivo nesse sentido. Ensina a economia que as pessoas reagem a incentivos. E embora certas crianças possam sentir-se motivadas a ler livros pelo gosto do aprendizado, com outras isso não acontece. Por que então não usar o dinheiro como um incentivo a mais?

Pode acontecer — como dá a entender a lógica econômica — que dois incentivos funcionem mais do que um só. Mas também pode dar-se que o incentivo monetário venha a solapar o incentivo intrínseco e levar a criança a ler menos, e não mais. Ou levá-la a ler mais a curto prazo, mas pelo motivo errado.

Nessa situação, o mercado é um instrumento, mas não um instrumento inocente. O que começa como um mecanismo de mercado se torna uma norma de mercado. O motivo mais óbvio de preocupação é que o pagamento acostume as crianças a pensar na leitura de livros como uma forma de ganhar dinheiro e comprometa, sobrepuje ou corrompa o gosto da leitura pela leitura.

O recurso a incentivos monetários para conseguir que as pessoas percam peso, leiam livros ou sejam esterilizadas reflete a lógica da abordagem econômica da vida, mas também a amplia. Ao escrever, em meados da década de 1970, que tudo que fazemos pode ser explicado partindo-se do princípio de que calculamos os custos e os benefícios, Gary Becker referia-se aos “preços da sombra” — os preços imaginários que estariam implícitos nas opções com que nos defrontamos e nas escolhas que fazemos. Assim, por exemplo, quando uma pessoa decide continuar casada em vez de se divorciar, não há um preço explícito; o que a pessoa leva em conta ao decidir que as vantagens não compensam é o preço implícito de um rompimento — financeiro e emocional.

Mas os esquemas de incentivo que hoje proliferam vão mais adiante. Ao explicitar um preço para atividades muito distantes das questões materiais, eles tiram das sombras, justamente, os preços da sombra do raciocínio de Becker e os torna reais. Dão forma concreta ao seu raciocínio de que todas as relações humanas são em última análise relações de mercado.

O próprio Becker fez a esse respeito uma proposta de impacto, ao apresentar uma solução de mercado para o polêmico debate em torno da política de imigração: os Estados Unidos deveriam descartar-se de seu complexo sistema de cotas, pontuações, preferências familiares e filas para simplesmente vender o direito à imigração. Considerando-se a demanda, Becker sugere que o preço da admissão seja fixado em US$ 50.000 ou talvez até mais.[32]

Ele raciocina que os imigrantes dispostos a pagar um valor alto pela admissão automaticamente teriam as características desejadas. Provavelmente seriam jovens, capacitados, ambiciosos, trabalhadores e com pouca probabilidade de fazerem uso de benefícios previdenciários ou do sistema de proteção ao desempregado. Em 1987, quando Becker fez pela primeira vez a proposta de venda do direito de imigração, muitos consideraram a ideia absurda. Para os mais habituados ao raciocínio econômico, todavia, era uma maneira sensata e até óbvia de aplicar a lógica de mercado a uma questão espinhosa: como decidir quais imigrantes serão aceitos?

Julian L. Simon, outro economista, propôs um plano semelhante mais ou menos na mesma época. Ele sugeriu que fosse estabelecida uma cota inicial de imigrantes a serem aceitos, leiloando o direito de entrada até o seu preenchimento. É justo vender o direito de imigrar, sustentava Simon, "porque se discrimina, assim, de acordo com o padrão de uma sociedade pautada pelo mercado: a capacidade ou a disposição de pagar". Diante da objeção de que dessa forma só os ricos poderiam entrar, Becker sugeriu que os vencedores do leilão fossem autorizados a pegar emprestada uma parte da taxa de entrada ao governo para devolvê-la mais tarde com o imposto de renda. Se não pudessem pagar, acrescentou, sempre poderiam ser deportados.[33]

A ideia de vender o direito de imigração pareceu ofensiva a alguns. Na época da religião do mercado, contudo, a essência da proposta Becker-Simon logo se transformou em lei. Em 1990, o Congresso determinou que os estrangeiros que investissem US$ 500.000 nos Estados Unidos poderiam imigrar, com suas famílias, por dois anos e posteriormente receber o *green card* em caráter permanente se o investimento criasse pelo menos dez empregos. O plano que consistia em pagar pelo *green card* era o máximo em matéria de fura-fila, uma pista livre para a cidadania. Em 2011, dois senadores propuseram um projeto de lei que concedia incentivo monetário semelhante para estimular o mercado imobiliário de luxo, que ainda fraquejava depois da crise financeira. Qualquer estrangeiro que comprasse um imóvel de US$ 500.000 receberia um visto que o autorizaria a se estabelecer com cônjuge e filhos menores nos Estados Unidos enquanto continuasse na propriedade desse bem. Uma manchete no *Wall Street Journal* resumia bem a ideia: "Compre uma casa, receba um visto".[34]

Becker propôs até que fosse cobrado o direito de entrada para refugiados fugindo de perseguição política. O livre mercado, segundo ele, facilitaria a identificação dos que deveriam ser aceitos — os suficientemente motivados para pagar:

> Por motivos óbvios, os refugiados políticos e as pessoas perseguidas em seus próprios países estariam dispostos a pagar uma taxa considerável para serem admitidos num país livre. Um sistema de taxas, assim, automaticamente eliminaria a necessidade de trabalhosas e prolongadas audiências para saber se essas pessoas realmente correriam risco físico se fossem forçadas a voltar para seus países.[35]

Cobrar US$ 50.000 de um refugiado fugindo de perseguição pode parecer extremamente insensível, sendo mais um exemplo da incapacidade de os economistas distinguirem entre disposição e possibilidade de pagar. Vamos então examinar uma outra proposta de mercado para resolver o problema dos refugiados, eximindo-os da necessidade de botar a mão no bolso. Peter Schuck, um professor de direito, propôs o seguinte:

> Um organismo internacional atribuiria a cada país uma cota anual de refugiados com base na riqueza nacional. Os países passariam então a comprar e vender essas obrigações entre eles. Assim, por exemplo, se o Japão recebesse uma cota anual de vinte mil refugiados e não os quisesse receber, poderia pagar à Rússia ou a Uganda para ficar com eles. Pela lógica habitual de mercado, todo mundo sai ganhando. A Rússia ou Uganda ganha uma nova fonte de renda nacional, o Japão atende as suas obrigações em relação aos refugiados, terceirizando-os, e se consegue assim acomodar um número maior de refugiados.[36]

Existe um lado repugnante no estabelecimento, assim, de um mercado de refugiados, ainda que se consiga dessa maneira dar asilo a um maior número deles. Mas qual é exatamente a objeção que se levanta no caso? Ela tem algo a ver com o fato de que um mercado de refugiados altera nossa visão dos refugiados e da maneira como devem ser tratados. Um mercado dessa natureza estimula os envolvidos — aqueles que compram, os que vendem e também aqueles cujo asilo está sendo regateado — a encarar os refugiados como um fardo a ser descartado ou como uma fonte de renda, e não como seres humanos em situação de perigo.

Talvez fosse possível reconhecer o caráter degradante de um mercado de refugiados e ainda assim concluir que o esquema é antes benéfico do que maléfico. Mas o que o exemplo demonstra é que os mercados não são meros mecanismos. Eles corporificam certas normas. Pressupõem — e promovem — certas maneiras de valorar os bens que estão sendo trocados.

Os economistas muitas vezes partem do pressuposto de que os mercados não afetam nem comprometem os bens que regulam. Mas não é verdade. Os mercados deixam sua marca nas normas sociais. Muitas vezes, os incentivos de mercado corroem ou sobrepujam os incentivos que não obedecem à lógica do mercado.

Um estudo feito em creches de Israel mostra como isso pode acontecer. Essas creches enfrentavam um problema bem conhecido: os pais às vezes se atrasavam na hora de buscar os filhos. Um professor precisava tomar conta deles até que os pais retardatários chegassem. Para resolver o problema, as creches estabeleceram uma multa para os atrasos. Que terá acontecido então? Os atrasos aumentaram.[37]

Para quem parte do princípio de que as pessoas reagem bem aos incentivos é um resultado intrigante. Caberia esperar que a multa reduzisse, em vez de aumentar, a incidência de atrasos. O que aconteceu então? A introdução do pagamento em dinheiro alterou as normas. Antes, os pais atrasados sentiam-se culpados; causavam um inconveniente aos professores. Mas agora consideravam o atendimento dos filhos em caso de atraso como um serviço pelo qual se dispunham a pagar. Encaravam a multa como se fosse uma taxa. Em vez de ser um estorvo para o professor, estavam simplesmente pagando para que ele trabalhasse por um período extra.

Multas *versus* taxas

Qual a diferença entre uma multa e uma taxa? Vale a pena explorar essa distinção. As multas conotam desaprovação moral, ao passo que as taxas são simplesmente preços, sem qualquer subentendido de julgamento moral. Quando é imposta uma taxa por jogar detritos, dizemos que é errado fazê-lo. Jogar uma lata de cerveja no Grand Canyon não implica apenas custos de limpeza. Reflete também uma atitude errada que nós, como sociedade, queremos desestimular. Suponhamos que a multa seja de US$ 100 e um viajante rico decida que vale a pena pagar pela conveniência de não precisar carregar seus resíduos para fora do parque. Ele encara a multa como uma taxa e atira suas latas de cerveja no Grand Canyon. Embora pague, consideramos que ele fez algo errado. Ao tratar o Grand Canyon como um lixão dispendioso, ele não soube apreciá-lo por seu devido valor.

Ou, então, veja-se o caso dos espaços reservados em estacionamentos para pessoas com deficiências físicas. Suponhamos que um empreiteiro fisicamente capaz queira estacionar seu carro perto do prédio em construção. Pela conveniência de estacionar em um local reservado a deficientes, ele está disposto a pagar uma polpuda multa: considera-a como um custo para o andamento do negócio. Embora ele pague a multa, será que não consideramos que está fazendo algo errado? Ele encara a multa como se fosse apenas uma taxa elevada de estacionamento, o que, no entanto, deixa de lado o significado moral. Ao tratar a multa como se fosse uma taxa, ele desrespeita as necessidades dos deficientes físicos e o desejo da comunidade de atendê-los ao reservar espaços no estacionamento.

A multa de US$ 217.000 por excesso de velocidade

Quando as pessoas tratam as multas como taxas, fazem pouco das normas expressas nessas multas. Muitas vezes a sociedade revida. Há motoristas abastados que consideram as multas por excesso de velocidade o preço a pagar para dirigir na velocidade que quiserem. Na Finlândia, a lei investe pesadamente contra essa maneira de pensar (e de dirigir) ao basear o valor da multa na renda do infrator. Em 2003, Jussi Salonoja, de 27 anos, herdeiro de uma fábrica de salsichas, recebeu uma multa de € 170.000 (US$ 217.000 da época) por dirigir a 80 quilômetros por hora numa zona com limite de velocidade de 40. Salonoja, um dos homens mais ricos da Finlândia, tinha uma renda de € 7 milhões por ano. O recorde anterior da multa mais alta por excesso de velocidade estava em poder de Anssi Vanjoki, um executivo da Nokia, a empresa de telefonia móvel. Em 2002, ele recebeu uma multa de € 116.000 por um veloz passeio em Helsinque na sua Harley-Davidson. O juiz reduziu a multa quando Vanjoki provou que sua renda diminuíra, em virtude de uma queda nos lucros da Nokia.[38]

O que faz com que essas multas finlandesas por excesso de velocidade não sejam taxas não é apenas o fato de variarem com a renda do infrator. É a condenação moral por trás delas — o julgamento de que a violação do limite de velocidade está errada. O imposto de renda progressivo também varia com a renda, mas não constitui uma multa; o objetivo é aumentar a arrecadação, e não punir uma atividade geradora de renda. A multa de US$ 217.000 por excesso de velocidade na Finlândia mostra que a sociedade não quer apenas cobrir os possíveis custos de um comportamento arriscado; quer também que a punição seja adequada ao delito — e à conta bancária do infrator.

Apesar da atitude de desdém de certos motoristas ricos em relação aos limites de velocidade, a distinção entre uma multa e uma taxa não pode ser facilmente apagada. Na maioria dos lugares, ser obrigado a parar por um guarda e receber uma multa por excesso de velocidade carrega uma espécie de estigma. Ninguém acha que o policial apenas coleta uma espécie de pedágio ou cobra do infrator a conta da conveniência de uma viagem mais rápida. Deparei-me recentemente com uma estranha proposta que deixa isso claro, mostrando como seria realmente uma taxa por excesso de velocidade no lugar de uma multa.

Em 2010, Eugene "Gino" DiSimone, candidato independente a governador de Nevada, propôs uma maneira original de levantar dinheiro para o orçamento do Estado: permitir que as pessoas pagassem US$ 25 por dia para ultrapassar o limite oficial de velocidade e dirigir a 140 quilômetros por hora em determinadas estradas. Quem quisesse contar com a opção de ultrapassar o limite apenas de vez em quando poderia adquirir um equipamento especial com transmissão por satélite e discar para a própria conta pelo celular sempre que precisasse chegar mais depressa a algum lugar. Os US$ 25 seriam cobrados no cartão de crédito e o interessado poderia disparar no seu carro ao longo das 24 horas seguintes sem ser incomodado. Se um policial constatasse pelo radar o excesso de velocidade, o equipamento por satélite o advertiria sobre a opção do cliente e não haveria multa. DiSimone estimava que sua proposta permitiria arrecadar pelo menos US$ 1,3 bilhão por ano para o Estado sem aumentar impostos. Apesar da tentadora perspectiva para o orçamento oficial, a Patrulha Rodoviária de Nevada considerou que o projeto poria em risco a segurança pública e o candidato amargou uma derrota.[39]

Trapaças no metrô e aluguéis de vídeo

Na prática, a distinção entre uma multa e uma taxa pode ser instável e mesmo contestável. Veja-se, por exemplo, o caso do metrô de Paris: se você andar numa das composições sem pagar o bilhete de US$ 2, pode ser multado em US$ 60. A multa é uma penalidade por tentativa de ludibriar o sistema ao deixar de pagar o preço da passagem. Recentemente, contudo, um grupo de usuários habituados a viajar sem pagar saiu-se com uma maneira inteligente de transformar a multa em taxa. Criaram um fundo mútuo para pagar as multas quando forem apanhados. Cada integrante paga cerca de US$ 8,50 por mês ao fundo (que ganhou o nome de *mutuelle des fraudeurs*), muito menos do que os US$ 74 cobrados pelo passe mensal do metrô.

Os membros da *mutuelle* afirmam não ser motivados pelo dinheiro, mas por um compromisso ideológico com o transporte público. "É uma forma de resistência comum", disse um dos seus líderes ao *Los Angeles Times*. "Existem na França coisas que se espera sejam gratuitas: escolas, saúde. Por que não também os transportes?" Embora sejam muito pequenas as chances de que os *fraudeurs* levem a melhor, o esquema por eles proposto transforma uma penalidade por fraude num prêmio mensal de seguro, preço que se dispõem a pagar para resistir ao sistema.[40]

Para decidir se o que convém é uma multa ou uma taxa, temos de entender qual é o objetivo da instituição social em questão e quais as normas que devem governá-la. A resposta varia se estivermos falando de chegar atrasado à creche para buscar o filho, pular a roleta no metrô de Paris ou... devolver um DVD à locadora de vídeos fora do prazo.

Nos primeiros tempos, as videolocadoras tratavam as taxas de atraso como multas. Se eu devolvesse o vídeo com atraso, a pessoa por trás do balcão tinha determinada atitude. Era como se eu tivesse feito algo moralmente errado ao ficar com o filme por três dias além do prazo. Eu considerava essa atitude inadequada. Afinal de contas, uma loja comercial de aluguel de vídeos não é uma biblioteca pública. Nas bibliotecas, são cobradas multas por devolução com atraso, e não taxas. Isso porque o objetivo é organizar a partilha gratuita de livros numa comunidade. Devo, portanto, sentir-me realmente culpado quando devolvo um livro à biblioteca com atraso.

Mas uma locadora de vídeo é um negócio comercial. Seu objetivo é ganhar dinheiro alugando vídeos. Desse modo, se eu ficar com um filme por mais tempo e pagar pelos dias a mais, devo ser considerado um cliente melhor, e não pior. Ou pelo menos era o que eu pensava. Aos poucos, essa norma foi mudando. Hoje em dia as locadoras de vídeo parecem tratar a cobrança pelo atraso como uma taxa, e não como uma multa.

A política de filho único na China

Muitas vezes o que está em questão do ponto de vista moral é algo mais importante. Veja-se, por exemplo, essa polêmica em torno do limiar às vezes confuso entre uma multa e uma taxa: na China, a multa pela violação da política governamental de apenas um filho por casal passou a ser cada vez mais considerada pelos abastados como o preço a pagar para ter um filho a mais. A política adotada há mais de três décadas para reduzir o crescimento populacional chinês dá à maioria dos casais em áreas urbanas o direito de ter apenas um filho. (As famílias rurais são autorizadas a ter um segundo filho se o primeiro for uma menina.) A multa varia de uma região a outra, mas chega a 200.000 iuans (US$ 31.000) nas grandes cidades — um valor espantoso para o trabalhador médio, mas facilmente ao alcance de empresários ricos, estrelas do esporte e celebridades. Uma agência chinesa de notícias relatou o caso de uma mulher grávida que entrou com o marido no departamento de controle de natalidade de sua cidade, Guangzhou, largou um monte de dinheiro na mesa e disse: "Aqui estão 200.000 iuans. Precisamos cuidar do nosso futuro bebê. Por favor, não nos incomodem".[41]

Os funcionários do setor de planejamento familiar procuram reafirmar o caráter punitivo da sanção ao elevar o valor das multas para infratores abastados, denunciar celebridades que violam a política e proibi-las de aparecer na televisão, além de impedir empresários com filhos a mais de ter acesso a contratos do governo. "A multa não é nada para os ricos", explicou Zhai Zhenwu, professor de sociologia na Universidade Renmin. "O governo precisava atingi-los com mais rigor naquilo que realmente incomoda, na fama, na reputação e na posição na sociedade".[42]

As autoridades encaram a multa como uma penalidade e querem preservar o estigma a ela associado. Não querem que se transforme numa taxa. Mas não porque se preocupem com a possibilidade de que os pais abastados tenham filhos demais; o número de infratores ricos é relativamente pequeno. O que está em questão é a norma por trás dessa política. Se a multa fosse apenas uma taxa, o Estado ficaria na posição estranha de vender o direito de ter um filho a mais aos que pudessem e quisessem pagar por isso.

Autorizações de procriação negociáveis

Curiosamente, certos economistas ocidentais têm proposto no caso da política de controle populacional uma abordagem mercadológica bastante semelhante ao sistema de taxas que os funcionários chineses estão justamente tentando evitar. Esses economistas têm exortado os países que precisam limitar sua população a adotar autorizações de procriação negociáveis. Em 1964, o economista Kenneth Boulding propôs um sistema de licenças de procriação negociáveis como forma de enfrentar a questão da superpopulação. Cada mulher receberia um certificado (ou dois, dependendo da política a ser adotada) dando-lhe o direito de ter um filho. Ela teria liberdade de fazer uso do certificado ou vendê-lo pelo valor de mercado. Boulding imaginou um mercado em que as pessoas ansiosas por ter um filho comprariam certificados (em sua indelicada formulação) "dos pobres, das freiras, das tias solteironas e assim por diante".[43]

O plano seria menos coercitivo do que um sistema de cotas fixas, como na política chinesa de um filho para cada casal. Também seria mais eficiente do ponto de vista econômico, já que faria com que os bens (no caso, os filhos) chegassem aos consumidores mais dispostos a pagar por eles. Recentemente, dois economistas belgas ressuscitaram a proposta de Boulding. Eles frisaram que, dada a probabilidade de que os ricos comprassem licenças de procriação dos pobres, o esquema teria ainda por cima a vantagem de reduzir a desigualdade, proporcionando aos pobres uma nova fonte de renda.[44]

Há quem se oponha a qualquer tipo de restrição à procriação, enquanto outros consideram que os direitos de reprodução podem perfeitamente ser restritos para evitar a superpopulação. Deixe por enquanto de lado essa discordância de princípio e imagine uma sociedade decidida a impor um controle populacional obrigatório. Que tipo de política você consideraria menos suscetível de objeções? Um sistema de cotas fixas que impedisse cada casal de ter mais de um filho, com multas para os que passassem desse limite, ou um sistema de fundo mercadológico que dotasse cada casal de uma autorização de procriação negociável que correspondesse ao direito de um filho para o portador?

Do ponto de vista econômico, essa segunda política é nitidamente preferível. A liberdade de escolher entre o uso da autorização e sua venda deixa certas pessoas em melhor situação e não prejudica ninguém. Aqueles que compram ou vendem autorizações ganham (ao efetuar trocas mutuamente vantajosas) e aqueles que não entram nesse mercado não ficam em pior situação do que ficariam num sistema de cotas fixas; ainda podem ter um filho.

Mas o fato é que há algo inquietante num sistema em que seja comprado e vendido o direito de ter filhos. Em certa medida, o que preocupa aqui é a injustiça de um sistema assim em condições de desigualdade. Hesitamos em transformar os filhos num bem de luxo, ao alcance dos ricos, mas não dos pobres. Se a geração de filhos representa um aspecto fundamental do desenvolvimento humano, seria injusto condicionar o acesso a esse bem à possibilidade de pagar por ele.

Além da objeção relativa à injustiça está a questão do suborno. No cerne da transação mercadológica está uma atividade moralmente preocupante: pais desejosos de ter um filho a mais precisam induzir ou seduzir outros possíveis pais a venderem seu direito de ter um filho. Do ponto de vista moral, não é muito diferente de comprar o filho único de um casal depois do nascimento.

Os economistas poderiam argumentar que um mercado de crianças, ou do direito de tê-las, tem a vantagem da eficiência: proporciona filhos àqueles que mais valor lhes dão, avaliado pela capacidade de pagar. Mas o tráfico do direito de procriação promove em relação aos filhos uma atitude mercenária que corrompe a paternidade. Fundamental na norma do amor paterno é a ideia de que um filho é algo inalienável; seria impensável pô-lo à venda. Desse modo, comprar um filho ou o direito de tê-lo de um outro possível pai ou mãe é lançar uma sombra sobre a paternidade como tal. A experiência do amor aos seus filhos não ficaria de certa forma comprometida se você adquirisse um deles subornando outro casal para que aceitasse ficar sem filhos? Você pelo menos não se sentiria tentado a esconder esse fato dos seus filhos? Caso se sentisse, teríamos motivos para concluir que, quaisquer que sejam as vantagens, um mercado de autorizações de procriação corromperia a paternidade de uma forma que não acontece numa política de cotas fixas, por mais odiosas que sejam.

Autorizações de poluir negociáveis

A distinção entre multa e taxa também é relevante no debate sobre a redução das emissões de gás carbônico e outros elementos geradores do efeito estufa. Deveriam os governos estabelecer limites para essas emissões e multar as empresas que os excedessem? Ou caberia aos governos criar autorizações de poluir negociáveis? Essa segunda abordagem considera, com efeito, que poluir não é como jogar lixo, mas simplesmente um custo dos empreendimentos comerciais ou industriais. Mas será que está certo? Ou deveriam ser moralmente estigmatizadas de alguma maneira as empresas que lançam excesso de poluição no ar? Para decidir essa questão, não podemos limitar-nos a calcular custos e benefícios; temos também de decidir que atitudes queremos promover em relação ao meio ambiente.

Na conferência sobre o aquecimento global realizada em Kyoto em 1997, os Estados Unidos insistiram em que para o estabelecimento de padrões mundiais de emissões poluentes teria de ser levado em consideração um esquema de permutas que permitisse aos países comprar e vender o direito de poluir. Assim, por exemplo, os Estados Unidos poderiam cumprir suas obrigações no contexto do Protocolo de Kyoto ao reduzir suas próprias emissões de gases do efeito estufa ou então pagar para reduzir emissões em outros países. Em vez de impor impostos sobre caminhões devoradores de gás em território americano, o país poderia pagar pela recuperação da floresta amazônica ou a modernização de uma velha fábrica a carvão num país em desenvolvimento.

Na época, escrevi um artigo na página de opinião do *New York Times* criticando a proposta do esquema de permuta. Preocupava-me o fato de que a autorização para que determinados países comprassem o direito de poluir seria como permitir que as pessoas jogassem lixo na rua. Deveríamos estar empenhados em fortalecer, e não em debilitar, o estigma moral associado aos atos de poluição do ambiente. Também parecia preocupante que se esses países pudessem comprar o direito de se eximir da obrigação de reduzir suas emissões estaríamos comprometendo o sentimento de sacrifício compartilhado necessário para uma futura cooperação global na questão ambiental.[45]

O *Times* recebeu uma verdadeira avalancha de cartas indignadas — em sua maioria de economistas, alguns deles colegas meus em Harvard. Eles afirmavam que eu não entendia as virtudes do mercado, a eficiência do comércio ou sequer os mais elementares princípios da racionalidade econômica.[46] Em meio àquela torrente de críticas, também recebi um e-mail de solidariedade do meu antigo professor de economia na universidade. Ele entendia a tese que eu tentava sustentar, escreveu. Mas também me pedia um pequeno favor: que eu não revelasse em público a identidade da pessoa que me havia ensinado economia.

Até certo ponto, reconsiderei desde então meu ponto de vista sobre a permuta de direitos de emissões poluentes — embora não pelos motivos doutrinários externados pelos economistas. Ao contrário do que acontece quando alguém joga lixo pela janela do carro, a emissão de dióxido de carbono não é em si mesma condenável. É o que todos nós fazemos ao expirar. Nada há de intrinsecamente errado em lançar CO_2 na atmosfera. O que é condenável é fazê-lo em excesso, no contexto de um estilo de vida baseado no desperdício de energia. Esse estilo de vida e as atitudes em que se escora é que devem ser desestimulados e mesmo estigmatizados.[47]

Uma das maneiras de reduzir a poluição é através da regulamentação governamental: exigir que os fabricantes de carros atendam a altos padrões relativos à emissão de gases; proibir as empresas químicas e as fábricas de papel de jogar lixo tóxico na água; exigir que as fábricas instalem filtros em suas chaminés. E se essas empresas não atenderem aos padrões exigidos, multá-las. Foi o que os Estados Unidos fizeram ao longo da primeira geração de leis ambientais no início da década de 1970.[48] Essas normas, escoradas em multas, eram uma maneira de fazer com que as empresas pagassem pela poluição que geravam. E também comportavam uma mensagem moral: "É uma vergonha lançar mercúrio e amianto em lagos e regatos, e poluir o ar com uma fumaça sufocante. Não é apenas perigoso para a saúde: não é assim que se trata o planeta."

Houve quem se opusesse a essas normas por não gostar de qualquer coisa que aumentasse os custos da indústria. Outros, no entanto, simpáticos à necessidade de proteção ambiental, buscavam maneiras mais eficientes de consegui-la. Com o aumento do prestígio do mercado na década de 1980 e à medida que a lógica econômica ganhava em ascendência, alguns partidários das políticas de defesa ambiental começaram a se mostrar favoráveis a abordagens mercadológicas na tentativa de salvar o planeta. Pelo seu raciocínio, não se deviam impor padrões de emissão de gases a todas as fábricas; pelo contrário, seria o caso de estabelecer um preço pela poluição e permitir que o mercado fizesse o resto.[49]

A maneira mais simples de estabelecer um preço pela poluição é onerá-la com impostos. Um imposto sobre emissões poluentes pode ser visto antes como uma taxa do que como uma multa; mas se for elevado terá a virtude de fazer com que os poluidores paguem pelo dano causado. Precisamente por esse motivo é que é politicamente difícil pôr em prática uma política dessa natureza. Assim foi que os dirigentes acabaram adotando, no caso da poluição, uma solução mais acomodada em relação ao mercado: a permuta de direitos de emissão.

Em 1990, o presidente George Bush transformou em lei um plano de redução da chuva ácida, causada pelas emissões de dióxido de enxofre nas usinas de energia a carvão. Em vez de estabelecer limites fixos para cada usina, a lei a autorizava a poluir até certo ponto, a partir do qual ela poderia comprar e vender essas licenças com empresas congêneres. Desse modo, uma empresa poderia reduzir suas emissões ou comprar direitos extras de poluição de uma companhia que conseguira poluir menos do que lhe permitia a sua cota.[50]

As emissões de enxofre diminuíram e o esquema de permutas foi considerado um sucesso.[51] Até que mais tarde, ainda na década de 1990, a atenção voltou-se para o aquecimento global. O Protocolo de Kyoto sobre as mudanças climáticas colocava os países diante de uma alternativa: podiam reduzir as emissões dos gases do efeito estufa ou pagar a outro país para fazê-lo. A lógica desse tipo de abordagem é que reduz o custo do cumprimento da lei. Se for mais barato substituir lâmpadas de querosene em aldeias indianas do que diminuir as emissões nos Estados Unidos, por que não pagar pela substituição das lâmpadas?

Apesar desse estímulo, os Estados Unidos não aderiram ao acordo de Kyoto e as posteriores negociações sobre a questão do clima global fracassaram. O meu interesse, no entanto, está menos voltado para os acordos em si mesmos do que para a maneira como ilustram os custos morais de um mercado global na questão do direito de poluir.

No caso do pretendido mercado das autorizações de procriação, o problema moral é que o sistema leva certos casais a subornar outros para abrirem mão da chance de ter um filho. Isso corrói a norma do amor paterno e estimula os pais a encarar os filhos como bens alienáveis, mercadorias à venda. O problema moral no caso de um mercado global de autorizações para poluir é diferente. Nesse caso, a questão não está num suborno, mas na terceirização de uma obrigação. Ela se manifesta de maneira mais aguda num contexto global do que num ambiente doméstico.

Com a cooperação global em jogo, a autorização para que os países ricos se eximam de reduções significativas no seu consumo de energia, ao comprar de outros o direito de poluir (ou pagar por programas que permitam a outros países poluir menos), prejudica duas normas: consolida uma atitude instrumentalizante em relação à natureza e solapa o espírito de sacrifício partilhado que pode ser necessário para gerar uma ética ambiental global. Se os países ricos puderem pagar para se livrar da obrigação de reduzir suas emissões de gás carbônico, a imagem do viajante no Grand Canyon pode afinal de contas fazer sentido. Só que agora, em vez de pagar uma multa por jogar lixo, o rico viajante pode jogar sua lata de cerveja impunemente, desde que contrate alguém para limpar o lixo no Himalaia.

É verdade que os dois casos não são idênticos. O lixo é menos fungível do que os gases do efeito estufa. A lata de cerveja no Grand Canyon não pode ser compensada por uma paisagem imaculada a meio mundo de distância. Em contraste, o aquecimento global é um dano cumulativo. Do ponto de vista do céu, não importa quais os lugares do planeta que mais emitem gás carbônico.

Moral e politicamente, no entanto, de fato importa. Permitir que os países ricos paguem para se eximir de mudanças significativas em seus hábitos de desperdício reforça UMA atitude errada: a de que a natureza é um depósito de lixo para os que puderem pagar. Os economistas muitas vezes partem do princípio de que a solução para o aquecimento global é simplesmente uma questão de conceber a adequada estrutura de incentivos e conseguir que os países se comprometam com ela. Mas fica faltando aí um ponto crucial: as normas têm sua importância. Para uma efetiva ação global a respeito das mudanças climáticas pode ser necessário que encontremos o caminho para uma nova ética ambiental, um novo conjunto de atitudes em relação ao mundo natural que compartilhamos. Qualquer que seja sua eficiência, um mercado global do direito de poluir pode tornar ainda mais difícil o cultivo de hábitos de contenção e sacrifício compartilhado exigidos por uma ética ambiental responsável.

Créditos nas emissões de carbono

O crescente uso dos chamados *carbon offsets*, ou créditos adquiridos pela redução das emissões de gás carbônico, muitas vezes em outros lugares, levanta uma questão semelhante. As empresas petrolíferas e as companhias aéreas passaram a convidar seus clientes a fazer um depósito em dinheiro para compensar por sua contribuição pessoal para o aquecimento global. O site da British Petroleum permite aos clientes calcular a quantidade de CO_2 gerada por seu uso pessoal de veículos automotores e compensar suas emissões fazendo uma contribuição financeira para projetos ecológicos de energia no mundo em desenvolvimento. Segundo o site, o motorista britânico médio pode compensar o equivalente a um ano de emissões poluentes com cerca de £ 20. A British Airways apresenta um cálculo semelhante. Contra o pagamento de US$ 16,73, qualquer um pode compensar a sua parte pessoal de responsabilidade nos gases poluentes gerados numa viagem aérea de ida e volta entre Nova York e Londres. A companhia remediará o dano causado ao céu pelo seu voo enviando os seus US$ 16,73 a uma estação eólica no interior da Mongólia.[52]

Essas compensações na questão do gás carbônico refletem um impulso louvável: estabelecer um preço para os danos que nossos hábitos de uso de energia causam ao planeta e pagar individualmente o preço para consertar as coisas. Certamente vale a pena levantar fundos para apoiar o reflorestamento e projetos de energia não poluente no mundo em desenvolvimento. Mas essas compensações também oferecem um risco: o de que aqueles que compram esses créditos se considerem isentos de qualquer outra responsabilidade pelas mudanças climáticas. O risco é que os créditos do gás carbônico tornem-se, pelo menos para alguns, uma forma indolor de pagar para se livrar das mudanças mais fundamentais de hábitos, atitudes e estilos de vida que podem ser necessárias para enfrentar o problema climático.[53]

Os críticos dos créditos das emissões de gás carbônico costumam compará-los às indulgências, os pagamentos em dinheiro que os pecadores faziam à Igreja medieval para compensar suas transgressões. O site da internet www.cheatneutral.com parodia as compensações pelo gás carbônico com a promoção da compra e venda de compensações e créditos por infidelidade. Se alguém em Londres se sente culpado por ter enganado o cônjuge, pode pagar a alguém em Manchester para que seja fiel e, com isso, "compensar" a transgressão. A analogia moral não é exata: a traição não é condenável apenas ou sobretudo por aumentar a infelicidade no mundo; trata-se de um dano causado a uma pessoa específica e que não pode ser corrigido por um ato virtuoso em outro lugar. Em contraste, as emissões de gás carbônico não são erradas como tais, mas em seu conjunto.[54]

Mas essas críticas fazem sentido. A mercantilização e a individualização da responsabilidade pelos gases do efeito estufa podem ter o mesmo efeito paradoxal do que o de cobrar pelos atrasos nas creches e gerar mais casos de mau comportamento do que menos. De que maneira? Assim: numa época de aquecimento global, dirigir um veículo devorador de combustível é visto menos como símbolo de status do que como sinal de desperdício e autoindulgência, uma espécie de gulodice. Os veículos híbridos, em compensação, têm um certo prestígio. Mas os créditos pelas emissões de gás carbônico podem solapar essas normas, ao aparentemente dar licença moral para poluir. Se os donos de veículos devoradores de combustível podem aplacar a própria culpa ao assinar um cheque para uma organização que plante árvores no Brasil, é menos provável que se disponham a trocar seu carro por um híbrido. O veículo de alto consumo de combustível pode, assim, parecer antes respeitável do que irresponsável, e a pressão por respostas mais amplas e coletivas aos problemas da mudança climática acabará cedendo.

Trata-se, naturalmente, de hipóteses especulativas. Os efeitos de multas, taxas e outros incentivos monetários sobre as normas não podem ser previstos com certeza, pois variam de caso a caso. O que quero dizer é simplesmente que os mercados refletem e promovem certas normas, certas maneiras de valorar os bens neles trocados. Ao decidir se devemos mercantilizar um bem, não devemos, portanto, levar em conta apenas a eficiência e a justiça distributiva. Devemos nos perguntar também se as normas de mercado não acabarão descartando as normas alheias ao mercado e se isso não representa uma perda que mereça nossa atenção.

Não estou dizendo que a promoção de atitudes virtuosas em relação ao ambiente, à criação dos filhos ou à educação deva sempre levar a melhor sobre as considerações a respeito da concorrência. O suborno às vezes funciona. E pode eventualmente ser indicado. Se a remuneração de estudantes de mau desempenho para que leiam livros melhorar consideravelmente sua capacidade de leitura, podemos considerar a opção, na esperança de mais adiante ensinar-lhes a gostar de aprender. Mas é importante lembrar que estamos envolvidos num ato de suborno, uma prática moralmente dúbia que substitui uma norma mais elevada (a leitura pelo prazer da leitura) por outra inferior (ler para ganhar dinheiro).

Num momento em que os mercados e o raciocínio mercadológico disseminam-se por esferas da vida tradicionalmente governadas por outras normas — saúde, educação, procriação, política para os refugiados, proteção ambiental — esse dilema manifesta-se cada vez mais.

O que devemos fazer quando a promessa de crescimento econômico ou de eficiência econômica significa estabelecer um preço para bens que consideramos sem preço? Às vezes, enfrentamos o dilema de nos movimentar em mercados moralmente questionáveis na expectativa de alcançar fins meritórios.

Pagar para caçar um rinoceronte

Suponhamos que o objetivo seja proteger uma espécie em risco de extinção — o rinoceronte negro, por exemplo. Entre 1970 e 1992, a população de rinocerontes negros na África caiu de 65.000 para menos de 2.500. Embora a caça de espécies ameaçadas seja ilegal, a maioria dos países africanos não conseguia proteger dos caçadores ilegais os rinocerontes, cujos chifres eram vendidos por grandes somas na Ásia e no Oriente Médio.[55]

Na década de 1990 e no início da de 2000, certos grupos ambientalistas e funcionários ligados à defesa da biodiversidade na África do Sul começaram a contemplar a hipótese de recorrer aos incentivos de mercado para proteger espécies ameaçadas. Se os fazendeiros pudessem vender aos caçadores o direito de abater uma quantidade limitada de rinocerontes negros, teriam assim um incentivo para criá-los, cuidar deles e afastar os caçadores ilegais.

Em 2004, o governo sul-africano foi autorizado pela Convenção do Comércio Internacional de Espécies Ameaçadas a permitir cinco caçadas ao rinoceronte negro. Esse animal é conhecido por sua periculosidade e pela dificuldade do abate e a oportunidade de caçá-lo é muito valorizada entre caçadores de troféus. A primeira caçada legalmente autorizada em décadas gerou uma taxa polpuda: US$ 150.000, pagos por um caçador americano que trabalhava no setor financeiro. Entre os clientes que vieram a seguir estava um bilionário russo do setor do petróleo, que pagou para matar três rinocerontes negros.

A solução de mercado parece estar funcionando. No Quênia, onde a caça de rinocerontes ainda é proibida, a população de rinocerontes negros caiu de 20 mil para cerca de seiscentos, à medida que as terras perdem sua vegetação para ser convertidas à agricultura e à criação de gado. Mas na África do Sul, onde os fazendeiros dispõem agora de um incentivo monetário para destinar vastas extensões de terra para a vida selvagem, a população de rinocerontes negros começou a se recompor.

Para aqueles que não fazem objeções à busca de troféus de caça, a venda do direito de matar um rinoceronte negro é uma maneira sensata de recorrer aos incentivos de mercado para tentar salvar uma espécie ameaçada. Se os caçadores puderem pagar US$ 150.000 para caçar um rinoceronte, os fazendeiros terão um incentivo para criar e proteger os animais e, assim, aumentar a oferta. É uma versão peculiar do ecoturismo: "Pague para atirar num rinoceronte negro ameaçado de extinção. Você terá uma experiência inesquecível e ao mesmo tempo contribuirá para a causa conservacionista."

Do ponto de vista da lógica econômica, a solução de mercado parece perfeitamente vitoriosa. Melhora a situação de algumas pessoas e não prejudica ninguém. Os fazendeiros ganham dinheiro, os caçadores têm uma oportunidade de caçar e abater uma formidável criatura, e uma espécie ameaçada é salva do risco de extinção. Quem haveria de se queixar?

Bem, depende do prestígio moral do esporte da caça. Se você considera moralmente condenável matar animais selvagens por esporte, o mercado das caçadas ao rinoceronte é uma barganha diabólica, uma espécie de extorsão moral. Você talvez aprecie o efeito positivo em matéria de conservação dos rinocerontes, mas lamentará o fato de que esse objetivo seja alcançado ao se atender ao prazer perverso de caçadores ricos. Seria como salvar uma floresta de pau-brasil da destruição com a permissão aos madeireiros de vender a mecenas ricos o direito de inscrever suas iniciais em algumas das árvores.

O que se deve fazer então? É possível rejeitar a solução de mercado sob a alegação de que o caráter moralmente condenável das caçadas neutraliza os efeitos benéficos em matéria de conservação natural. Ou então se decide aceitar a extorsão moral e a venda do direito de caçar alguns rinocerontes na expectativa de salvar a espécie. A resposta depende em parte de saber se o mercado realmente propiciará os benefícios que apregoa. Mas também depende de decidir se os caçadores estão errados em tratar a vida selvagem como objeto de esporte e, nesse caso, qual seria a gravidade moral desse erro.

Mais uma vez, constatamos que a lógica de mercado fica incompleta sem uma perspectiva moral. Não podemos decidir se cabe vender e comprar o direito de abater rinocerontes sem resolver a questão moral da maneira adequada de valorá-los. Trata-se, naturalmente, de uma questão polêmica que gera discordâncias. Mas a defesa da perspectiva do mercado não pode ser desvinculada de questões polêmicas a respeito da maneira certa de valorar os bens que trocamos.

Os grandes caçadores instintivamente se dão conta disso. Entendem que a legitimidade moral do seu esporte (e de pagar para caçar rinocerontes) depende de uma certa visão quanto à maneira adequada de encarar a vida selvagem. Certos caçadores alegam venerar sua presa e afirmam que matar um grande e poderoso animal é uma forma de respeito. O empresário russo que pagou para caçar um rinoceronte negro em 2007 afirmou: "Eu o abati porque era um dos maiores cumprimentos que poderia fazer ao rinoceronte negro."[56] Os críticos retrucarão que matar um animal é realmente uma maneira muito estranha de venerá-lo. Saber se os caçadores com suas caçadas valoram devidamente a vida selvagem é uma questão moral que está no cerne do debate. O que nos leva de volta às atitudes e às normas: a decisão de criar um mercado de caça a espécies em risco de extinção não depende apenas de saber se isso contribuirá para aumentar seu número, mas também se expressa e promove a maneira adequada de valorá-las.

O mercado do rinoceronte negro é moralmente complexo porque busca proteger uma espécie ameaçada ao promover atitudes questionáveis em relação à vida selvagem. Vejamos agora uma outra história de caçadas que testa ainda mais duramente a lógica de mercado.

Pagar para matar uma morsa

Durante séculos, a morsa do Atlântico era tão abundante na região ártica do Canadá quanto o bisão no Oeste americano. Apreciado por sua carne, pele, gordura e suas presas de marfim, esse enorme e indefeso mamífero marinho era presa fácil de caçadores e no fim do século XIX a população fora dizimada. Em 1928, o Canadá proibiu a caça da morsa, com uma pequena exceção para os inuítes, caçadores aborígenes de subsistência cujo modo de vida evoluíra em torno da caça da morsa ao longo de 4.500 anos.[57]

Na década de 1990, os líderes inuítes fizeram uma proposta ao governo canadense. Por que não permitir que eles vendessem a grandes caçadores o direito de matar algumas morsas de sua cota? O número de morsas mortas continuaria sendo o mesmo. Os inuítes receberiam as taxas de caça, serviriam como guias para os caçadores, supervisionariam o abate e ficariam com a carne e as peles, como sempre haviam feito. O esquema contribuiria para o bem-estar econômico de uma comunidade pobre sem ultrapassar as cotas de caça. O governo canadense concordou.

Hoje, caçadores ricos de todo o mundo dirigem-se ao Ártico em busca da oportunidade de abater uma morsa e pagam entre US$ 6.000 e US$ 6.500 pelo privilégio. Eles não chegam em busca das emoções da caçada ou do desafio de perseguir uma presa que se esquiva. As morsas são animais inofensivos que se movem lentamente e não oferecem qualquer resistência a caçadores armados. Num emocionante relato na *New York Times Magazine*, C.J. Chivers comparou a caça à morsa sob a supervisão dos inuítes a "uma longa viagem de barco para abater um enorme saco de sementes".[58]

Os guias manobram o barco até uma distância de cerca de 15 metros da morsa e dizem ao caçador quando atirar. Chivers descreveu o momento em que um caçador do Texas alvejou sua presa: "A bala do caçador atingiu o animal no pescoço, dando-lhe um solavanco na cabeça e virando-o de lado. Esguichou sangue do buraco aberto pela bala. A morsa ficou imóvel. [O caçador] deixou o fuzil de lado e apanhou sua câmera de vídeo." A tripulação de inuítes deu início então ao trabalho penoso de acomodar a morsa morta numa banquisa e trinchar a carcaça.

O interesse despertado por esse tipo de caça é difícil de entender. Não há qualquer desafio, tratando-se menos de um esporte do que de uma espécie de turismo letal. O caçador sequer pode exibir a carcaça da presa em sua parede de troféus em casa. A morsa é protegida nos Estados Unidos e é ilegal trazer partes do corpo para o país.

Por que, então, a caça à morsa? Aparentemente para cumprir a meta de matar pelo menos um exemplar de todos os animais incluídos nas listas dos clubes de caça — por exemplo, os Cinco Grandes da África (leopardo, leão, elefante, rinoceronte e búfalo) ou a Grande Tacada do Ártico (rena, boi-almiscarado, urso polar e morsa).

Não é exatamente uma meta admirável; não falta quem a ache repulsiva. Cabe lembrar, no entanto, que os mercados não julgam os desejos que atendem. Na verdade, do ponto de vista da lógica de mercado, não faltam motivos para justificar que os inuítes vendam seus direitos de abater certo número de morsas. Eles obtêm assim uma nova fonte de renda, e os "caçadores de lista em punho" têm a chance de completar seu plantel de animais abatidos, tudo isso sem que sejam ultrapassadas as cotas estabelecidas. Sob esse aspecto, a venda do direito de matar uma morsa é como a venda do direito de procriar ou poluir. Uma vez que tenha sido estabelecida uma cota, a lógica de mercado determina que facultar as autorizações negociáveis contribui para o bem-estar geral. Faz com que alguns tenham ganhos sem que ninguém saia perdendo.

Mas o fato é que existe algo de moralmente desagradável nesse mercado de abate de morsas. Suponhamos, teoricamente, que seja razoável permitir que os inuítes prossigam com a caça de subsistência da morsa, como fazem há séculos. Ainda assim, permitir que vendam o direito de matar morsas é moralmente condenável por dois motivos.

Um deles é que esse estranho mercado atende a um desejo perverso que não deveria ter qualquer peso na contabilidade do utilitarismo. Qualquer que seja nossa opinião sobre o esporte da caça, o que está em questão aqui é algo muito diferente. O desejo de matar um mamífero indefeso sem qualquer espírito de perseguição ou desafio, simplesmente para cumprir uma lista, não merece ser atendido, mesmo que isso servisse para proporcionar uma renda a mais para os inuítes. Em segundo lugar, a venda pelos inuítes do direito de matar as morsas corrompe o significado e o propósito da autorização excepcional originalmente conferida a sua comunidade. Uma coisa é honrar o modo de vida dos inuítes e respeitar sua tradicional dependência da caça de subsistência à morsa. Outra muito diferente é transformar esse privilégio numa concessão monetária de matar por esporte.

Incentivos e obstáculos morais

Na segunda metade do século XX, *Economics*, de Paul Samuelson, era o principal manual de economia lido nos Estados Unidos. Percorri recentemente uma das primeiras edições desse livro (1958) para ver de que maneira ele encarava a economia. Samuelson associava a economia ao seu objeto tradicional: "o mundo de preços, salários, taxas de juros, ações e títulos, bancos e crédito, impostos e gastos." O objetivo da ciência econômica era concreto e bem delimitado: explicar de que maneira as depressões, o desemprego e a inflação podem ser evitados, estudar os princípios "que nos ensinam a manter alta a produtividade" e a "melhorar o padrão de vida das pessoas".[59]

Hoje, a economia tomou boa distância de seu objeto tradicional. Veja-se, por exemplo, esta definição apresentada por Greg Mankiw numa recente edição de seu influente manual de economia: "Não existe qualquer mistério no que é a 'economia'. Uma economia é simplesmente um grupo de pessoas interagindo na condução de suas vidas."

Desse ponto de vista, a economia não diz respeito apenas à produção, à distribuição e ao consumo de bens materiais, mas também à interação humana em geral e aos princípios que regem a tomada de decisões pelos indivíduos. Um dos mais importantes dentre esses princípios, observa Mankiw, é que "as pessoas reagem a incentivos".[60]

O tema dos incentivos de tal maneira veio a permear a economia contemporânea que praticamente passou a definir a disciplina. Nas páginas iniciais de seu livro *Freakonomics*, Steven D. Levitt, economista da Universidade de Chicago, e Stephen J. Dubner afirmam que "os incentivos são a pedra angular da vida moderna" e que "a economia é, basicamente, o estudo dos incentivos".[61]

O caráter inovador dessa definição pode facilmente passar despercebido. A linguagem dos incentivos é recente no pensamento econômico. A palavra *incentivo* não aparece nos textos de Adam Smith e outros economistas clássicos.[62] Na verdade, só entraria para o discurso econômico no século XX e ganharia destaque apenas nas décadas de 1980 e 1990. O *Oxford English Dictionary* localiza em 1943, no *Reader's Digest*, seu emprego mais remoto em contexto econômico: "O Sr. Charles E. Wilson (...) vem exortando a indústria de guerra a adotar o 'pagamento de incentivo' — ou seja, pagar mais aos trabalhadores que *produzirem* mais". O uso da palavra *incentivos* intensificou-se consideravelmente na segunda metade do século XX, à medida que os mercados e a lógica de mercado aumentavam sua influência. De acordo com pesquisa efetuada no Google, a incidência do termo aumentou mais de 400% entre as décadas de 1940 e 1990.[63]

Entender a economia como um estudo dos incentivos não significa apenas ampliar a influência dos mercados na vida cotidiana. Serve também para atribuir ao economista um papel de militância. Os preços "da sombra" invocados por Gary Becker na década de 1970 para explicar o comportamento humano eram implícitos, e não reais. Eram preços metafóricos que o economista imagina, postula ou deduz. Os incentivos, em contraste, são intervenções que o economista (ou o gestor político) concebe, arquiteta e impõe ao mundo. São maneiras de conseguir que as pessoas percam peso, trabalhem mais ou poluam menos. "Os economistas adoram incentivos", escrevem Levitt e Dubner.

> Adoram imaginá-los e pô-los em prática, estudá-los e fazer experiências com eles. O economista em geral acredita que o mundo ainda não inventou um problema que ele não seja capaz de resolver se tiver liberdade para conceber o necessário esquema de incentivos. Sua solução nem sempre será agradável — pode envolver coerção, penalidades exorbitantes ou a violação de liberdades civis — mas não resta dúvida de que o problema original será resolvido. Um incentivo é um projétil, uma alavanca, uma chave: um objeto não raro minúsculo com uma impressionante capacidade de mudar determinada situação.[64]

Estamos aqui muito longe da imagem do mercado como uma mão invisível proposta por Adam Smith. Ao passarem os incentivos a ser encarados como "a pedra angular da vida moderna", o mercado surge como uma mão pesada e ainda por cima manipuladora. (Basta lembrar os incentivos em dinheiro à esterilização e às boas notas.) "Em sua maioria, os incentivos não ocorrem de maneira orgânica", observam Levitt e Dubner. "Precisam ser inventados por alguém, um economista, um político ou um genitor."[65]

O crescente recurso aos incentivos na vida contemporânea e a necessidade de que sejam deliberadamente inventados por alguém refletem-se num verbo algo canhestro que se vem tornando corrente no mundo anglo-saxônico: *incentivizar*. Segundo o *Oxford English Dictionary*, incentivizar é "motivar ou estimular (uma pessoa, especialmente um empregado ou cliente) através de um incentivo (geralmente financeiro)". A palavra remonta a 1968, mas seu uso se generalizou na última década, especialmente entre economistas, executivos de corporações, burocratas, analistas políticos, políticos e jornalistas. Em livros, a palavra raramente aparecia até mais ou menos 1990. Desde então, seu uso aumentou mais de 1.400%.[66] Uma pesquisa em grandes jornais através da LexisNexis revelou uma tendência semelhante:

Emprego de *incentivize* ou *incentivise* em grandes jornais[67]

Década de 1980	48
Década de 1990	449
Década de 2000	6.159
2010-2011	5.885

Recentemente, o verbo *incentivizar* entrou para o vocabulário dos presidentes. George Bush, o primeiro presidente americano a empregar a palavra em comentários públicos, usou-a duas vezes. Bill Clinton empregou-a apenas uma vez em oito anos, assim como George W. Bush. Em seus três primeiros anos no cargo, Barack Obama usou-a 29 vezes. Ele espera incentivizar médicos, hospitais e profissionais de saúde a dar mais atenção aos tratamentos preventivos e quer "incitar, estimular [e] incentivizar" os bancos a emprestar a pequenas empresas e proprietários de imóveis em dia com seus pagamentos.[68]

O primeiro-ministro britânico David Cameron também gosta da palavra. Ao falar a banqueiros e dirigentes empresariais, ele os exortou a se empenharem mais em "incentivizar" uma "cultura de investimentos capaz de assumir riscos". Ao falar ao povo britânico após as arruaças londrinas de 2011, ele se queixou de que "alguns dos piores aspectos da natureza humana" haviam sido "tolerados, favorecidos e às vezes incentivizados" pelo Estado e seus organismos.[69]

Apesar dessa nova tendência à incentivização, a maioria dos economistas continua insistindo na distinção entre economia e ética, entre lógica de mercado e lógica moral. A economia "simplesmente não lida com a moralidade", explicam Levitt e Dubner. "A moralidade representa a maneira como gostaríamos que o mundo funcionasse, e a economia representa a maneira como ele de fato funciona".[70]

A ideia de que a economia é uma ciência livre de qualquer valoração e independente da moral e da filosofia política sempre foi questionável. Mas a desmedida ambição da economia hoje em dia torna particularmente difícil defender essa posição. Quanto mais os mercados aumentam sua penetração nas esferas não econômicas da vida, mais se envolvem em questões morais.

Veja-se, por exemplo, a questão da eficácia econômica. Por que preocupar-se com ela? Supostamente com o objetivo de maximizar a utilidade social, entendida como a soma das preferências dos indivíduos. Como explica Mankiw, uma distribuição eficiente dos recursos maximiza o bem-estar econômico de todos os membros da sociedade.[71] Por que maximizar a utilidade social? Em sua maioria, os economistas ignoram essa questão ou se entrincheiram em alguma versão da filosofia moral utilitária.

Mas o utilitarismo está sujeito a certas objeções bem conhecidas. A objeção mais relevante em se tratando da lógica de mercado consiste em perguntar por que deveríamos maximizar a satisfação de preferências independentemente de seu valor moral. Se certas pessoas gostam de ópera e outras, de rinhas de cães ou luta livre na lama, será que realmente deveríamos eximir-nos de qualquer atitude de julgamento e conferir a essas preferências um peso igual no cálculo utilitário?[72] Enquanto a lógica de mercado está voltada para bens materiais, como automóveis, torradeiras e televisões de tela plana, essa objeção não tem grande peso; parece razoável presumir que o valor dos bens é simplesmente uma questão de preferência do consumidor. Mas quando a lógica de mercado é aplicada ao sexo, à procriação, à criação de filhos, à educação, à saúde, às punições penais, à política de imigração e à proteção ambiental, já não parece tão plausível presumir que as preferências de todos sejam igualmente válidas. Em terrenos carregados de peso moral como esses, certas maneiras de valorar os bens podem ser mais importantes e adequadas do que outras. Nesse caso, não parece claro por que deveríamos atender indiscriminadamente às preferências sem levar em conta seu valor moral. (O seu desejo de ensinar uma criança a ler realmente deveria ter o mesmo peso que o desejo do seu vizinho de abater uma morsa com todas as garantias?)

Assim, quando a lógica de mercado vai além do terreno dos bens materiais, terá de "lidar com a moralidade", a menos que pretenda maximizar cegamente a utilidade social, sem qualquer consideração do valor moral das preferências que atende.

Existe um outro motivo que faz com que a expansão dos mercados complique a distinção entre lógica de mercado e lógica moral, entre a explicação do mundo e o seu aperfeiçoamento. Um dos princípios centrais da economia é o efeito de preço — quando os preços aumentam, os indivíduos compram menos determinado bem e quando os preços caem, compram mais. Esse princípio geralmente se aplica quando falamos, por exemplo, do mercado de televisões de tela plana.

Como vimos, contudo, já não se pode contar tanto com ele quando aplicado a práticas sociais governadas por normas alheias ao mercado, como chegar na hora para pegar o filho na creche. Quando o preço de chegar tarde aumentou (ao passar a ser cobrada uma taxa que não existia), os atrasos aumentaram. Um resultado assim confunde o habitual efeito de preço. Mas é compreensível se reconhecermos que a mercantilização de um bem pode alterar seu significado. O estabelecimento de um preço para os atrasos na creche alterou a norma. O que costumava ser encarado como uma obrigação moral de chegar na hora — poupar os professores de um inconveniente — passou a ser visto como uma relação de mercado, na qual os pais atrasados podiam simplesmente pagar aos professores pelo serviço de acompanhar os filhos por mais tempo. Em consequência, o incentivo saiu pela culatra.

A questão da creche mostra que, à medida que os mercados passam a interferir em esferas da vida governadas por normas alheias ao mercado, o habitual efeito de preço talvez não funcione mais. O aumento do custo (econômico) do atraso levou a maior número de atrasos em vez de diminuí-lo. Desse modo, para explicar o mundo, os economistas precisam saber se o estabelecimento de um preço para determinada atividade vai desalojar as normas alheias ao mercado. Para isso, devem investigar as perspectivas morais que informam determinada prática e descobrir se a mercantilização dessa prática (pelo estabelecimento de um incentivo ou desincentivo financeiro) poderá interferir nelas.

Nesse ponto, o economista poderia reconhecer que para explicar o mundo terá de se envolver em questões de psicologia ou antropologia moral para descobrir quais as normas que prevalecem e de que maneira os mercados poderão afetá-las. Mas por que significa isso que a filosofia moral deve ser levada em conta? Pelo seguinte motivo.

Quando os mercados corroem as normas alheias a eles, o economista (ou alguém mais) precisa decidir se isso representa uma perda que mereça atenção. Deveria ser motivo de preocupação o fato de os pais deixarem de se sentir culpados por buscar os filhos com atraso e passar a encarar sua relação com os professores em termos mais instrumentais? Deveria ser motivo de preocupação se o fato de pagarmos às crianças para lerem livros as leva a encarar a leitura como um trabalho remunerado e diminui a alegria da leitura por si mesma? A resposta pode variar segundo o caso. Mas a pergunta nos leva a um ponto além da mera previsão da eventual funcionalidade de um incentivo financeiro. Somos convidados a proceder a uma avaliação moral: qual a importância moral das atitudes e das normas que o dinheiro pode corroer ou sobrepujar? Será que a perda das normas e das expectativas alheias ao mercado altera o caráter da atividade de uma forma que poderíamos (ou pelo menos deveríamos) vir a lamentar? Nesse caso, deveríamos evitar a introdução de incentivos financeiros na atividade, ainda que oferecessem alguma vantagem?

A resposta dependerá do caráter e do objetivo da atividade em questão e das normas que a definem. Até as creches diferem a esse respeito. O deslocamento das expectativas compartilhadas de obrigação recíproca pode ser mais danoso numa cooperativa, na qual os pais trabalham certo número de horas por semana como voluntários, do que numa creche convencional, onde os professores são remunerados pelo cuidado com os filhos para que os pais possam exercer suas atividades durante o dia. Mas em qualquer dos casos fica evidente que estamos em terreno moral. Para decidir se devemos ou não recorrer a incentivos financeiros, precisamos saber se esses incentivos podem corromper atitudes e normas que merecem ser protegidas. Para responder a essa questão, a lógica de mercado precisa transformar-se numa lógica moral. No fim das contas, o economista de fato precisa "lidar com a moralidade".

3. Como o mercado descarta a moral

Existem coisas que o dinheiro não deveria comprar? Em caso positivo, como decidir quais bens e atividades podem ser comprados e vendidos e quais não o podem? Proponho abordar essas questões fazendo uma pergunta ligeiramente diferente: existem coisas que o dinheiro de fato não compra?

O que o dinheiro pode e não pode comprar

A maioria das pessoas diria que sim, existem essas coisas. Veja-se, por exemplo, a amizade. Suponhamos que você queira ter mais amigos. Por acaso tentaria comprar um amigo? Não parece provável. Basta refletir por um momento para dar-se conta de que não funcionaria. Um amigo pelo qual se pagou não é a mesma coisa que um amigo de verdade. Podemos contratar alguém para fazer certas coisas que os amigos costumam fazer — receber a correspondência quando viajamos, cuidar dos nossos filhos quando necessário ou, no caso de um terapeuta, ouvir nossas queixas e se solidarizar com conselhos. Até recentemente, era possível até aumentar a própria popularidade online contratando "amigos" de boa aparência para incluí-los na nossa página do Facebook — por US$ 0,99 por amigo ao mês. (O website do amigo fajuto foi fechado quando se revelou que as fotos usadas, em sua maioria de modelos, não eram autorizadas.[1]) Embora todos esses serviços possam ser comprados, não é possível realmente comprar um amigo. O que acontece é que o dinheiro usado para comprar a amizade acaba por dissolvê-la ou, então, a transforma em algo diferente.

Ou, então, vejamos o caso do Prêmio Nobel. Suponhamos que você queira desesperadamente um Prêmio Nobel, mas não consiga chegar lá pelas vias habituais. Pode ocorrer-lhe a possibilidade de comprá-lo. Mas logo você se daria conta de que não funcionaria. O Prêmio Nobel não é algo que se compre com dinheiro. Como tampouco o prêmio Most Valuable Player da liga de beisebol americana. Alguém poderia comprar o troféu se um antigo vencedor se dispusesse a vendê-lo e, assim, passar a ostentá-lo na sala de estar. Mas o reconhecimento embutido na premiação não pode ser comprado.

Isso não ocorre apenas porque o Comitê Nobel e a Liga Americana não põem esses prêmios à venda. Ainda que um Prêmio Nobel fosse leiloado por ano, por exemplo, o prêmio assim comprado não teria o mesmo valor. A troca de mercado dissolveria o bem que confere valor ao prêmio. Isso porque o Prêmio Nobel é um bem honorífico. Comprá-lo significa comprometer o bem que se busca. Ao se espalhar a notícia de que o bem fora comprado, a honraria deixaria de expressar o reconhecimento que as pessoas recebem com um autêntico Prêmio Nobel.

O mesmo se aplica à premiação do beisebol americano. Esses prêmios também são bens honoríficos, cujo valor se perderia se fossem comprados, e não conquistados por merecimento ao longo de uma temporada de vitórias e outras proezas. Naturalmente, há uma diferença entre um troféu que simboliza um prêmio e o prêmio propriamente dito. Sabe-se que alguns vencedores dos Prêmios da Academia de Hollywood venderam suas estatuetas do Oscar ou as deixaram para herdeiros que as negociaram. Algumas dessas estatuetas foram leiloadas pela Sotheby's e outras casas especializadas. Em 1999, Michael Jackson pagou US$ 1,54 milhão pelo Oscar de melhor filme concedido a *E o vento levou*. A instituição que concede os Oscars opõe-se a essas vendas e atualmente exige que os premiados assinem um compromisso de não vendê-los, querendo, assim, evitar a transformação das mitológicas estatuetas em itens de coleção comercializáveis. Mas consigam ou não os colecionadores comprar os troféus, é evidente que comprar um prêmio da Academia pelo melhor desempenho como atriz não é a mesma coisa que ganhá-lo.[2]

Esses exemplos perfeitamente óbvios dão uma pista no caso da questão mais difícil que nos interessa: existiriam outras coisas que o dinheiro pode, mas não deveria, comprar? Vejamos o caso de um bem que pode ser comprado, mas cuja compra e venda seja moralmente polêmica — um rim humano, por exemplo. Há quem defenda a existência de mercados de órgãos a serem transplantados; outros consideram esse tipo de mercado condenável. Se é errado comprar um rim, o problema não está, como no caso do Prêmio Nobel, no fato de o dinheiro dissolver o bem. O rim funcionará (presumindo-se que não haja rejeição) independentemente do pagamento monetário. Assim, para decidir se os rins devem ou não ser postos à venda, devemos proceder a um questionamento moral. Precisamos examinar os argumentos contrários e favoráveis à venda de órgãos e decidir quais são mais convincentes.

Ou, então, vejamos o caso da venda de bebês. Anos atrás, Richard Posner, juiz e figura de destaque do movimento "direito e economia", propôs a organização de um mercado de distribuição de bebês para adoção. Ele reconhecia que os bebês mais desejáveis haveriam de suscitar preços mais altos do que os outros. Mas argumentava que o livre mercado funcionaria melhor na distribuição de bebês do que o atual sistema de adoção, pelo qual as agências de adoção cobram taxas, mas não podem leiloar os bebês nem cobrar preços de mercado.[3]

Muitas pessoas discordam da proposta de Posner, considerando que não se deve comprar e vender crianças, independentemente da eventual eficiência do mercado. Ao examinar a polêmica, vale a pena observar uma de suas características distintivas: como no caso do mercado de rins, um eventual mercado de bebês não dissolveria o bem que os compradores querem adquirir. Sob esse aspecto, um bebê comprado é bem diferente de um amigo ou de um Prêmio Nobel comprado. Se houvesse um mercado de adoção de bebês, as pessoas que pagassem o preço em vigor estariam adquirindo aquilo que buscavam: um filho. Saber se um mercado dessa natureza é moralmente condenável vem a ser uma outra questão.

Parece, portanto, à primeira vista, existir uma nítida diferença entre dois tipos de bens: as coisas (como os amigos e os Prêmios Nobel) que o dinheiro *não pode* comprar e aquelas (como os rins e os filhos) que o dinheiro *pode* comprar, mas talvez não devesse. Mas gostaria de ponderar que essa distinção é menos clara do que parece em princípio. Ao examinar mais atentamente, podemos identificar um vínculo entre os casos óbvios, em que a troca monetária corrompe o bem que está sendo comprado, e os casos polêmicos, nos quais o bem sobrevive à venda, mas pode ser considerado com isso degradado, corrompido ou diminuído.

Desculpas e discursos de brinde de casamento comprados

Podemos explorar essa ligação ao examinar certos casos intermediários entre a amizade e os rins. Se não é possível comprar amizade, que dizer das manifestações de amizade, das expressões de intimidade, afeto ou contrição?

Em 2001, o *New York Times* publicou reportagem sobre uma empresa chinesa que oferece um serviço incomum: se alguém precisar pedir desculpas a outra pessoa — um amante rejeitado ou um sócio em desavença — e não conseguir fazê-lo pessoalmente, pode contratar a Tianjin Desculpas para fazê-lo em seu lugar. O lema da empresa é *Pedimos desculpas por você*. Segundo a reportagem, os profissionais dos pedidos de desculpas são

> homens e mulheres de meia-idade com formação universitária e que usam roupas discretas. São advogados, assistentes sociais e professores com "excelente capacidade verbal" e boa experiência de vida e que, além disso, recebem um treinamento adicional de orientação psicológica.[4]

Não sei se a empresa vem obtendo êxito ou sequer se ainda existe. Mas a leitura da reportagem deu-me o que pensar: será que um pedido de desculpas comprado funciona? Se alguém nos prejudicar ou ofender e em seguida contratar alguém para tentar consertar a situação, será que ficaríamos satisfeitos? Talvez dependesse das circunstâncias ou mesmo do custo. Será que consideraríamos um pedido de desculpas caro mais significativo do que um outro mais barato? Ou será que o ato de pedir desculpas é constitutivo do sentimento de contrição, quando está por trás a pessoa que realmente deveria pedi-las, de tal maneira que não pode ser terceirizado? Se nenhum pedido de desculpas comprado, por mais extravagante que seja, pode substituir um pedido pessoalmente feito, é porque as desculpas, tal como os amigos, são o tipo de coisa que o dinheiro não pode comprar.

Vejamos uma outra prática social estreitamente ligada à amizade — um discurso de brinde de casamento. Tradicionalmente, nos Estados Unidos, esses discursos são expressões calorosas, divertidas e emocionadas confiadas ao padrinho, em geral o melhor amigo do noivo. Mas não é fácil fazer um elegante discurso de saudação aos noivos, e muitos padrinhos não se sentem à altura. Assim é que alguns acabam comprando discursos de brinde de casamento online.[5]

ThePerfectToast.com é um dos principais sites que oferecem discursos de brinde prontos para uso. Está no ramo desde 1997. O cliente responde a um questionário online — como os noivos se conheceram, como os descreveria, se a preferência é por um discurso sentimental ou com humor — e em três dias úteis recebe um discurso com duração de três a cinco minutos. O preço é de US$ 149, pagáveis por cartão de crédito. Aos que não podem pagar por esse discurso de encomenda, outros sites, como InstantWeddingToasts.com, os vendem pré-fabricados por US$ 19,95, com direito à garantia de devolução do dinheiro em caso de insatisfação.[6]

Suponhamos que no dia do seu casamento o seu padrinho faça um discurso de brinde de derreter os corações, tão comovente que você fique com lágrimas nos olhos. Mais tarde, contudo, vem a saber que não foram palavras próprias, mas compradas pela Internet. Você ficaria chateado? O discurso de brinde perderia o significado que tinha antes de você saber que foi escrito por um profissional? A maioria de nós provavelmente acharia que sim, que um discurso de brinde de casamento comprado tem menos valor do que um autêntico.

Caberia argumentar que presidentes e primeiros-ministros costumam recorrer a redatores de discursos e ninguém os acusa por isso. Mas um discurso de brinde de casamento não é sobre a situação do país. É uma manifestação de amizade. Embora um discurso de brinde comprado pudesse "funcionar" por alcançar o efeito desejado, esse efeito poderia depender de um certo elemento de trapaça. Veja-se, por exemplo, este teste: se você fosse convidado a fazer um discurso no casamento do seu melhor amigo e, ansioso diante dessa perspectiva, comprasse online uma verdadeira obra-prima, sentimental e comovente, será que revelaria esse fato ou tentaria encobri-lo? Se o efeito de um discurso de brinde comprado depende do segredo em torno da proveniência, é o suficiente para desconfiar de que se trata de uma versão corrompida do produto original.

Os pedidos de desculpas e os discursos de brinde de casamento são bens que podem em certo sentido ser comprados. Mas a sua compra e a sua venda alteram seu caráter e diminuem seu valor.

Contra os presentes

Examinemos agora uma outra expressão de amizade: dar presentes. Ao contrário dos discursos de casamento, os presentes têm um incontornável aspecto material. No caso de alguns deles, contudo, o aspecto monetário é relativamente obscuro; em outros, é explícito. Nas últimas décadas temos assistido a uma certa tendência para a monetarização dos presentes, configurando mais um exemplo da crescente mercantilização da vida social.

Os economistas não gostam de presentes. Ou, para ser mais exato, têm dificuldade de entender os presentes como uma prática social racional. Do ponto de vista da lógica de mercado, quase sempre é melhor dar dinheiro do que um presente. Se partirmos do princípio de que as pessoas em geral conhecem melhor suas próprias preferências e de que o objetivo de dar um presente é fazer feliz um amigo ou um ente querido, será difícil fazer uma opção melhor do que um pagamento monetário. Mesmo que nosso gosto seja requintado, o amigo talvez não goste da gravata ou a amiga do colar que escolhemos. Assim, se realmente quisermos maximizar o bem-estar proporcionado pelo presente, não devemos comprar algo, mas simplesmente dar o dinheiro a ser gasto. O amigo ou a amiga pode gastá-lo no objeto que teríamos comprado ou (mais provavelmente) em algo capaz de lhe proporcionar prazer ainda maior.

É essa a lógica do argumento econômico contra os presentes. Mas ela merece algumas ressalvas. Se você se deparar com um objeto suscetível de agradar ao seu amigo, apesar de não conhecê-lo — o mais recente lançamento tecnológico, por exemplo —, é possível que o presente dê ao seu desinformado amigo mais prazer do que algo que ele viesse a comprar com o equivalente em dinheiro. Mas esse é um caso especial que converge com o pressuposto básico do economista de que o objetivo de dar presentes é maximizar o bem-estar ou a utilidade daquele que o recebe.

Joel Waldfogel, economista na Universidade da Pensilvânia, encarou como uma cruzada pessoal a questão da ineficácia econômica do presente. Com "ineficácia" refere-se à defasagem entre o valor que tem para você (talvez muito pouco) o suéter de losangos de US$ 120 que a sua tia lhe deu no aniversário e o valor do que você teria adquirido (um iPod, por exemplo) se ela lhe tivesse dado dinheiro. Em 1993, Waldfogel, num artigo intitulado "O desperdício do fardo de Natal", chamou a atenção para a verdadeira epidemia de utilidade desperdiçada nos presentes de fim de ano. Ele atualizou e desenvolveu o tema num livro mais recente, *Scroogenomics: Why You Shouldn't Buy Presents for the Holidays* [Economia da avareza: por que você não deve dar presentes de fim de ano]:

> O principal é que quando outras pessoas fazem compras para nós, sejam roupas, música ou qualquer outra coisa, é muito improvável que escolham tão bem quanto nós escolheríamos. Podemos estar certos de que suas escolhas, por mais bem-intencionadas, certamente errarão o alvo. Em relação ao grau de satisfação que seus gastos poderiam ter-nos proporcionado, suas escolhas destroem o valor.[7]

Aplicando a lógica habitual de mercado, Waldfogel conclui que na maioria dos casos seria melhor dar o dinheiro:

> A teoria econômica — e o senso comum — leva-nos a esperar que o ato de comprar objetos para nós mesmos é capaz de proporcionar mais satisfação por euro, dólar ou shekel do que comprar objetos para os outros (...). A compra de presentes sempre extingue o valor, podendo apenas, num improvável melhor dos casos, ser algo tão bom quanto dar dinheiro.[8]

Além de recorrer à lógica econômica para argumentar contra os presentes, Waldfogel efetuou pesquisas para avaliar o valor extinto por essa prática ineficaz. Ele pede a pessoas que tenham recebido presentes que estimem o seu valor monetário e a quantia que se disporiam a pagar por eles. Sua conclusão: "Atribuímos aos objetos que recebemos como presentes 20% menos valor, por cada dólar gasto, do que aos objetos que compramos." Esse percentual leva Waldfogel a estimar a "extinção de valor" total ocasionada em nível nacional pelos presentes de fim de ano:

> Considerando-se os US$ 65 bilhões anualmente gastos nas festas de fim de ano nos Estados Unidos, temos US$ 13 bilhões de satisfação a menos do que se gastássemos esse dinheiro da maneira habitual — cuidadosamente com nós mesmos. Os americanos comemoram as festas com uma orgia de extinção de valor.[9]

Se o ato de presentear é uma atividade de fenomenal desperdício e ineficácia, por que insistimos nela? Não é fácil responder à pergunta no contexto dos pressupostos econômicos habituais. Em seu manual de economia, Gregory Mankiw faz corajosamente a tentativa. Ele começa observando que "presentear é um estranho hábito", mas reconhece que em geral não é uma boa ideia dar ao namorado ou namorada dinheiro no lugar de um presente de aniversário. Mas por quê?

A explicação de Mankiw é que presentear é uma maneira de "sinalizar", expressão usada pelos economistas para se referir ao uso do mercado para superar "assimetrias de informação". Assim, por exemplo, uma empresa que produz um excelente produto compra publicidade cara não só para convencer os clientes diretamente, mas também para *sinalizar* que se sente suficientemente confiante da qualidade de seu produto para contratar uma onerosa campanha publicitária. De maneira semelhante, sugere Mankiw, presentear atende a uma função de sinalização. Um homem que pretenda presentear a namorada "dispõe de uma informação particular a que ela gostaria de ter acesso: realmente a ama? A escolha de um bom presente para ela é um sinal do seu amor". Como encontrar um presente exige tempo e requer esforço, a escolha de um presente adequado é para ele uma maneira de "transmitir a informação particular do seu amor por ela"[10].

É sem dúvida uma maneira estranhamente fria de falar de amantes e presentes. *Sinalizar* amor não é a mesma coisa que expressá-lo. Falar de sinalização significa presumir equivocadamente que o amor é uma informação particular transmitida por uma parte à outra. Se fosse assim, o dinheiro também funcionaria — quanto mais alto o pagamento, mais forte a sinalização e maior (presumivelmente) o amor. Mas o amor não é apenas ou principalmente uma questão de informação particular. É uma maneira de estar com outra pessoa e reagir a ela. Dar, especialmente dar com dedicação, pode ser uma maneira de expressá-lo. No registro expressivo, um bom presente não tem apenas o objetivo de agradar, no sentido de satisfazer às preferências de consumo daquele que recebe. Também envolve e vincula à pessoa que recebe, de uma forma que reflete uma certa intimidade. Por isso é que a consideração pessoal é importante.

Naturalmente, nem todos os presentes podem ser expressivos dessa maneira. Se formos ao casamento de um primo distante ou ao *bar mitzvah* do filho de um sócio, provavelmente será melhor comprar algo da lista de casamento ou dar dinheiro. Mas dar dinheiro, em vez de um presente escolhido com cuidado, a um amigo, amante ou cônjuge é transmitir uma certa indiferença e desconsideração. Seria como pagar para se livrar da consideração.

Os economistas sabem que os presentes têm uma dimensão expressiva, embora os princípios de sua disciplina não possam dar conta dela. "O economista em mim diz que o melhor presente é dinheiro", escreve Alex Tabarrok, economista e blogueiro. "Mas o resto de mim não aceita." Ele apresenta um bom contraexemplo do conceito utilitário de que o presente ideal é um objeto que compraríamos para nós mesmos:

suponhamos que alguém lhe dê US$ 100 e você compre pneus para o carro. Isso representa a maximização da sua utilidade. Mas talvez você não ficasse incrivelmente feliz se seu amante lhe desse pneus no aniversário. Na maioria dos casos, assinala Tabarrok, preferiríamos que aquele que presenteia comprasse para nós algo menos prosaico, algo que não compraríamos por nós mesmos. Pelo menos da parte das pessoas mais íntimas, preferimos receber um presente que fale "ao eu selvagem, ao eu apaixonado, ao eu romântico".[11]

Acho que ele tem lá sua razão. O motivo pelo qual dar presentes nem sempre significa distanciar-se de maneira irracional da maximização eficiente da utilidade é que os presentes não são apenas uma questão de utilidade. Certos presentes expressam relacionamentos que envolvem, desafiam e reinterpretam nossa identidade. Isso acontece porque a amizade não é apenas uma questão de utilidade recíproca. É também uma questão de desenvolvimento do caráter e do autoconhecimento na companhia de outras pessoas. Como dizia Aristóteles, o melhor da amizade tem uma finalidade formadora e educativa. Monetarizar todas as formas de doação entre amigos pode corromper a amizade, permeando-a de normas utilitárias.

Até os economistas que encaram os presentes em termos utilitários não podem deixar de observar que os presentes em forma de dinheiro constituem a exceção, e não a regra, especialmente entre colegas, cônjuges e entes queridos mais íntimos. Para Waldfogel, está aí a origem da ineficácia que condena. O que será então, do seu ponto de vista, que leva as pessoas a persistir num hábito que gera maciça extinção de valor? Simplesmente o fato de que o dinheiro é considerado um "presente cafona" portador de um estigma. Ele não pergunta se as pessoas estão certas ou erradas quando consideram cafonas os presentes em dinheiro. Pelo contrário, encara esse estigma como um fato sociológico bruto sem significado normativo, à parte sua infeliz tendência a reduzir a utilidade.[12]

"O único motivo de tantos presentes de Natal serem dados em objetos, e não em dinheiro, é o estigma que envolve o dinheiro", escreve Waldfogel. "Se não houvesse esse estigma, as pessoas dariam presentes em dinheiro, e os presenteados escolheriam coisas que realmente quisessem, resultando daí a maior satisfação possível em função das quantias gastas".[13] Stephen Dubner e Steven Levitt têm uma visão semelhante: a relutância em dar presentes em dinheiro é quase sempre um "tabu social" que "impede o sonho econômico" de uma "troca lindamente eficaz".[14]

A análise econômica do presente ilustra, numa esfera reduzida, duas características reveladoras da lógica de mercado. Primeiro, ela evidencia que a lógica de mercado contrabandeia certos julgamentos morais, apesar de alegar neutralidade de valoração. Waldfogel não se preocupa com a validade do estigma contra presentes em dinheiro; sequer chega a se perguntar se poderia ser justificado. Simplesmente parte do princípio de que é um obstáculo irracional à utilidade, uma "instituição ineficaz" que idealmente deveria ser deixada para trás.[15] Ele não contempla a possibilidade de que o estigma contra os presentes monetários reflita normas que merecem ser preservadas, como, por exemplo, as normas de consideração associadas à amizade.

Insistir em que o objetivo dos presentes é maximizar a utilidade significa assumir, sem a devida argumentação, o pressuposto de que a concepção da amizade baseada na maximização da utilidade é a mais adequada do ponto de vista moral e de que a maneira correta de tratar os amigos consiste em atender a suas preferências — e não desafiá-las, aprofundá-las ou complicá-las.

De modo que a tese econômica contra o hábito de presentear não é moralmente neutra. Ela pressupõe uma certa concepção da amizade, por muitos considerada empobrecedora. E, no entanto, qualquer que seja a deficiência moral, a abordagem econômica do hábito de presentear vem ganhando terreno, o que nos conduz à segunda característica reveladora do exemplo do presente. Por mais contestáveis que sejam seus pressupostos morais, a maneira econômica de pensar a respeito dos presentes revela-se real. Nas duas últimas décadas, o aspecto monetário do hábito de presentear chegou mais perto da superfície.

A monetarização dos presentes

Veja-se, por exemplo, a voga dos cartões de presente. Em vez de buscarem o presente adequado, as pessoas empenhadas em presentear nas festas de fim de ano passaram a recorrer cada vez mais a certificados ou cartões com certo valor monetário que podem ser trocados por mercadorias nas lojas. Os cartões de presente representam um meio-termo entre a escolha de um presente específico e o pagamento em dinheiro. Facilitam a vida daquele que oferece e facultam ao presenteado maior gama de opções. Um cartão de presente de US$ 50 na Target, na Walmart ou na Saks Fifth Avenue permite evitar o "desperdício de valor" de um suéter no tamanho errado e que o beneficiário escolha algo que realmente queira. Mas não deixa de ser diferente de simplesmente dar dinheiro. É verdade que o presenteado sabe exatamente quanto você gastou; o valor monetário fica explicitado. Apesar disso, no entanto, um cartão de presente de determinada loja parece menos estigmatizado do que a simples entrega de um valor em dinheiro. Talvez a consideração embutida na escolha de uma loja adequada dissolva o estigma, pelo menos em parte.

A tendência à monetarização dos presentes ganhou impulso na década de 1990, quando foi num crescendo o número de consumidores que começaram a presentear com certificados. No fim da década, a adoção de cartões plastificados com tarjas magnéticas acelerou ainda mais a tendência. Entre 1998 e 2010, as vendas anuais de cartões de presente aumentaram quase oito vezes, chegando a mais de US$ 90 bilhões. De acordo com pesquisas feitas entre consumidores, os cartões são atualmente a opção mais procurada de presentes de fim de ano — superando as roupas, os videogames, os produtos eletrônicos, as joias e outros itens.[16]

Os tradicionalistas lamentam a tendência. Judith Martin, colunista de etiqueta conhecida como Miss Manners [Senhorita Maneiras], queixa-se de que os cartões de presente "acabaram com a alma e o coração das festas de fim de ano. A pessoa basicamente está pagando a alguém, pagando para livrar-se do outro". Liz Paulliam Weston, colunista de finanças pessoais, preocupa-se com o fato de "a arte de presentear estar rapidamente degenerando numa troca inteiramente comercial. Cabe perguntar", prossegue ela, "se ainda falta muito para começarmos simplesmente a jogar maços de cédulas de dólar uns nos outros".[17]

Do ponto de vista da lógica econômica, a adoção dos cartões de presente representa um passo na boa direção. Chegar ao ponto dos maços de cédulas seria ainda melhor. O motivo? Embora os cartões reduzam o "peso morto" dos presentes, o fato é que não o eliminam completamente. Suponhamos que você ganhe do seu tio um cartão de presente de US$ 100, resgatável numa loja de utensílios domésticos como a Home Depot. Seria melhor do que uma caixa de ferramentas de US$ 100 que você não quisesse realmente. Mas, se você não for o tipo de sujeito que curte cuidar da casa, provavelmente preferiria o dinheiro. Afinal de contas, o dinheiro é como um cartão de presente que pode ser resgatado em qualquer lugar.

Não surpreende, assim, que já tenha surgido uma solução do mercado para esse problema. Existem agora empresas online que trocam cartões de presente por dinheiro (por um preço menor do que o valor nominal) para em seguida revendê-los. Assim, por exemplo, uma empresa chamada Plastic Jungle pode comprar o seu cartão de presente de US$ 100 na Home Depot por US$ 80 para em seguida revendê-lo por US$ 93. A taxa de desconto varia de acordo com a popularidade da loja. Em troca de um cartão de US$ 100 da Walmart ou da Target, a Plastic Jungle paga US$ 91. Um cartão de US$ 100 da Barnes & Noble infelizmente rende apenas US$ 77, um pouco menos do que o da Burger King (US$ 79).[18]

Para os economistas preocupados com o peso morto dos presentes, esse mercado secundário quantifica a perda de utilidade imposta aos beneficiários aos quais são dados cartões de presentes em vez de dinheiro: quanto maior a taxa de desconto, maior a defasagem entre o valor de um cartão de presente e o valor em dinheiro. Naturalmente, nada disso leva em conta a consideração e o cuidado expressos no hábito tradicional de presentear. Essas virtudes são atenuadas na mudança dos presentes para os cartões e, finalmente, para o dinheiro.

Um dos economistas que analisam a questão dos cartões de presentes propõe uma maneira de reconciliar a eficácia econômica do dinheiro com as antiquadas virtudes da consideração pessoal:

> As pessoas que pretendam oferecer um cartão de presente podem levar em consideração as possíveis vantagens de um presente em dinheiro com um bilhete sugerindo ao presenteado que ele seja gasto em determinada loja — assim acrescentando o toque de cuidado pessoal que valoriza.[19]

Presentear com dinheiro acompanhado de um bem-humorado bilhete fazendo ao presenteado uma recomendação a respeito do lugar onde gastá-lo é o máximo em matéria de presente desconstruído. Mais ou menos como embrulhar o componente utilitário e a norma expressiva em duas caixas separadas, presas por um laço.

Meu exemplo favorito de mercadorização do presente é um sistema recentemente patenteado para passar presentes adiante eletronicamente. A coisa é assim descrita num artigo do *New York Times*: suponhamos que você ganhe uma torta de frutas da sua tia no Natal. A empresa fornecedora envia-lhe um e-mail comunicando que foi presenteado e oferece as opções de aceitar a entrega, trocá-la por um outro produto ou mandar a torta de frutas para uma terceira pessoa da sua lista de presentes. Como a transação ocorre online, você não tem o trabalho de embrulhar novamente o presente e levá-lo ao correio. Se optar por passar o presente adiante, o novo presenteado poderá escolher entre as mesmas opções. É possível, portanto, que a indesejada torta fique ricocheteando indefinidamente pelo ciberespaço.[20]

Um possível inconveniente: dependendo da política de transparência do varejista, cada presenteado nesse percurso da torta de fruta pode ficar sabendo do seu itinerário, o que pode ser embaraçoso. O fato de ficar sabendo que a torta foi descartada por vários presenteados e agora está sendo despejada no seu colo provavelmente comprometeria a gratidão pelo presente e aniquilaria seu valor expressivo. Seria mais ou menos como descobrir que o seu melhor amigo pagou pelo comovente discurso de brinde de casamento oferecido online.

Honra comprada

Embora o dinheiro não possa comprar amizade, pode comprar manifestações e expressões de amizade — até certo ponto. Como vimos, os pedidos de desculpas, os discursos de brinde de casamento e os presentes não perdem seu valor ao serem convertidos em mercadoria. Mas ele de fato é diminuído. Isso por um motivo relacionado à razão de o dinheiro não poder comprar amigos: a amizade e as práticas sociais que a sustentam são constituídas por certas normas, atitudes e virtudes. A mercantilização dessas práticas desloca tais normas — simpatia, generosidade, atenção, consideração — e as substitui por valores de mercado.

Um amigo contratado não é o mesmo que um amigo de verdade; qualquer um entende a diferença. A única exceção que me ocorre é o personagem de Jim Carrey em *O show de Truman: o show da vida*. Ele passa a vida inteira numa cidade aparentemente tranquila que na verdade, sem que o saiba, é o cenário de um *reality show* da televisão. Carrey leva algum tempo para se dar conta de que sua mulher e seu melhor amigo são atores. Mas é claro que não foi ele que os contratou, e sim o produtor do programa.

A questão na analogia da amizade é esta: o motivo pelo qual não podemos comprar amigos (normalmente) — a compra destruiria o relacionamento — ajuda a entender por que os mercados corrompem as expressões de amizade. Um pedido de desculpas ou um discurso de brinde de casamento comprado, apesar da semelhança com o autêntico, não deixa de estar maculado e desvalorizado. O dinheiro pode comprar essas coisas, mas só de uma forma algo degradada.

Os bens honoríficos são vulneráveis à corrupção de uma forma semelhante. Um Prêmio Nobel não pode ser comprado. Mas que dizer de outras formas de honraria e reconhecimento? Vejam-se, por exemplo, os títulos honorários. As universidades costumam conferir títulos honorários a grandes pesquisadores, cientistas, artistas e personalidades públicas. Mas alguns desses beneficiários são filantropos que doaram grandes somas à instituição que confere a honraria. Esses títulos então são comprados, na verdade, ou seriam genuinamente honoríficos?

Pode haver aí uma certa ambiguidade. Se a motivação da universidade for exposta com excesso de franqueza, o bem é extinto pela transparência. Suponhamos que a justificativa começasse com estas palavras: "Conferimos títulos honoríficos a grandes cientistas e artistas por suas realizações. Mas lhe conferimos este título em reconhecimento pelos US$ 10 milhões que nos doou para a construção da nova biblioteca." Um reconhecimento dessa natureza dificilmente poderia ser considerado um título honorífico. Naturalmente, as justificativas nunca são redigidas dessa maneira. Elas falam de serviço público, compromisso filantrópico e dedicação à missão da universidade — um vocabulário honorífico que ajuda a obscurecer a diferença entre título honorífico e título comprado.

Questões semelhantes se levantam a respeito da compra e venda da admissão em universidades de elite. Essas universidades não leiloam propriamente a admissão, não pelo menos de maneira explícita. Muitas escolas superiores e universidades poderiam aumentar sua renda se vendessem matrículas a quem oferecesse mais. Mas, ainda que quisessem maximizar a renda, as universidades não leiloariam todas as vagas. Um tal comportamento diminuiria a demanda, não só por reduzir a qualidade acadêmica, mas por comprometer o aspecto honorífico da admissão. Seria difícil orgulhar-se da admissão (própria ou de um filho) em Stanford ou Princeton se fosse possível comprá-la normalmente e isso fosse do conhecimento geral. Na melhor das hipóteses, seria um tipo de orgulho como o que se associa, por exemplo, à compra de um iate.

Suponhamos, todavia, que a maioria das vagas fosse distribuída em função do mérito e algumas apenas discretamente oferecidas para a venda. Suponhamos ainda que fossem muitos os fatores levados em consideração para a admissão — notas; desempenho em testes; atividades extracurriculares; diversidade racial, étnica e geográfica; desempenho atlético; o fato de ser filho de um ex-aluno — de tal maneira que ficasse difícil estabelecer em qualquer caso quais teriam sido os elementos determinantes. Em tais condições, as universidades poderiam vender algumas vagas a doadores ricos sem comprometer o valor honorífico que as pessoas costumam associar à admissão numa instituição de elite.

Os críticos do atual sistema de ensino superior afirmam que tais hipóteses chegam perto do que de fato acontece hoje em muitas universidades e escolas superiores. Encaram a preferência para os filhos de ex-alunos como uma forma de ação afirmativa em favor dos abastados. E assinalam casos em que essas universidades afrouxaram seus padrões de admissão nos casos de candidatos não propriamente brilhantes cujos pais, apesar de não terem sido alunos anteriormente, são ricos e podem vir a fazer doações substanciosas à instituição.[21] Os defensores dessas práticas argumentam que as universidades privadas dependem essencialmente de contribuições financeiras de ex-alunos e doadores ricos e que tais contribuições permitem-lhes fornecer bolsas de estudo e ajuda financeira a estudantes menos favorecidos.[22]

Ao contrário do Prêmio Nobel, portanto, a admissão em instituições de ensino superior é um bem que pode ser vendido e comprado, desde que discretamente. Saber se as universidades e as escolas superiores devem fazê-lo já é uma outra questão. A ideia de vender a admissão é alvo de duas objeções. Uma delas diz respeito à equanimidade; a outra, à corrupção. A objeção da equanimidade afirma que a admissão de filhos de doadores ricos em troca de uma polpuda contribuição à instituição é injusta com os pretendentes que não tiveram a sabedoria de nascer de pais abastados. Os que fazem essa objeção encaram a educação superior como uma oportunidade de abrir portas, considerando que o favorecimento dos filhos de ricos perpetua a desigualdade social e econômica.

A objeção da corrupção fala de integridade institucional e frisa que a educação superior não serve apenas para encaminhar os alunos para empregos compensadores; ela também configura certos ideais — a busca da verdade, a promoção da excelência na erudição e na pesquisa científica, o desenvolvimento do humanismo na esfera do ensino e do aprendizado, o cultivo de virtudes cívicas. Embora todas as universidades precisem de dinheiro para alcançar seus objetivos, o predomínio das necessidades de levantamento de fundos corre o risco de distorcer essas metas e corromper as normas que representam a razão de ser das universidades. O fato de a objeção da corrupção ser uma questão de integridade — a fidelidade de uma instituição a seus ideais constitutivos — é traduzido na habitual acusação de que ela pode ter-se "vendido".

Duas objeções ao mercado

Esses dois tipos de argumentos reverberam nos debates a respeito do que o dinheiro deve ou não comprar. A objeção da equanimidade aponta para a desigualdade que as escolhas de mercado podem refletir; a objeção da corrupção, para as atitudes e as normas que as relações de mercado podem prejudicar ou dissolver.[23]

Veja-se, por exemplo, o caso dos rins. É verdade que o dinheiro pode comprar um rim sem comprometer seu valor. Mas será que os rins devem ser comprados e vendidos? Os que acham que não costumam levantar dois argumentos: afirmam que esses mercados exploram os pobres, cuja decisão de vender o rim pode não ser realmente voluntária (o argumento da equanimidade). Ou então sustentam que esses mercados promovem uma visão degradante e coisificante da pessoa humana, como se fosse uma coleção de partes avulsas (o argumento da corrupção).

Ou, então, vejamos o caso dos filhos. Seria possível criar um mercado para a adoção de filhos. Mas será que se deveria fazê-lo? Os que são contrários apresentam dois argumentos: um deles é que pôr crianças à venda tiraria do mercado os pais menos abastados ou, então, deixaria para eles as crianças mais baratas ou menos desejáveis (o argumento da equanimidade). O outro é que o estabelecimento de preços para a compra de filhos corromperia a norma do amor paterno incondicional; as inevitáveis diferenças de preço reforçariam a ideia de que o valor de uma criança depende de raça, sexo, potencial intelectual, capacidades ou incapacidades físicas e outras características (o argumento da corrupção).

Vale a pena deter-nos aqui um pouco para esclarecer esses dois argumentos indicadores dos limites morais do mercado. A objeção da equanimidade lembra a injustiça que pode estar sendo praticada quando alguém compra e vende algo em condições de desigualdade ou grave necessidade econômica. De acordo com aqueles que fazem essa objeção, as alterações operadas no mercado nem sempre são tão voluntárias quanto querem fazer crer os entusiastas do mercado. Um camponês pode decidir vender o rim ou a córnea para alimentar a família, mas essa concordância talvez não seja de fato voluntária. Ele pode, na verdade, estar sendo injustamente coagido por uma situação de privação.

A objeção da corrupção é diferente. Ela frisa o efeito degradante da valoração e das trocas de mercado em certos bens e certas práticas. Segundo os que a sustentam, certos bens morais e cívicos são degradados ou corrompidos quando comprados e vendidos. O argumento da corrupção não pode ser respondido pelo estabelecimento de condições justas de barganha. Ele se aplica igualmente em condições de igualdade e desigualdade.

O velho debate sobre a prostituição ilustra bem essa diferença. Certas pessoas opõem-se à prostituição alegando que raramente, ou nunca, é de fato voluntária. Argumentam que as pessoas que vendem o corpo costumam estar acuadas, seja pela pobreza, vício em drogas ou ameaça de violência. Trata-se de uma outra versão da objeção da equanimidade. Mas outras se opõem à prostituição sob o argumento de que degrada as mulheres, sintam-se ou não forçadas a praticá-la. De acordo com esse argumento, a prostituição é uma forma de corrupção que degrada as mulheres e promove atitudes condenáveis em relação ao sexo. A objeção da degradação não depende de formas contaminadas de consentimento; ela condenaria a prostituição mesmo numa sociedade sem pobreza, até mesmo no caso de prostitutas de luxo que gostassem da prática e a escolhessem livremente.

Cada uma dessas objeções baseia-se em um diferente ideal moral. O argumento da equanimidade volta-se para o ideal do consentimento, ou, mais precisamente, para esse ideal em contexto justo. Um dos principais argumentos em favor do uso dos mercados para a distribuição dos bens é que respeitam a liberdade de escolha. Permitem que cada um escolha por si mesmo se quer vender este ou aquele bem por determinado preço.

Mas a objeção da equanimidade chama a atenção para o fato de que algumas dessas escolhas não são realmente voluntárias. As escolhas de mercado não são livres se determinadas pessoas estão em situação de pobreza desesperadora ou sem condições de barganhar em termos justos. Assim, para saber se uma escolha de mercado é de fato livre, devemos questionar quais as condições de desigualdade do contexto social que comprometem um real consentimento. Em que momento as desigualdades do poder de barganha coagem os que estão em desvantagem e põem em risco a justiça dos acordos?

O argumento da corrupção volta-se para um outro conjunto de ideais morais. Não recorre ao consentimento, mas à importância moral dos bens em questão, aqueles que seriam degradados pela valoração e a troca de mercado. Assim, para decidir se se deve comprar e vender a admissão no ensino universitário, precisamos debater quais são os bens morais e cívicos que essas instituições devem cultivar, procurando descobrir se a venda da admissão comprometeria esses bens. Para decidir se se deve estabelecer um mercado de adoção de bebês, precisamos saber quais normas devem governar as relações entre pais e filhos e descobrir se a compra e a venda de crianças poriam em risco essas normas.

As objeções da equanimidade e da corrupção diferem em suas implicações no que diz respeito ao mercado: o argumento da equanimidade não levanta objeção à mercantilização de certos bens sob a alegação de que são preciosos, sagrados ou que não têm preço; insurge-se contra a compra e venda de bens num contexto de desigualdade suficientemente grave para gerar condições injustas de barganha. Não sustenta uma objeção à mercantilização dos bens (seja o sexo, os rins ou a admissão em universidades) numa sociedade em que prevaleçam condições de justiça.

O argumento da corrupção, em contraste, centra-se no caráter dos bens propriamente ditos e das normas que devem governá-los. Não pode, assim, ser atendido simplesmente pelo estabelecimento de condições justas de barganha. Mesmo numa sociedade sem diferenças injustas de poder e riqueza, continuaria havendo coisas que o dinheiro não deve comprar. Isso porque os mercados não são simples mecanismos; eles também encarnam certos valores. E às vezes os valores de mercado podem jogar para escanteio normas alheias a ele que merecem ser preservadas.

Descartando as normas alheias ao mercado

Como se dá exatamente esse descarte? De que maneira os valores de mercado corrompem, dissolvem ou deslocam as normas alheias a ele? A lógica econômica habitual parte do princípio de que a mercantilização de um bem — botá-lo à venda — não altera seu caráter. As trocas de mercado aumentam a eficiência econômica sem modificar os bens em si mesmos. Por isso é que os economistas em geral gostam da ideia de usar incentivos financeiros para gerar comportamentos desejados; negociar entradas no mercado negro para espetáculos e eventos esportivos muito procurados e até missas papais; recorrer a cotas negociáveis para distribuir refugiados ou direitos de poluir ou procriar; dar presentes em dinheiro; recorrer aos mercados para diminuir a defasagem entre oferta e procura de qualquer tipo de bens, até de rins humanos. As trocas de mercado favorecem ambas as partes sem prejudicar nenhuma delas — *se* partirmos do princípio de que as relações de mercado e as atitudes que fomentam não diminuem o valor dos bens trocados.

Mas essa presunção pode ser contestada. Já examinamos uma série de exemplos que a põe em questão. À medida que o mercado penetra as esferas da vida tradicionalmente governadas por normas alheias a ele, a ideia de que os mercados não afetam nem conspurcam os bens neles trocados torna-se cada vez mais implausível. Cresce o número de pesquisas confirmando o que parece indicar o senso comum: os incentivos financeiros e outros mecanismos de mercado podem sair pela culatra ao descartar as normas alheias ao mercado. Às vezes, oferecer alguma forma de pagamento por determinado comportamento pode diminuir, em vez de aumentar, sua incidência.

Depósitos de lixo nuclear

Durante anos, a Suíça tentou encontrar um lugar para armazenar lixo nuclear radioativo. Embora o país faça uso intensivo dessa energia, poucas comunidades queriam dar guarida ao lixo nuclear. Um dos lugares escolhidos como um possível depósito foi a pequena aldeia de Wolfenschiessen (2.100 habitantes), nas montanhas do centro da Suíça. Em 1993, pouco antes de um referendo sobre a questão, alguns economistas fizeram uma pesquisa entre os moradores da aldeia e perguntaram se votariam a favor da instalação de um depósito de lixo nuclear em sua comunidade se o Parlamento suíço decidisse construí-lo ali. Embora a instalação fosse amplamente considerada indesejável nas imediações, uma apertada maioria dos habitantes (51%) declarou-se disposta a aceitá-la. Aparentemente, o senso do dever cívico sobrepôs-se à preocupação com os riscos. Os economistas então douraram um pouco a pílula: suponha que o Parlamento propusesse a construção do depósito de lixo nuclear na comunidade e *também* oferecesse indenizar cada morador com um pagamento anual em dinheiro. *Nesse caso* você seria favorável?[24]

Resultado: o apoio diminuiu, ao invés de aumentar. O acréscimo do estímulo financeiro reduziu o índice de aceitação pela metade, de 51% para 25%. A oferta em dinheiro, na verdade, diminuiu a disposição de acolher o depósito de lixo nuclear. Além disso, a elevação da aposta não ajudou. Quando os economistas aumentaram a oferta monetária, o resultado ficou inalterado. Os moradores ficaram firmes até mesmo diante da oferta de pagamentos anuais de US$ 8.700 por pessoa, muito acima da renda média mensal. Reações semelhantes, ainda que menos dramáticas, a ofertas monetárias têm sido constatadas em outros lugares onde as comunidades resistem à instalação de depósitos de lixo nuclear.[25]

O que estava acontecendo, então, naquela aldeia suíça? Por que era maior o número de pessoas dispostas a aceitar o lixo nuclear de graça do que mediante pagamento?

A análise econômica habitual considera que a oferta de dinheiro para que alguém aceite um ônus deveria aumentar, e não diminuir, sua disposição de fazê-lo. Mas Bruno S. Frey e Felix Oberholzer-Gee, os economistas responsáveis pelo estudo, assinalam que o efeito de preço pode às vezes ser confundido por considerações de ordem moral, entre elas um compromisso com o bem comum. Para muitos habitantes daquela aldeia, a disposição de aceitar o depósito de lixo nuclear era uma questão de espírito público — o reconhecimento de que o país como um todo dependia da energia nuclear e era necessário, portanto, armazenar o lixo nuclear em algum lugar. Se a sua comunidade era considerada o local mais seguro para essa estocagem, eles se dispunham a pagar o ônus. Contra o pano de fundo desse compromisso de ordem cívica, a oferta de dinheiro aos moradores da aldeia parecia uma tentativa de suborno, de comprar o seu voto. Na verdade, 83% dos que rejeitaram a proposta monetária explicaram sua posição com a afirmação de que não aceitavam suborno.[26]

Poderíamos imaginar que o acréscimo de um incentivo financeiro serviria simplesmente para reforçar o sentimento de espírito público já existente e que, assim, aumentaria o apoio ao depósito de lixo nuclear. Afinal, dois incentivos — um financeiro, o outro cívico — não são mais fortes do que um só? Não necessariamente. É um equívoco presumir que os incentivos se adicionam. Pelo contrário, para os bons cidadãos da Suíça, a perspectiva de uma vantagem de caráter particular transformava uma questão cívica numa questão pecuniária. A intrusão de normas de mercado sobrepujou seu sentimento de dever cívico. Concluem os autores do estudo:

> Nos casos em que prevalece o espírito público, o uso de incentivos monetários para arregimentar apoio para a construção de instalações socialmente desejáveis, mas indesejáveis em nível local, tem um preço mais elevado do que o sugerido pela teoria econômica habitual, pois esses incentivos tendem a sobrepujar e descartar o dever cívico.[27]

Isso não significa que os organismos governamentais devam simplesmente impor tais decisões às comunidades locais. As decisões políticas arbitrárias podem ser ainda mais corrosivas do espírito público do que os incentivos monetários. Permitir que os moradores avaliem os riscos por si mesmos, autorizar a participação dos cidadãos no processo decisório a respeito dos locais que melhor atendem ao interesse público, dar às comunidades o direito de fechar instalações perigosas em caso de necessidade são maneiras mais seguras de obter apoio público do que simplesmente tentar comprá-lo.[28]

Embora os pagamentos em dinheiro possam ofender, as compensações em espécie muitas vezes são bem-vindas. Muitas vezes as comunidades aceitam uma compensação pela instalação de projetos públicos indesejáveis — um aeroporto, um aterro sanitário, uma estação de reciclagem — nas suas proximidades. Mas se constatou em certos estudos que as pessoas têm maior probabilidade de aceitar esse tipo de compensação em forma de bens públicos em vez de dinheiro. Parques públicos, bibliotecas, melhorias em escolas, centros comunitários e até pistas de corrida e ciclovias são aceitos com mais facilidade como compensação do que os pagamentos monetários.[29]

Do ponto de vista da eficiência econômica, não deixa de ser intrigante e até irracional. O dinheiro supostamente sempre é melhor do que bens públicos em espécie, por motivos que já exploramos ao tratar dos presentes. O dinheiro é fungível, o cartão de presente, universal: se os moradores são compensados em dinheiro, sempre poderão juntar o que receberam para financiar parques públicos, bibliotecas e playgrounds, se assim acharem que estarão maximizando sua utilidade. Ou poderão optar por gastar o dinheiro no consumo privado.

Mas essa lógica perde de vista o significado do sacrifício cívico. Os bens públicos são mais adequados como forma de compensação do que o dinheiro, tratando-se de inconveniências e danos públicos, porque esses bens reconhecem o ônus cívico e o sacrifício comum que as decisões de aceitar tais instalações impõem. Um pagamento monetário aos moradores por aceitarem uma pista de decolagem ou um aterro sanitário em sua cidade pode ser visto como um suborno para concordar com a degradação decorrente para a comunidade. Mas uma nova biblioteca, um playground ou uma escola compensa o sacrifício cívico na mesma moeda, por assim dizer, ao fortalecer a comunidade e honrar seu espírito público.

Dia da doação e atrasos na creche

Constata-se que os incentivos financeiros também desalojam o espírito público em contextos menos drásticos do que aqueles que envolvem o lixo nuclear, por exemplo. Todo ano, no chamado "dia da doação", os estudantes israelenses vão de porta em porta solicitar contribuições para causas nobres: pesquisa sobre o câncer, ajuda a crianças incapacitadas e assim por diante. Dois economistas fizeram uma experiência para constatar o efeito dos incentivos financeiros nas motivações dos estudantes.

Eles foram divididos em três grupos. Um deles recebeu um breve discurso sobre a importância da causa e saiu em campo. Os outros receberam o mesmo discurso e a promessa de uma recompensa monetária baseada no valor que coletassem — 1% e 10%, respectivamente. As recompensas não seriam deduzidas das doações: proviriam de outra fonte.[30]

Qual grupo de estudantes levantou mais dinheiro na sua opinião? Se achou que foi o grupo que nada recebeu, acertou. Os estudantes não remunerados coletaram 55% mais em doações do que os que receberam a oferta de uma comissão de 1%. Os que receberam oferta de 10% saíram-se consideravelmente melhor do que o grupo de 1%, mas não tanto quanto os estudantes que nada receberam. (Os voluntários não remunerados coletaram 9% mais do que os da comissão mais alta.[31])

Qual a moral da história? Os autores do estudo concluem que, a serem usados incentivos financeiros para motivar, o mais indicado é "pagar o suficiente ou não pagar de todo".[32] Embora talvez seja verdade que pagar o suficiente permita conseguir o que se quer, não é só isso que podemos depreender da história. Também existe aqui uma lição sobre a maneira como o dinheiro põe as normas para escanteio.

Em certa medida, a experiência confirma o conhecido pressuposto de que os incentivos monetários funcionam. Afinal, o grupo dos 10% coletou mais contribuições do que os estudantes que receberam a oferta de apenas 1%. Mas o interessante é entender por que os dois grupos remunerados ficaram atrás do que atuou sem remuneração. O mais provável é que a remuneração aos estudantes por uma boa ação tenha alterado o caráter da atividade. Ir de porta em porta para coletar fundos caritativos era já agora menos uma questão de dever cívico do que de ganhar uma comissão. O incentivo financeiro transformou uma atividade de espírito público num trabalho remunerado. Deu-se com os estudantes israelenses o mesmo que no caso dos aldeãos suíços: a introdução de normas de mercado deslocou, ou pelo menos enfraqueceu, seu empenho moral e cívico.

Uma lição semelhante pode ser tirada de outra notável experiência conduzida pelos mesmos pesquisadores que envolvia creches israelenses. Como vimos, a introdução de uma multa para os pais que se atrasam ao buscar os filhos não reduziu o número de atrasos, antes o aumentou. Na verdade, a incidência de atrasos quase dobrou. Os pais passaram a encarar a multa como uma taxa que se dispunham a pagar. E não apenas isso: quando as creches eliminaram a multa, passados cerca de três meses, o índice de atrasos persistiu. Uma vez que a obrigação moral de chegar na hora fora corroída pelo pagamento monetário, ficou difícil recobrar o antigo senso de responsabilidade.[33]

Esses três casos — do depósito de lixo nuclear, da coleta de fundos caritativos e dos atrasos nas creches — ilustram a maneira como a introdução de dinheiro num contexto alheio ao mercado pode mudar a atitude das pessoas e desalojar o empenho moral e cívico. O efeito corrosivo das relações de mercado pode ser forte o suficiente para cancelar o efeito de preço: a oferta de um incentivo financeiro para que uma instalação arriscada seja aceita, para uma frutífera coleta de porta em porta ou para chegar à creche na hora reduziu, em vez de aumentar, a disposição nesse sentido.

Por que então nos preocuparmos com a tendência do mercado a desalojar e pôr para escanteio as normas alheias a ele? Por dois motivos: um fiscal; o outro, ético. Do ponto de vista econômico, normas sociais como a virtude cívica e o espírito público são muito importantes, pois elas motivam comportamentos socialmente úteis pelos quais se teria de pagar um preço alto em outras circunstâncias. Se tivéssemos de recorrer a incentivos financeiros para fazer com que as comunidades aceitassem lixo nuclear, teríamos de pagar muito mais do que se pudéssemos contar com o senso de dever cívico da população. E se tivéssemos de contratar escolares para coletar doações teríamos de pagar mais do que uma comissão de 10% para conseguir o mesmo resultado gerado de graça pelo espírito público.

Mas encarar as normas morais e cívicas apenas como maneiras produtivas de motivação, do ponto de vista do custo-benefício, significa ignorar o valor intrínseco dessas normas. (Mais ou menos como tratar o estigma que pesa sobre os presentes em dinheiro como um fato social que se interpõe no caminho da eficiência econômica, mas não pode ser avaliado em termos morais.) Contar exclusivamente com pagamentos em dinheiro para induzir uma população a aceitar instalações de depósito de lixo nuclear não é apenas oneroso, mas também corruptor. É um comportamento que ignora o poder da persuasão e do consentimento que advém do exame dos riscos apresentados pelo projeto e das necessidades da comunidade de todo o país por ele contempladas. Da mesma forma, remunerar estudantes para a coleta de contribuições no dia da doação não só aumenta o custo do processo como desonra o espírito público dos alunos e desfigura sua educação moral e cívica.

O efeito da comercialização

Muitos economistas reconhecem atualmente que o mercado altera o caráter dos bens e das práticas sociais por ele governados. Nos últimos anos, um dos primeiros a enfatizar o efeito corrosivo do mercado nas normas alheias a ele foi Fred Hirsch, economista britânico que trabalhou como assessor do Fundo Monetário Internacional. Num livro publicado em 1976 — o ano do lançamento de *An Economic Approach to Human Behavior*, de Gary Becker, três anos antes da eleição de Margaret Thatcher como primeira-ministra britânica — Hirsch questionou o pressuposto de que o valor de um bem é o mesmo quando estabelecido pelo mercado ou de alguma outra forma.

Hirsch considera que a ciência econômica em geral tem ignorado o que ele chama de "efeito de comercialização". Refere-se com isso ao "efeito sobre as características de um produto ou atividade, do fato de ser fornecido exclusiva ou predominantemente em termos comerciais, no lugar de algum outro meio — como a troca informal, a obrigação mútua, o altruísmo ou o amor, ou ainda sentimentos de prestação de serviço ou obrigação". A "pressuposição geral, quase sempre oculta, é que o processo de comercialização não afeta o produto". Hirsch observa que essa pressuposição equivocada predominava no ascendente "imperialismo econômico" da época, inclusive nas tentativas, por parte de Becker e outros, de estender a análise econômica a terrenos vizinhos da vida política e social.[34]

Hirsch morreu apenas dois anos depois, aos 47 de idade, e não teve, assim, a oportunidade de elaborar sua crítica do pensamento econômico predominante. Nas décadas subsequentes, seu livro tornou-se uma espécie de clássico entre os que rejeitavam a crescente mercantilização da vida social e a lógica econômica por trás dela. Os três casos empíricos que acabamos de examinar corroboram a visão de Hirsch — de que a introdução de incentivos e mecanismos de mercado pode mudar a atitude das pessoas e desalojar valores alheios a ele. Recentemente, outros economistas de metodologia empírica encontraram novas provas do efeito de comercialização.

Por exemplo, Dan Ariely, um dos economistas comportamentais que têm surgido em número cada vez maior, fez uma série de experiências demonstrando que o fato de se remunerar alguém para fazer algo pode levá-lo a empenhar-se menos do que se fosse convidado a fazê-lo de graça, especialmente se for uma boa ação. Ele relata uma anedota verídica que bem ilustra suas constatações. A Associação Americana de Aposentados perguntou a um grupo de advogados se se dispunha a prestar serviços de assessoria jurídica a filiados de poucos recursos pelo preço reduzido de US$ 30 por hora. Os advogados não aceitaram. A AAP perguntou-lhes, então, se concordariam em prestar os serviços a essas pessoas gratuitamente. Os advogados concordaram. Uma vez tendo ficado claro que estavam sendo convidados a uma atividade caritativa, e não a uma transação de mercado, eles reagiram de maneira caritativa.[35]

Um número crescente de trabalhos na área da psicologia social encaminha uma possível explicação desse feito de comercialização. Esses estudos chamam a atenção para a diferença entre as motivações intrínsecas (como a convicção moral ou o interesse na tarefa em questão) e as extrínsecas (como o dinheiro ou recompensas tangíveis). Quando alguém está envolvido numa atividade que considere intrinsecamente compensadora, a oferta de dinheiro pode enfraquecer a motivação e depreciar ou "sobrepujar" o interesse ou comprometimento intrínseco.[36] A teoria econômica tradicional interpreta qualquer motivação, seja qual for seu caráter ou origem, como uma preferência e presume que as preferências têm um efeito cumulativo. Ignora, assim, o efeito corrosivo do dinheiro.

O fenômeno do sobrepujamento pela lógica de mercado dos valores alheios a ele tem fortes implicações na economia. Ele suscita um questionamento do emprego dos mecanismos de mercado em muitos aspectos da vida social, entre eles os incentivos financeiros para motivar o desempenho na educação, na saúde, no ambiente de trabalho, nas associações de voluntariado, na vida cívica e em outros domínios nos quais têm importância as motivações intrínsecas e o comprometimento moral. Bruno Frey (um dos autores do estudo sobre a localização do depósito de lixo nuclear na Suíça) e o economista Reto Jegen assim resumem essas implicações:

> Pode-se considerar que o "efeito de sobrepujamento" é uma das mais importantes anomalias da economia, pois aponta na direção oposta da mais fundamental das "leis" econômicas, aquela segundo a qual a elevação dos incentivos monetários aumenta a oferta. Se o efeito de sobrepujamento se aplica, o aumento dos incentivos monetários antes reduz do que aumenta a oferta.[37]

Sangue à venda

Talvez o exemplo mais conhecido do sobrepujamento ou neutralização pelos mercados das normas alheias a ele seja um clássico estudo sobre doação de sangue efetuado pelo sociólogo britânico Richard Titmuss. Em seu livro *The Gift Relationship* [A relação de doação], publicado em 1970, Titmuss comparava o sistema de coleta de doações de sangue em vigor no Reino Unido, onde todo o sangue para transfusão é doado por voluntários não remunerados, e o sistema prevalecente nos Estados Unidos, onde parte do sangue é doada e outra parte é comprada por bancos comerciais a pessoas, em geral pobres, que se dispõem a vender o próprio sangue para receber dinheiro. Titmuss argumentava em favor do sistema britânico e contra o tratamento do sangue humano como uma mercadoria a ser comprada e vendida no mercado.

Titmuss apresentava grande quantidade de dados que demonstravam que, exclusivamente em termos econômicos e práticos, o sistema britânico de coleta de sangue funciona melhor do que o americano. Não obstante a suposta eficácia do mercado, argumentava ele, o sistema americano leva a escassez crônica, desperdício de sangue, custos mais altos e maior risco de contaminação.[38]

Mas Titmuss também levantava um argumento ético contra a compra e venda de sangue que representa um bom exemplo das duas objeções ao mercado anteriormente identificadas: equanimidade e corrupção. Parte de sua argumentação volta-se para o fato de que o mercado do sangue explora os pobres (a objeção da equanimidade). Ele observou que os bancos de sangue lucrativos nos Estados Unidos recrutam boa parte de seus doadores entre moradores de bairros pobres e favelas desesperados por conseguir dinheiro. A comercialização do sangue leva a um maior número de doações "por parte de pessoas pobres, incapacitadas profissionalmente, desempregadas, negros e outros grupos de baixa renda". Surge "uma nova classe explorada, uma população humana de grandes doadores de sangue", escreveu ele. A redistribuição de sangue "dos pobres para os ricos parece ser um dos efeitos dominantes dos sistemas americanos de bancos de sangue."[39]

Mas Titmuss apresentava mais uma objeção: transformar o sangue em mercadoria corrói o sentimento de obrigação de doar sangue, diminui o espírito de altruísmo e solapa a "relação de doação", uma característica ativa da vida social (a objeção da corrupção). Examinando o panorama nos Estados Unidos, ele lastimava "o declínio nos últimos anos da doação voluntária de sangue", atribuindo-a à ascensão dos bancos comerciais de sangue. "A comercialização e o lucro com o sangue vêm afastando o doador voluntário." A partir do momento em que começam a encarar o sangue como uma mercadoria normalmente vendida e comprada, pondera Titmuss, as pessoas sentem-se menos inclinadas a uma responsabilidade moral pela doação. Nesse ponto ele estava assinalando o efeito de sobrepujamento pelas relações de mercado das normas alheias a ele, embora não usasse explicitamente o conceito. A generalizada compra e venda de sangue desmoraliza a prática da doação gratuita.[40]

Titmuss não se preocupava apenas com o declínio da disposição para doar sangue, mas também com implicações morais mais amplas. Além do efeito danoso na quantidade e na qualidade do sangue, a retração do espírito de doação contribuía para o empobrecimento da vida moral e social. "É provável que o declínio do espírito de altruísmo numa esfera das atividades humanas seja acompanhado de alterações semelhantes em atitudes, motivações e relações em outras esferas."[41]

Embora o sistema baseado no mercado não impeça ninguém de doar sangue se assim o quiser, os valores de mercado que permeiam esse sistema exercem um efeito corrosivo na norma da doação.

> A maneira como a sociedade organiza e estrutura suas instituições sociais — e particularmente seus sistemas de saúde e previdência — pode estimular ou desestimular os sentimentos altruístas no homem; tais sistemas podem fomentar a integração ou a alienação; podem permitir que o "tema da doação" — da generosidade em relação a estranhos — se dissemine entre grupos sociais e gerações.

Titmuss preocupava-se com a eventualidade de que, a certa altura, as sociedades movidas pelo mercado se tornassem tão inóspitas ao altruísmo que pudessem comprometer a liberdade de doar. A "comercialização do sangue e das relações de doação reprime a expressão do altruísmo", concluía ele, e "corrói o senso comunitário".[42]

O livro de Titmuss provocou muito debate. Entre seus críticos estava Kenneth Arrow, um dos mais destacados economistas americanos da época. Arrow não era nenhum defensor da total liberdade para os mercados, como Milton Friedman. Em seus trabalhos anteriores, analisara certas imperfeições do mercado de assistência médica. Mas ele se insurgiu enfaticamente contra a crítica da economia e da lógica de mercado feita por Titmuss.[43] Ao fazê-lo, Arrow invocava dois princípios-chave do credo do mercado — dois pressupostos a respeito da natureza humana e da vida moral de que os economistas costumam valer-se, mas que raramente defendem de maneira explícita.

Dois princípios do credo de mercado

O primeiro é que a comercialização de uma atividade não a altera. De acordo com esse pressuposto, o dinheiro nunca corrompe e as relações de mercado jamais sobrepujam as normas alheias a ele. Se isso for verdade, seria difícil resistir à extensão dos mercados a todos os aspectos da vida. Não há nada de prejudicial em tornar comercial um bem que anteriormente não o era. Os que quiserem vendê-lo e comprá-lo podem fazê-lo, com isso aumentando a utilidade de que podem desfrutar, ao passo que os que consideram que o bem não tem preço têm toda liberdade de se eximir de comerciar com ele. Segundo essa lógica, as livres transações de mercado beneficiam certas pessoas sem prejudicar ninguém — ainda que o bem vendido e comprado seja sangue humano. Explica Arrow:

> Os economistas costumam dar como certo que como a criação de um mercado aumenta o espectro de escolha do indivíduo não pode deixar de levar a maiores benefícios. Desse modo, se acrescentarmos a um sistema de doação voluntária de sangue a possibilidade de vender sangue, teremos apenas expandido o leque de opções para o indivíduo. Se ele se satisfaz com a doação, argumenta-se, poderá doar e nada terá sido feito para prejudicar esse direito.[44]

Essa linha de raciocínio escora-se basicamente no conceito de que a criação de um mercado de sangue não altera seu valor ou significado. Sangue é sangue e, seja doado ou vendido, cumprirá sua finalidade de salvar vidas. Naturalmente, o bem em questão aqui não é apenas o sangue, mas também o ato de doar sangue por altruísmo. Titmuss atribui um valor moral independente à generosidade que motiva a doação. Mas Arrow duvida que mesmo essa prática pudesse ser prejudicada pela introdução de um mercado: "Por que se haveria de imaginar que a criação de um mercado de sangue diminuísse o altruísmo contido na doação de sangue?"[45]

A resposta é que a comercialização de sangue altera o significado da doação. Pois cabe perguntar se, num mundo em que o sangue seja normalmente comprado e vendido, a doação de sangue numa unidade local da Cruz Vermelha continuaria sendo um ato de generosidade. Ou seria uma prática injusta tendente a privar pessoas necessitadas de uma atividade proveitosa de doação de sangue? Se você quiser contribuir para uma campanha de doação de sangue, seria melhor doar o seu próprio sangue ou doar US$ 50 que podem ser usados para comprar determinada quantidade de sangue de um sem-teto que precise desse dinheiro? Dá perfeitamente para entender se um candidato ao altruísmo ficar confuso.

O segundo princípio do credo de mercado que consta da crítica de Arrow é que o comportamento ético é uma mercadoria que precisa ser economizada. A ideia é a seguinte: não devemos contar demais com o altruísmo, a generosidade, a solidariedade ou o dever cívico, pois esses sentimentos morais são recursos escassos que se esgotam com o uso. Os mercados, que se baseiam no interesse próprio, nos poupam de usar em excesso o estoque limitado de virtude. Assim, por exemplo, se contarmos com a generosidade do público para os suprimentos de sangue, restará menor quantidade de generosidade para outros objetivos sociais ou caritativos. Entretanto, se nos valermos do sistema de preços para o abastecimento de sangue, os impulsos altruístas estarão disponíveis, intactos, quando realmente precisarmos. Escreve Arrow:

> Como muitos economistas, não quero contar demais com a substituição do interesse próprio pela ética. Considero em geral preferível que a exigência de comportamento ético seja limitada às circunstâncias em que o sistema de preços entre em colapso (...). Não desejamos usar imprudentemente os recursos escassos da motivação altruísta.[46]

Não é difícil ver que essa concepção economicista da virtude, se for verdadeira, fornece ainda mais elementos para a extensão do mercado a todas as esferas da vida, inclusive as que tradicionalmente são governadas por valores alheios a ele. Se o estoque de altruísmo, generosidade e virtude cívica fosse limitado — como por exemplo, na natureza, a oferta combustíveis fósseis —, realmente deveríamos tentar conservá-lo. Quanto mais usarmos, menos teremos. Com base nesse pressuposto, contar mais com o mercado e menos com a moral é uma forma de preservar um recurso escasso.

Economizar o amor

O enunciado clássico dessa ideia foi feito por Sir Dennis H. Robertson, economista da Universidade de Cambridge e ex-aluno de John Maynard Keynes, em discurso no bicentenário da Universidade de Columbia em

1954. O título de sua palestra era uma pergunta: "O que economiza o economista?" Ele tentava demonstrar que, apesar de cuidar dos "instintos agressivos e aquisitivos" dos seres humanos, os economistas cumprem na verdade uma missão moral.[47]

Robertson começava reconhecendo que a economia, preocupada com o desejo de ganho, não trata das motivações humanas mais nobres. "Cabe ao pregador, leigo ou clerical", inculcar as virtudes mais elevadas — altruísmo, benevolência, generosidade, solidariedade e dever cívico. "Cabe ao economista o papel mais humilde, e não raro odioso, de contribuir, na medida de suas possibilidades, para a redução da missão do pregador a dimensões administráveis."[48]

De que maneira o economista pode ajudar? Promovendo políticas que se baseiem, sempre que possível, no interesse próprio, e não no altruísmo ou em considerações de ordem moral, o economista impede que a sociedade desperdice seu estoque limitado de virtude. "Se nós, os economistas, fizermos bem [nosso] trabalho", conclui Robertson, "estaremos, creio eu, contribuindo muito para economizar (...) o escasso recurso do Amor", a "coisa mais preciosa do mundo".[49]

Para os que não estão familiarizados com a ciência econômica, essa maneira de pensar sobre as virtudes generosas é estranha e até absurda. Ignora-se, assim, a possibilidade de que nossa capacidade de amar e ser benevolentes não seja esgotada com o uso, mas ampliada com a prática. Veja-se, por exemplo, o caso de um casal de amantes. Se ao longo da vida eles solicitassem pouco um do outro, na expectativa de entesourar amor, como é que se sairiam? Será que o seu amor não haveria de se aprofundar, em vez de diminuir, quanto mais o solicitassem? Seria melhor que tratassem um ao outro de forma mais calculista para preservar o amor para os momentos de que realmente precisassem?

Questões semelhantes podem ser levantadas a respeito da solidariedade social e da virtude cívica. Deveríamos tentar preservar a virtude cívica dizendo aos cidadãos que gastem seu dinheiro até que o país precise convocá-los a fazer sacrifícios pelo bem comum? Ou será que a virtude cívica e o espírito público se atrofiam quando não são usados? Muitos moralistas adotam esse último ponto de vista. Aristóteles ensinava que a virtude é algo que cultivamos com a prática: "Tornamo-nos justos praticando atos justos, moderados, praticando atos de moderação, corajosos, praticando atos de coragem."[50]

Rousseau tinha um ponto de vista semelhante. Quanto mais um país exige dos seus cidadãos, maior sua devoção a ele. "Numa cidade bem organizada, todo homem acorre às assembleias." Sob um mau governo, ninguém participa da vida pública, "porque ninguém está interessado no que acontece nela", e as "preocupações domésticas concentram toda a atenção". A virtude cívica não é desgastada, mas intensificada, pelo exercício zeloso da cidadania. Use-a ou perca-a, diz, na verdade, Rousseau. "A partir do momento em que o serviço público deixa de ser a principal preocupação dos cidadãos, que preferem servir com o dinheiro, e não mais com seu empenho pessoal, o Estado está perto de desmoronar".[51]

Robertson faz sua observação num espírito despreocupado e especulativo. Mas a ideia de que o amor e a generosidade são recursos que se esgotam com o uso continua a exercer forte ascendência sobre a imaginação moral dos economistas, ainda que não a sustentem explicitamente. Não se trata de um conceito que conste oficialmente dos manuais, como a lei de oferta e procura. Ninguém o comprovou empiricamente. Trata-se antes de uma espécie de provérbio, um dito da sabedoria popular, ainda compartilhado por muitos economistas.

Quase meio século depois da conferência de Robertson, o economista Lawrence Summers, na época presidente da Universidade de Harvard, foi convidado a fazer uma oração matinal na Igreja Memorial de Harvard. Escolheu como tema "A contribuição da economia para as questões morais". A economia, disse então, "não é devidamente apreciada por seu significado moral, tanto quanto o é pelo prático".[52]

Summers observou que os economistas dão "grande ênfase ao respeito pelos indivíduos — assim como às necessidades, preferências, escolhas e aos julgamentos que fazem por si mesmos". Estendeu-se, então, numa apreciação tipicamente utilitária do bem comum, encarado como soma das preferências subjetivas dos indivíduos: "Um dos fundamentos da análise econômica é que o bem é um agregado das avaliações de muitos indivíduos a respeito do seu próprio bem-estar, e não algo que possa ser avaliado" separadamente dessas preferências, com base numa teoria moral independente.

Ele ilustrou esse tipo de abordagem desafiando os alunos que preconizavam o boicote de produtos fabricados com a exploração do trabalho em condições injustas:

> Todos nós lamentamos as condições em que trabalham tantas pessoas em nosso planeta e a remuneração insignificante que recebem. E, no entanto, certamente assiste força moral à convicção de que enquanto os trabalhadores estiverem voluntariamente empregados terão escolhido trabalhar porque atendem assim a sua melhor alternativa. Será que a redução do leque de possibilidades de um indivíduo é um ato de respeito, caridade ou mesmo consideração?

Ele concluía com uma resposta aos que criticam o mercado por se basear no egoísmo e na ganância:

> Todos nós temos uma reserva limitada de altruísmo. Economistas como eu pensam no altruísmo como um bem valioso e raro que precisa ser conservado. Muito melhor preservá-lo concebendo um sistema no qual as necessidades das pessoas sejam satisfeitas pela prática individual do egoísmo, preservando-se o altruísmo para nossas famílias, nossos amigos e os muitos problemas sociais deste mundo que não podem ser resolvidos pelo mercado.

Temos aqui uma reafirmação do provérbio de Robertson. Note-se que a versão de Summers é ainda mais radical do que a de Arrow: o dispêndio imprudente do altruísmo na vida social e econômica não esgota apenas o estoque disponível para outras finalidades públicas; reduz igualmente a quantidade de que dispomos para nossas famílias e nossos amigos.

Essa visão economicista da virtude nutre o credo do mercado e propicia a invasão de terrenos que lhe são alheios. Mas a metáfora é enganosa. Altruísmo, generosidade, solidariedade e espírito cívico não são como mercadorias que se esgotam com o uso. Mais se assemelham a músculos que se desenvolvem e se tornam mais fortes com o exercício. Um dos problemas de uma sociedade movida pelo mercado é que tende a permitir a degenerescência dessas virtudes. Para renovar a vida pública, precisamos exercê-las com mais afinco.

4. Mercados na vida e na morte

Michael Rice, de 48 anos, gerente assistente na Walmart de Tilton, New Hampshire, ajudava uma cliente a carregar uma televisão até o carro quando sofreu um ataque cardíaco e caiu. Morreria uma semana depois. A apólice do seguro de vida representava uma remuneração de cerca de US$ 300.000. Mas o dinheiro não foi para a viúva nem para os dois filhos. Foi para a Walmart, que havia comprado a apólice de vida para Rice instituindo a si mesma como beneficiária.[1]

Ao saber do inesperado ganho da Walmart, a viúva, Vicki Rice, ficou indignada. Por que haveria a empresa de lucrar com a morte de seu marido? Ele trabalhara muito, às vezes chegava a cumprir oitenta horas por semana. "Eles usaram Mike terrivelmente", diria a viúva, "e agora vão receber US$ 300.000? É completamente imoral".[2]

Segundo a Sra. Rice, nem ela nem o marido tinham a menor ideia de que a Walmart havia comprado uma apólice de seguro de vida em nome dele. Ao ser informada a respeito, ela processou a empresa num tribunal federal, alegando que o dinheiro deveria ser recebido pela família, e não pela Walmart. Seu advogado argumentou que as empresas não podem lucrar com a morte de seus empregados: "É absolutamente condenável que um gigante como a Walmart faça apostas com a vida dos empregados".[3]

Um porta-voz da Walmart reconheceu que a empresa detinha apólices de seguro de vida de centenas de milhares de empregados — não só gerentes assistentes, mas até empregados da manutenção. Mas negou que assim estivesse lucrando com a morte. "Consideramos que não nos beneficiamos com a morte de nossos colaboradores", disse ele. "Fizemos um investimento considerável nesses empregados e saímos ganhando quando eles continuam vivos". No caso de Michael Rice, prosseguia o porta-voz, o valor recebido pela apólice de seguro não era um ganho inesperadamente bem-vindo, mas uma compensação pelo custo embutido em seu treinamento e, já agora, em sua substituição. "Ele recebeu muito treinamento e adquirira uma experiência que não pode ser reproduzida sem custo".[4]

Seguro do zelador

Há muito se estabeleceu entre as empresas a prática de fazer seguros de vida em nome de seus diretores executivos e principais dirigentes para compensar os consideráveis custos envolvidos em sua substituição quando morrem. No jargão das empresas de seguros, essas companhias têm por seus diretores executivos um "interesse segurável" que é reconhecido pela lei. Mas a contratação de seguros de vida em nome de funcionários de baixo escalão é relativamente nova. Esse tipo de seguro é conhecido no meio como "seguro do zelador" ou "seguro do camponês morto". Até recentemente, era ilegal na maioria dos Estados americanos; não se considerava que as empresas tivessem um interesse segurável na vida de empregados comuns. Na década de 1980, contudo, a indústria de seguros conseguiu com êxito pressionar a maioria das assembleias legislativas para que as leis do setor fossem modificadas, permitindo-lhes adquirir seguros de vida em nome de todos os empregados, desde o diretor executivo até o encarregado de distribuir a correspondência.[5]

Na década de 1990, as grandes empresas já investiam milhões de dólares nessas apólices de vida empresariais, conhecidas como Coli (*corporate-owned life insurances*), gerando uma verdadeira indústria multibilionária de apostas em futuras mortes. Entre as empresas que compravam apólices em nome dos empregados estavam AT&T, Dow Chemical, Nestlé USA, Pitney Bowes, Procter & Gamble, Walmart, Walt Disney e a rede de supermercados Winn-Dixie. As empresas eram atraídas a esse tipo mórbido de investimento por vantagens fiscais. Como no caso das apólices de seguro de vida convencionais, os benefícios a serem recebidos eram isentos de impostos, assim como o rendimento anual gerado pelas apólices.[6]

Poucos trabalhadores estavam informados de que suas empresas haviam estabelecido um preço por suas cabeças. Na maioria dos Estados, as empresas não eram obrigadas a informar aos empregados quando adquiriam apólices de seguro em seu nome, nem sequer a lhes pedir autorização nesse sentido. E a maioria das apólices Coli continuava em vigor mesmo depois que o empregado se demitisse, se aposentasse ou fosse despedido. Desse modo, as corporações podiam receber prêmios por morte de empregados falecidos anos depois de as terem deixado. Essas empresas mantinham-se informadas sobre a morte dos antigos empregados através da Previdência Social. Em certos Estados, as empresas podiam até comprar seguros de vida e receber benefícios pela morte de filhos e cônjuges dos empregados.[7]

O seguro do zelador era particularmente popular entre grandes bancos, entre eles o Bank of America e o JPMorgan Chase. No fim da década de 1990, alguns bancos exploraram a ideia de não se limitarem aos empregados, comprando seguros de vida também em nome de depositantes e titulares de cartões de crédito.[8]

O florescente negócio dos seguros do zelador foi trazido ao conhecimento da opinião pública por uma série de artigos no *Wall Street Journal* em 2002. O diário contava a história de um homem que morrera de Aids em 1992 aos 29 anos, legando um benefício de US$ 339.000 à empresa proprietária da loja de música onde havia trabalhado por breve período. Sua família nada recebeu. Um dos artigos relatava o caso do empregado de uma loja de conveniência no Texas que fora baleado e morto aos 20 anos durante um assalto ao estabelecimento. A companhia proprietária da loja ofereceu US$ 60.000 à viúva e ao filho do empregado para evitar qualquer possível processo judicial, sem revelar que havia recebido

US$ 250.000 de seguro pela morte dele. A série de reportagens também dava conta do fato terrível, mas pouco noticiado, de que "depois dos atentados terroristas de 11 de setembro de 2001, alguns dos primeiros pagamentos de seguro de vida não foram para as famílias de vítimas, mas para seus empregadores".[9]

No início dos anos 2000, as apólices Coli cobriam as vidas de milhões de trabalhadores, respondendo por 25% a 30% das vendas de seguros de vida. Em 2006, o Congresso tentou limitar os seguros do zelador e promulgou uma lei que exigia o consentimento do empregado e restringia a aquisição de seguros pelas empresas ao terço mais bem remunerado de sua força de trabalho. Mas a prática teve prosseguimento. Em 2008, só os bancos americanos detinham US$ 122 bilhões em seguros de vida dos empregados. A disseminação do seguro do zelador pelo mundo corporativo americano começara a transformar o significado e o propósito dos seguros de vida. "Tudo se resume", concluía a série do *Wall Street Journal*, "numa história muito pouco conhecida da maneira como o seguro de vida evoluiu de uma rede de segurança para as famílias enlutadas para uma estratégia das finanças corporativas".[10]

Será que as empresas devem ter o direito de lucrar com a morte dos empregados? Até mesmo na própria indústria de seguros há quem considere a prática repulsiva. John H. Biggs, ex-presidente e diretor executivo da TIAA-CREF, importante empresa de serviços financeiros e de aposentadoria, considera-a "uma forma de seguro que sempre me pareceu repugnante".[11] Mas o que exatamente há de errado com ela?

A objeção mais óbvia é de ordem prática: permitir que as empresas tenham um interesse financeiro na morte dos empregados não é propriamente propício para a segurança no local de trabalho. Pelo contrário, uma empresa com problemas de caixa e ao mesmo tempo milhões de dólares a receber pela morte dos empregados teria aí um incentivo algo perverso para prevaricar nas medidas de saúde e segurança. Naturalmente, nenhuma empresa responsável se pautaria abertamente por semelhante incentivo. Apressar deliberadamente a morte dos empregados é crime. Permitir que as empresas comprem seguros de vida para os empregados não lhes dá o direito de matá-los.

Mas desconfio que aqueles que consideram "repugnante" o seguro do zelador estejam apontando para uma objeção moral além do risco de que empresas inescrupulosas venham a encher o local de trabalho de riscos letais ou fechar os olhos para perigos. Qual seria a objeção moral? E qual o seu grau de urgência?

Talvez ela tenha a ver com a falta de consentimento. Como você se sentiria se ficasse sabendo que o seu empregador contratou uma apólice de seguro de vida em seu nome sem seu conhecimento ou sua permissão? Talvez se sentisse usado. Mas teria motivos para se queixar? Se a existência da apólice não lhe fizesse nenhum mal, por que teria o seu empregador o dever moral de informá-lo a respeito ou de obter o seu consentimento?

Afinal, o seguro do zelador é uma transação voluntária entre duas partes: a empresa que compra a apólice (tornando-se a beneficiária) e a companhia de seguros que a vende. O trabalhador não participa do acordo. Um porta-voz da KeyCorp, empresa de serviços financeiros, disse sem rodeios: "Os empregados não pagam prêmios de seguro e, portanto, não há motivo para lhes revelar os detalhes da apólice."[12]

Alguns Estados americanos não encaram a coisa assim e exigem que as empresas obtenham o consentimento dos empregados para contratar uma apólice de seguro em seu nome. Quando solicitam essa permissão, as empresas costumam oferecer aos trabalhadores um modesto seguro de vida como estímulo. A Walmart, que na década de 1990 contratou apólices em nome de cerca de 350.000 empregados, oferecia gratuitamente um seguro de vida no valor de US$ 5.000 aos que concordassem. Em sua maioria, os empregados aceitavam a oferta sem conhecimento da enorme discrepância entre o benefício de US$ 5.000 que suas famílias receberiam e as centenas de milhares de que a companhia se beneficiaria com sua morte.[13]

Mas a falta de consentimento não é a única objeção moral que pode ser levantada contra o seguro do zelador. Mesmo nos casos em que os empregados concordam com esses esquemas, subsiste algo moralmente repelente. Em certa medida, é a atitude das empresas em relação aos empregados que se manifesta nesses casos. A criação de condições em que os trabalhadores têm mais valor mortos do que vivos é algo que os coisifica; eles são tratados como mercadorias a futuro, e não como empregados cujo valor para a empresa está no trabalho que executam. Uma outra objeção está no fato de que as apólices Coli distorcem o objetivo do seguro de vida; o que costumava ser uma fonte de segurança para as famílias transformou-se num incentivo fiscal para as empresas.[14] Parece difícil entender por que o sistema fiscal deveria estimular as empresas a investir bilhões na mortalidade dos empregados, e não na produção de bens e serviços.

Viáticos: aposta na própria vida

Podemos examinar essas objeções considerando um outro uso moralmente complicado do seguro de vida que surgiu nas décadas de 1980 e 1990, na esteira da epidemia de Aids. Ele ficou conhecido como a indústria do viático. (Do latim *viaticum*, especificamente se referindo a dinheiro e provisões fornecidos a funcionários romanos que partiam em viagem.) Consistia num mercado de apólices de seguro de vida para pessoas com Aids e outras que houvessem recebido diagnóstico de doença terminal. Funcionava da seguinte maneira: suponhamos que alguém com um seguro de vida de US$ 100.000 fosse informado pelo médico de que teria apenas mais um ano de vida. E suponhamos que essa pessoa precisasse do dinheiro agora para tratamento médico ou talvez simplesmente para viver bem o pouco tempo que lhe restasse. Um investidor oferece-se, então, para comprar a apólice de seguro da pessoa doente com abatimento, digamos por US$ 50.000, assumindo o pagamento dos valores anuais. Ao morrer o detentor original da apólice, o investidor recebe US$ 100.000.[15]

Parece um bom acordo para todos os envolvidos. O detentor da apólice moribundo tem acesso ao dinheiro de que precisa e o investidor aufere um belo lucro — desde que a pessoa morra no prazo. Mas há um risco: embora o investimento viático garanta uma certa remuneração no momento da morte (US$ 100.000 neste exemplo), a taxa de rendimento depende do tempo de vida da pessoa. Se ela morrer dentro de um ano, como previsto, o investidor que aplicou US$ 50.000 por uma apólice de US$ 100.000 terá "arrasado", por assim dizer — um retorno anual de 100% (menos as parcelas que pagou e as taxas do intermediário do acordo). Se o paciente tiver uma recuperação milagrosa e viver muitos anos mais, o investidor pode não ganhar nada.

Naturalmente, todo investimento comporta riscos. Com o viático, no entanto, o risco financeiro gera uma complicação moral que não faz parte da maioria dos outros investimentos: o investidor fica na expectativa de que a pessoa cujo seguro de vida comprou não demore a morrer. Quanto mais tempo essa pessoa sobreviver, menor será a taxa de rendimento.

Desnecessário dizer que a indústria do viático fez o possível para desviar a atenção desse aspecto mórbido de seu negócio. Seus corretores se apresentavam como aqueles que asseguravam a pessoas com doenças terminais os recursos necessários para passar seus últimos dias em relativo conforto e relativa dignidade. Mas não se pode negar que o investidor tem um interesse financeiro na rápida morte do segurado. "Houve alguns rendimentos fenomenais e também algumas histórias terríveis em que as pessoas viviam por mais tempo", disse William Scott Page, presidente de uma empresa de viáticos de Fort Lauderdale. "Faz parte da emoção do acordo viático. Não existe uma ciência exata da previsão da morte de alguém".[16]

Algumas dessas "histórias terríveis" acabaram levando a processos judiciais, nos quais investidores decepcionados processavam corretores pela venda de apólices de seguro de vida que não "amadureciam" com a rapidez esperada. A descoberta em meados da década de 1990 de drogas contra o HIV que prolongaram a vida de dezenas de milhares de pessoas com Aids embaralhou completamente os cálculos da indústria do viático. Um executivo de uma dessas empresas explicou as desvantagens dos remédios que prolongavam a vida: "A transformação de uma expectativa de vida de 12 meses numa outra de 24 meses bagunça completamente o rendimento." Em 1996, o surgimento das drogas antirretrovirais fez com que as ações da Dignity Partners Inc., uma empresa de viático de San Francisco, caíssem de US$ 14,50 para US$ 1,38. A empresa logo iria à falência.[17]

Em 1998, o *New York Times* publicou reportagem sobre um indignado investidor de Michigan que cinco anos antes havia adquirido a apólice de seguro de vida de Kendall Morrison, um nova-iorquino com Aids na época em estado desesperador. Graças às novas drogas, Morrison conseguira estabilizar sua saúde novamente, para enorme desalento do investidor. "Nunca antes senti como se alguém quisesse que eu estivesse morto", comentou Morrison. "Eles mandavam mensagens pelo Federal Express e telefonavam. Era como se perguntassem: 'Você ainda está vivo?'".[18]

Depois que um diagnóstico de Aids deixou de equivaler a uma sentença de morte, as empresas de viático tentaram diversificar o negócio, abarcando também o câncer e outras doenças terminais. Sem se deixar desanimar pela queda do mercado da Aids, William Kelley, diretor-executivo da Associação de Viático da América, fez uma avaliação otimista do negócio da morte a futuro: "Em comparação com o número de pessoas com Aids, o número de pessoas com câncer, doenças cardiovasculares graves e outras doenças terminais é enorme".[19]

Ao contrário do seguro do zelador, o negócio do viático proporciona com toda evidência um bem social: financiar os últimos dias de pessoas com doenças terminais. Além disso, o consentimento do segurado já vem embutido desde o início (embora seja possível que, em certos casos, pessoas gravemente doentes careçam do necessário poder de barganha para negociar um preço justo pela apólice de seguro). O problema moral no caso dos viáticos não é a falta de consentimento. É o fato de consistir em apostas na morte que tornam os investidores profundamente interessados num rápido falecimento das pessoas cujas apólices compraram.

Seria possível argumentar que os viáticos não são os únicos investimentos que redundam numa aposta na morte. O negócio dos seguros de vida também transforma nossa mortalidade numa mercadoria. Mas há uma diferença: no caso do seguro de vida, a empresa que me vende uma apólice está apostando em mim, e não contra mim. Quanto mais longa a vida, mais ela ganha dinheiro. No caso dos viáticos, o interesse financeiro é invertido. Do ponto de vista da empresa, quanto mais cedo eu morrer, melhor.*

Por que eu deveria me importar se algum investidor está na expectativa da minha morte? Talvez não seja motivo de preocupação para mim, desde que ele não faça nada para atender a sua expectativa nem me telefone com frequência para perguntar como estou. Talvez seja apenas algo meio sinistro, mas não moralmente condenável. Ou quem sabe o problema moral não esteja em nenhum possível dano tangível a mim, mas no efeito corrosivo sobre o caráter do investidor. Você por acaso gostaria de ganhar a vida apostando que determinadas pessoas vão morrer em breve?

Desconfio que até os entusiastas do livre mercado hesitariam em aceitar todas as implicações da ideia de que apostar contra a vida de alguém é apenas um negócio como outro qualquer. Senão, vejamos: se o negócio do viático é moralmente comparável ao seguro de vida, não deveria ter o mesmo direito de pressionar pelos seus interesses? Se a indústria de seguros tem o direito de fazer *lobby* pelo seu interesse (através, por exemplo, das leis sobre o uso obrigatório do cinto de segurança nos transportes ou das políticas contra o tabagismo), a indústria do viático não deveria ter o direito de pressionar pelo seu interesse de apressar a morte (através da redução das verbas federais para a pesquisa de combate à Aids ou ao câncer)? Que eu saiba, a indústria do viático não faz esse *lobby*. Mas, se é moralmente aceitável investir na probabilidade de que pacientes de Aids ou câncer terão morte iminente, por que não é considerado moralmente legítimo promover políticas públicas que fomentem esse objetivo?

Um conhecido investidor no ramo dos viáticos era Warren Chisum, deputado conservador texano e "notório cruzado contra a homosse-

*Os pecúlios e as pensões que remuneram mensalmente num certo valor até a morte são mais comparáveis aos viáticos do que o seguro de vida. A empresa que paga o pecúlio tem interesse financeiro em que o beneficiário não demore a morrer. Mas os riscos coletivos de pecúlio costumam ser maiores e mais anônimos do que os investimentos de viáticos, reduzindo o "interesse" numa pronta morte. Além disso, os pecúlios muitas vezes são vendidos por empresas que também vendem seguros de vida, de modo que tende a haver uma compensação dos riscos de longevidade. (*N. do T.*)

xualidade". Ele conseguiu promover o restabelecimento no Texas de penalidades legais contra a sodomia, combateu a educação sexual e votou contra programas de ajuda a vítimas da Aids. Em 1994, Chisum anunciou orgulhosamente que investira US$ 200.000 na compra de apólices de seguro de vida de seis pacientes de Aids. "Minha aposta é que não ganharei menos do que 17% e algumas vezes consideravelmente mais", disse ele ao *Houston Post*. "Se eles morrerem dentro de um mês, eles [os investimentos] terão sido excelentes".[20]

Houve até quem acusasse o parlamentar texano de votar por políticas das quais poderia beneficiar-se pessoalmente. Mas a acusação era maldirecionada; seu dinheiro seguia suas convicções, e não o contrário. Não se tratava de um clássico caso de conflito de interesses. Era na verdade algo pior: uma versão moralmente distorcida de investimento socialmente consciente.

A descarada satisfação de Chisum com o aspecto repulsivo dos viáticos era uma exceção. Poucos investidores nesse terreno eram motivados por rancor ou sentimentos equivalentes. Em sua maioria, eles desejavam boa saúde e longa vida aos pacientes de Aids — exceto os abarcados em sua carteira de investimentos.

Os investidores em viáticos não são os únicos que dependem da morte para ganhar a vida. Médicos legistas, coveiros e donos de funerárias estão na mesma situação, mas ninguém os condena moralmente. Anos atrás, o *New York Times* publicou um perfil de Mike Thomas, de 34 anos, que trabalha como "coletor de cadáveres" do necrotério municipal de Detroit. Seu trabalho consiste em recolher os corpos de pessoas que morrem e transportá-los para o necrotério. Ele é remunerando por cabeça, por assim dizer: US$ 14 por cada cadáver recolhido. Graças ao elevado índice de homicídios em Detroit, ele chega a ganhar US$ 14.000 por ano em sua macabra função. Quando a violência cede, contudo, Thomas enfrenta momentos difíceis. "Sei que parece meio estranho", diz ele. "Ficar esperando que alguém morra. Desejar que alguém morra. Mas é assim. É assim que dou de comer às crianças."[21]

Remunerar o coletor de cadáveres por comissão pode ser econômico, mas tem um custo moral. Investir o trabalhador de um interesse financeiro na morte de outros seres humanos provavelmente contribuirá para entorpecer sua sensibilidade ética — e a nossa também. Desse ponto de vista, trata-se de algo equivalente ao negócio do viático, mas com uma diferença moralmente relevante: embora o coletor de cadáveres dependa da morte para viver, não precisa apostar na pronta morte de nenhuma pessoa em particular. Qualquer morte serve.

Bolões da morte

Uma analogia mais próxima com os viáticos pode ser estabelecida em relação aos bolões da morte, um macabro jogo de apostas que se popularizou na Internet na década de 1990, mais ou menos pela mesma época em que deslanchou a indústria dos viáticos. Os bolões da morte são o equivalente no espaço cibernético dos bolões de escritório para apostar no vencedor da final do Super Bowl, com a diferença de que, em vez de apostar no vencedor de um jogo de futebol americano, os jogadores competem para prever que celebridades morrerão em determinado ano.[22]

Versões desse jogo mórbido são oferecidas em muitos sites, com nomes como Ghoul Pool (bolão maligno), Dead Pool (bolão dos mortos) e Celebrity Death Pool (bolão da morte de celebridades). Um dos mais populares é Stiffs.com, que promoveu suas primeiras apostas em 1993 e passou a operar online em 1996. Por uma taxa inicial de US$ 15, os participantes apresentam uma lista de celebridades cuja morte consideram provável até o fim do ano. Quem acertar o maior número de apostas ganha a bolada de US$ 3.000; o segundo lugar leva US$ 500. A Stiffs.com atrai mais de mil participantes por ano.[23]

Os apostadores que levam a coisa a sério não fazem seus vaticínios a esmo; folheiam tabloides e revistas de fofocas em busca de notícias sobre celebridades com problemas de saúde. Os principais alvos de apostas atualmente são Zsa Zsa Gabor (94 anos), Billy Graham (93) e Fidel Castro (85). Outros alvos preferenciais dos bolões da morte são Kirk Douglas, Margaret Thatcher, Nancy Reagan, Muhammad Ali, Ruth Bader Ginsburg, Stephen Hawking, Aretha Franklin e Ariel Sharon.

Como essas listas são dominadas por pessoas idosas e adoentadas, certos jogos conferem pontos extras a quem conseguir acertar tiros no escuro sobre personalidades como a princesa Diana, John Denver e outros que tenham morte prematura.[24]

Os bolões da morte são anteriores à Internet. É voz corrente que o jogo se popularizou há décadas entre os operadores de Wall Street. E o último filme de Clint Eastwood no personagem do detetive Dirty Harry, *The Dead Pool* [*Dirty Harry na lista negra*], de 1988, envolve um desses bolões e a morte misteriosa de celebridades constantes de uma lista. Mas a Internet, juntamente com a mania de mercado da década de 1990, deu nova proeminência ao macabro jogo.[25]

Apostar no momento em que celebridades morrerão é uma atividade recreativa. Ninguém ganha a vida assim. Mas os bolões da morte levantam algumas das mesmas questões morais colocadas pelos viáticos e o seguro do zelador. Deixemos de lado a versão Dirty Harry, na qual os participantes trapaceiam e tentam matar os objetos de suas apostas. Haveria algo errado em apostar na vida de alguém e lucrar com sua morte? Existe aí alguma coisa inquietante. Desde que o apostador não faça nada para apressar a morte de alguém, quem teria o direito de se queixar? Será que Zsa Zsa Gabor e Muhammad Ali por acaso saem prejudicados de alguma maneira quando pessoas que nem conhecem fazem apostas sobre o momento em que haverão de morrer? Pode haver algo afrontoso no fato de ocupar os primeiros lugares na parada de sucessos da morte. Mas em minha opinião o aspecto moralmente vulgar do jogo está, sobretudo, na atitude em relação à morte que expressa e promove.

Essa atitude é uma mistura nada saudável de frivolidade e obsessão — brincar com a morte em meio a uma fixação com o assunto. Os participantes dos bolões da morte não se limitam a fazer apostas: compartilham uma cultura. Investem tempo e energia na pesquisa da expectativa de vida das pessoas nas quais apostam. Desenvolvem uma indecorosa preocupação com a morte de celebridades. Os sites de bolões da morte, cheios de notícias e informações sobre doenças de personalidades da vida pública, estimulam esse fascínio mórbido. O cliente pode até assinar um serviço chamado Celebrity Death Beeper [bipe da morte de celebridades] para receber e-mails ou mensagens de texto com alertas sobre a morte de uma dessas personalidades. A participação nos bolões da morte "realmente muda nossa maneira de assistir à televisão e acompanhar o noticiário", afirma Kelly Bakst, gerente da Stiffs.com.[26]

Como os viáticos, os bolões da morte apresentam um aspecto moralmente inquietante porque negociam com a morbidez. Ao contrário dos viáticos, contudo, não têm qualquer utilidade social. São estritamente um tipo de jogo de apostas, fonte de lucros e diversão. Por mais repulsivos que sejam, os bolões da morte não chegam propriamente a ser um dos mais graves problemas morais de nossa época. Na hierarquia dos pecados, podem ser considerados vícios "de butique". Mas são interessantes naquilo que revelam sobre o destino moral do seguro numa época centrada no mercado.

Os seguros de vida sempre foram duas coisas ao mesmo tempo: um consórcio de risco pela segurança mútua e uma aposta sinistra, uma cobertura contra a morte. Esses dois aspectos convivem precariamente. Na ausência de normas morais e restrições legais, o aspecto da aposta ameaça tragar o objetivo social que justifica a existência dos seguros de vida. Quando o objetivo social se perde ou é obscurecido, as frágeis linhas de delimitação entre o seguro, o investimento e a aposta se desfazem. O seguro de vida degenera e passa de uma instituição destinada a proporcionar segurança aos que perderam um ente querido a um produto financeiro como outro qualquer e, no fim das contas, a uma aposta na morte atendendo apenas ao desejo de divertimento e lucro dos que estão no jogo. O bolão da morte, por frívolo e marginal que pareça, é na verdade o irmão gêmeo tenebroso do seguro de vida — a aposta desprovida de qualquer bem social que a redima.

O advento nas décadas de 1980 e 1990 do seguro do zelador, dos viáticos e dos bolões da morte pode ser considerado um episódio da mercantilização da vida e da morte no fim do século XX. Na primeira década do século XXI, a tendência foi levada ainda mais longe. Mas antes de trazer o tema ao presente, vale a pena olhar para trás de novo para lembrar o incômodo moral provocado pelos seguros de vida desde o início.

Uma breve história moral do seguro de vida

Costumamos pensar nos seguros e nas apostas como reações diferentes ao risco. O seguro é uma maneira de mitigar o risco, ao passo que a aposta é uma maneira de cortejá-lo. O seguro é uma questão de prudência; a aposta, de especulação. Mas a linha divisória entre os dois sempre foi oscilante.[27]

Historicamente, a ligação muito próxima entre o ato de segurar vidas e o de apostar nelas levou muitos a considerar o seguro de vida como algo moralmente repulsivo. O seguro de vida não se limitava a gerar um incentivo ao assassinato: estabelecia também um indevido preço de mercado para a vida humana. Durante séculos, o seguro de vida foi proibido na maioria dos países europeus. "A vida humana não pode ser objeto de comércio", escreveu um jurista francês no século XVIII, "e é uma vergonha que a morte venha a tornar-se fonte de especulação comercial". Muitos países europeus não tinham companhias de seguro de vida antes de meados do século XIX. No Japão, a primeira só seria fundada em 1881. Por carecer de legitimidade moral, "o seguro de vida só se desenvolveria na maioria dos países no meado ou no fim do século XIX".[28]

A Inglaterra era uma exceção. Já desde o fim do século XVII armadores, corretores e subscritores de seguros reuniam-se na cafeteria Lloyd's, em Londres, um centro de seguros marítimos. Alguns queriam segurar o retorno de seus navios e suas cargas. Outros iam apostar em vidas e acontecimentos nos quais não tinham qualquer envolvimento, à parte a aposta em si mesma. Muitas pessoas faziam "seguros" de embarcações que não eram suas, na esperança de lucrar se algum navio se perdesse no mar. O negócio dos seguros misturava-se ao do jogo e os subscritores atuavam como agenciadores das apostas.[29]

A legislação inglesa não estabelecia quaisquer restrições aos seguros ou às apostas, que mais ou menos não se distinguiam. No século XVIII, os "detentores de apólices" de seguros apostavam no resultado das eleições, na dissolução do Parlamento, na possibilidade de que dois nobres ingleses fossem mortos, na morte ou captura de Napoleão e na vida da rainha nos meses anteriores ao seu jubileu.[30] Outros temas muito populares nas especulações dos apostadores, a chamada vertente esportiva dos seguros, eram o resultado de cercos e campanhas militares, a "vida muito segurada" de Robert Walpole [primeiro-ministro da Grã-Bretanha de 1721 a 1742] e saber se o rei George II voltaria vivo do campo de batalha. Quando Luís XIV, o rei da França, adoeceu em agosto de 1715, o embaixador inglês em Paris apostou que o Rei Sol não passaria de setembro. (O diplomata ganhou a aposta.) "Homens e mulheres envolvidos na vida pública geralmente constituíam o tema dessas apólices de aposta", que vinham a ser uma versão primitiva dos bolões da morte de hoje na Internet.[31]

Uma aposta de seguro de vida particularmente sombria envolvia oitocentos refugiados alemães levados à Inglaterra em 1765 e abandonados sem alimento ou abrigo nas imediações de Londres. Especuladores e subscritores na Lloyd's faziam apostas sobre o número de refugiados que morreriam em uma semana.[32]

A maioria das pessoas tenderia a considerar moralmente escandaloso esse tipo de aposta. Do ponto de vista da lógica de mercado, todavia, não fica claro o que seria condenável no caso. Considerando-se que os apostadores não eram responsáveis pela situação dos refugiados, que poderia haver de errado em apostar no tempo que levariam para morrer? Ambas as partes envolvidas na aposta têm a lucrar com ela; caso contrário, afirma a lógica econômica, não a teriam feito. Os refugiados, presumivelmente sem conhecimento da aposta, nada têm a perder com ela. Essa pelo menos é a lógica econômica em favor de um mercado sem restrições no terreno dos seguros de vida.

Se pode haver objeções às apostas de morte, será por motivos alheios à lógica de mercado, referentes às atitudes desumanas expressas nesse tipo de iniciativa. No que diz respeito aos apostadores, essa arrogante indiferença à morte e ao sofrimento é um sinal de mau caráter. Para a sociedade como um todo, essas atitudes, assim como as instituições que as estimulam, tendem a promover a grosseria e a corrupção. Como vimos em outros casos de mercantilização, a corrupção ou o desalojamento das normas morais pode não ser em si mesmo um argumento suficiente para rejeitar o mercado. Entretanto, como a aposta na vida de estranhos não serve a qualquer bem social, à parte o lucro e formas grosseiras de divertimento, o caráter corruptor da atividade representa um forte argumento em favor do seu controle.

A voga desenfreada das apostas na morte na Grã-Bretanha gerou uma crescente reação da opinião pública. E havia um motivo adicional para limitá-la. Os seguros de vida, cada vez mais considerados uma medida de prudência dos chefes de família para protegê-las em caso de privação, tinham sido moralmente maculados pela vinculação às apostas. Para que se tornassem um negócio legítimo do ponto de vista moral, teriam de ser desvinculados da especulação financeira.

Isso finalmente foi alcançado com a promulgação da Lei dos Seguros (também conhecida como Lei das Apostas) em 1774. Ela proibia apostas na vida de estranhos e restringia o acesso aos seguros de vida àqueles que tivessem um "interesse segurável" na pessoa cuja vida estivesse segurando. Como o descontrole do mercado de seguros de vida acabara levando "a um tipo perverso de apostas", o Parlamento proibia todos os seguros de vida "exceto em casos em que as pessoas que os contratem tenham interesse na vida ou na morte das pessoas seguradas". "Em termos simples", escreve o historiador Geoffrey Clark, "a Lei das Apostas limitava o alcance da possível conversão da vida humana em mercadoria".[33]

Nos Estados Unidos, a legitimidade moral do seguro de vida foi conquistada lentamente. Só viria a se estabelecer firmemente no fim do século XIX. Embora algumas companhias de seguros tenham sido fundadas no século XVIII, vendiam, sobretudo, seguros contra fogo e marítimos. Os seguros de vida enfrentavam "uma forte resistência cultural". Escreve Viviana Zelizer: "A introdução da morte no mercado ia de encontro a um sistema de valores que defendia a santidade da vida e sua incomensurabilidade".[34]

Na década de 1850, o negócio dos seguros de vida começou a crescer. Para isso, no entanto, precisou enfatizar seus objetivos de proteção e minimizar o aspecto comercial. "Até o fim do século XIX, os seguros de vida evitavam qualquer terminologia econômica, cercando-se de simbolismo religioso e dando mais publicidade ao valor moral do que aos benefícios monetários. O seguro de vida era vendido como um presente de altruísmo e abnegação, e não como um investimento lucrativo".[35]

Com o tempo, os provedores de seguros de vida foram perdendo o receio de apregoá-los como uma forma de investimento. À medida que a indústria crescia, o objetivo e o significado do seguro de vida mudavam. Até então vendido com toda cautela como uma instituição beneficente para a proteção de viúvas e crianças, o seguro de vida tornou-se um instrumento de poupança e investimento, além de uma parte rotineira dos negócios. A definição de "interesse segurável" expandiu-se, deixando de abarcar apenas os membros de uma família e seus dependentes para incluir sócios de negócios e empregados importantes. As empresas podiam segurar seus executivos (mas não os zeladores e outros empregados). No fim do século XIX, a abordagem comercial do seguro de vida "estimulava os seguros de vida com objetivos estritamente de negócios" e estendia o interesse segurável a "estranhos vinculados apenas por interesses econômicos".[36]

As hesitações morais em se tratando da mercantilização da morte ainda rondavam. Um indicador eloquente dessa hesitação, assinala Zelizer, era a necessidade de agentes para os seguros de vida. Cedo as companhias constataram que as pessoas não compravam seguros por iniciativa própria. Mesmo à medida que o seguro de vida ganhava aceitação, "a morte não podia ser transformada numa transação comercial rotineira". Donde a necessidade de que alguém saísse em busca de clientes, tratasse de superar sua instintiva relutância e os convencesse dos méritos do produto.[37]

O lado complicado de uma transação comercial envolvendo a morte também explica a baixa estima em que sempre foram tidos os vendedores de seguros. Não é apenas que o seu trabalho esteja tão próximo da morte. O mesmo acontece com médicos e sacerdotes, que, no entanto, não são afetados negativamente por essa associação. O agente de seguro é estigmatizado por ser "um 'vendedor' da morte, extraindo lucro da pior tragédia que pode se abater sobre uma pessoa". O estigma persistiu no século XX. Apesar das tentativas de profissionalizar a atividade, os agentes de seguros de vida não conseguiam superar a rejeição causada pelo trato da "morte como um negócio".[38]

A exigência de interesse segurável limitava o seguro de vida aos que previamente já tivessem algum envolvimento, fosse familiar ou financeiro, na vida que estivessem segurando. Isso contribuía para distinguir o seguro de vida do jogo — não era mais possível fazer apostas na vida de estranhos simplesmente para ganhar dinheiro. Mas a distinção não era tão firme quanto parecia. Motivo: os tribunais decidiram que uma vez de posse de uma apólice de seguro de vida (escorada num interesse segurável), qualquer um poderia fazer com ela o que bem quisesse, até vendê-la. Essa doutrina da "cessão", como ficou conhecida, significava que o seguro de vida era uma propriedade como qualquer outra.[39]

Em 1911, a Suprema Corte dos Estados Unidos confirmou o direito de vender, ou "ceder", uma apólice de seguro de vida. O relator do processo, juiz Oliver Wendell Holmes Jr., reconheceu o problema: a autorização para que as pessoas vendessem suas apólices de seguro de vida a terceiros solapava a exigência de interesse segurável. Significava que o mercado poderia ser novamente tomado por especuladores: "Um contrato de seguro de vida no qual o segurado não tenha interesse não passa de uma aposta que lhe confere um sinistro contrainteresse de que a vida chegue ao fim."[40]

Era exatamente o problema que viria a surgir, décadas mais tarde, com os viáticos. Veja-se o exemplo da apólice de seguro vendida a um terceiro por Kendall Morrison, o nova-iorquino com Aids. Para o investidor que a comprou, a apólice não passava de uma simples aposta no tempo de sobrevida de Morrison. Como ele não morresse logo, o investidor viu-se com "um sinistro contrainteresse de que a vida chegue ao fim". Donde todos aqueles telefonemas e mensagens pelo Federal Express.

Holmes admitia que o objetivo da exigência de interesse segurável era impedir que o seguro de vida degenerasse numa aposta de morte, "um tipo de jogo pernicioso". Isso, no entanto, não era motivo suficiente, em sua opinião, para impedir um mercado secundário de seguros de vida que trouxesse de volta ao cenário os especuladores. "O seguro de vida tornou-se em nossa época uma das mais reconhecidas formas de investimento e poupança", concluía ele. "Dentro dos limites de uma segurança razoável, é desejável conferir às apólices de vida as características habituais da propriedade".[41]

Um século depois, o dilema vivido por Holmes aprofundou-se. A linha divisória entre seguro, investimento e aposta praticamente desapareceu. O seguro do zelador, os viáticos e os bolões da morte na década de 1990 foram apenas o início. Hoje, os mercados da vida e da morte superaram os objetivos sociais e as normas morais que antes os delimitavam.

O mercado do terrorismo a futuro

Suponhamos que houvesse um bolão da morte que não se limitasse ao entretenimento. Imaginemos um website que permitisse apostar não apenas na morte de alguma estrela do cinema, mas nos dirigentes estrangeiros que seriam assassinados ou derrubados ou no local onde ocorreria o próximo atentado terrorista. E suponhamos que os resultados desse bolão de apostas rendessem informações valiosas a serem usadas pelo governo para garantir a segurança nacional. Em 2003, uma seção do Departamento [Ministério] de Defesa americano propôs a criação de um site dessa natureza. O Pentágono deu-lhe o nome de Mercado de Análise de Políticas Governamentais; os meios de comunicação passaram a chamá-lo de "mercado do terrorismo a futuro".[42]

O site era uma invenção da Darpa (Defense Advanced Research Projects Agency [Agência de Pesquisa em Projetos Avançados de Defesa]), organismo encarregado do desenvolvimento de tecnologia inovadora para ações de guerra e coleta de informações de inteligência. A ideia era permitir que os investidores comprassem e vendessem contratos a futuro envolvendo várias hipóteses, inicialmente relacionadas ao Oriente Médio. Entre as hipóteses aventadas havia as seguintes: Yasser Arafat, o dirigente palestino, seria assassinado? O rei Abdullah II da Jordânia seria derrubado? Israel seria alvo de um atentado bioterrorista? Uma outra hipótese dessa amostragem não estava relacionada ao Oriente Médio: a Coreia do Norte lançaria um ataque nuclear?[43]

Como os operadores teriam de escorar suas previsões com o próprio dinheiro, estariam presumivelmente dispostos a apostar muito os que dispusessem das melhores informações. Se os mercados a futuro fossem bons na previsão dos preços do petróleo, das ações e da soja, por que não recorrer a essa sua capacidade para prever o próximo atentado terrorista?

A notícia sobre esse site de apostas causou indignação no Congresso. Democratas e republicanos uniram-se para atacar o mercado a futuro, e o Departamento de Defesa rapidamente tratou de voltar atrás na iniciativa. A tempestade adversa ocorreu em parte porque se duvidava de que o esquema pudesse funcionar, mas decorreu sobretudo da repulsa moral ante a perspectiva de um bolão de apostas sobre acontecimentos catastróficos patrocinado pelo governo. Como poderia o governo americano convidar os cidadãos a apostar no terrorismo e na morte e lucrar com isso?[44]

"Pode imaginar se um outro país montasse um balcão de apostas para que as pessoas pudessem apostar no assassinato de um político americano?", perguntou o senador Byron Dorgan (democrata-Dakota do Norte). O senador Ron Wyden (democrata-Oregon) juntou sua voz para exigir o cancelamento do projeto, considerando-o "repugnante". "A ideia de um balcão de apostas federal sobre atrocidades e terrorismo é ridícula e grotesca", disse Wyden. O líder da maioria no Senado, Tom Daschle (democrata-Dakota do Sul), considerou o programa "irresponsável e ultrajante" e acrescentou: "Não posso acreditar que alguém tenha coragem de propor esse tipo de comércio com a morte." A senadora Barbara Boxer (democrata-Califórnia) declarou: "Existe um fundo de doença nisso tudo."[45]

O Pentágono não respondeu ao argumento moral. Limitou-se a emitir uma nota para esclarecer o princípio por trás do projeto e argumentar que o comércio a futuro fora até ali capaz de prever não só preços de mercadorias como também resultados eleitorais e o sucesso de bilheteria de filmes de Hollywood:

> As pesquisas indicam que os mercados são elementos agregadores de informações dispersas e mesmo ocultas, funcionando nesse sentido de maneira extremamente eficaz e oportuna. Os mercados a futuro revelaram-se funcionais na previsão de resultados eleitorais, por exemplo; muitas vezes funcionam melhor do que as opiniões de especialistas.[46]

Alguns acadêmicos, especialmente economistas, concordaram. Um deles escreveu que era "triste assistir a uma campanha equivocada de relações-públicas torpedeando uma ferramenta potencialmente importante de análise de inteligência". A tempestade de protestos impedira uma apreciação adequada dos méritos do programa. "Os mercados financeiros são agregadores incrivelmente poderosos de informação", escreveram dois economistas de Stanford no *Washington Post*, "e muitas vezes funcionam melhor em matéria de previsão do que os métodos tradicionais". Eles citavam o Iowa Electronic Market, um mercado a futuro online que foi capaz de prever o resultado de algumas eleições presidenciais com mais precisão do que as pesquisas de opinião. Outro exemplo: o suco de laranja a futuro. "O mercado a futuro do suco de laranja concentrado é capaz de prever melhor o tempo na Flórida do que o Serviço Nacional de Meteorologia."[47]

Uma das vantagens dos mercados de previsão em relação aos métodos tradicionais de coleta de inteligência está no fato de que os mercados não estão sujeitos às distorções da informação causadas por pressões burocráticas e políticas. Os especialistas de nível médio razoavelmente informados podem recorrer diretamente ao mercado e aplicar seu dinheiro com base em suas convicções. Isso pode gerar informações que talvez fossem omitidas por operadores no topo do escalão, nunca chegando à luz do dia. Basta lembrar as pressões sofridas pela CIA, antes da guerra no Iraque, para que chegasse à conclusão de que Saddam Hussein estava na posse de armas de destruição em massa. Um site independente de apostas registrou um maior ceticismo a respeito do que o diretor da CIA, George Tenet, que considerava a existência dessas armas um "tiro certo".[48]

Mas o argumento em favor do site do terrorismo a futuro repousava numa tese mais genérica a respeito da força do mercado. No auge do triunfalismo de mercado, os defensores do projeto articularam um novo preceito do credo de mercado que havia surgido paralelamente à era financeira: o mercado não é apenas um mecanismo mais eficiente para a produção e a distribuição de bens; é também a melhor maneira de agregar a informação e a previsão das coisas. A virtude do mercado a futuro da Darpa era que serviria para "cutucar, estimular e acordar uma teimosa comunidade de inteligência para a capacidade de previsão do livre mercado". Ele abriria nossos olhos "para algo que os teóricos do processo decisório já sabem há décadas: a probabilidade dos acontecimentos pode ser avaliada em termos das apostas que as pessoas se dispõem a fazer".[49]

A alegação de que o livre mercado não só é eficiente como clarividente parece extraordinária. Nem todos os economistas a endossam. Alguns sustentam que os mercados a futuro funcionam bem na previsão do preço do trigo, porém, encontra dificuldades para prever acontecimentos eventuais e raros, como os atentados terroristas. Outros afirmam que, no caso da coleta de informações de inteligência, os mercados de especialistas funcionam melhor do que os mercados abertos ao público em geral. O plano da Darpa também foi questionado em termos mais específicos: não seria suscetível de manipulação por parte de terroristas, que poderiam prevalecer-se de "informação privilegiada" para promover um atentado ou talvez ocultar seus reais projetos e deixar transparecer planos falsos? E será que as pessoas realmente apostariam, por exemplo, no assassinato do rei da Jordânia se soubessem que o governo americano se valeria da informação para impedir o assassinato, assim frustrando sua aposta?[50]

À parte tais questões de ordem prática, que pensar da objeção moral de que um bolão de apostas patrocinado pelo governo em torno de questões de morte e catástrofe é algo repugnante? Suponhamos que as dificuldades práticas pudessem ser superadas e que fosse instaurado um mercado do terrorismo a futuro capaz de funcionar melhor do que as agências de inteligência na previsão de assassinatos e atentados terroristas. Nesse caso, o aspecto da repugnância moral ante apostas e lucros em torno de morte e catástrofes seria motivo suficiente para rejeitá-lo?

Se o governo estivesse propondo o patrocínio de um bolão de apostas na morte de celebridades, a resposta seria clara: como a iniciativa não envolve qualquer bem social, não há por que defender a promoção de uma grosseira indiferença ou, pior ainda, um mórbido fascínio pela morte e a infelicidade de outras pessoas. Esquemas de apostas como esses já são suficientemente nocivos quando promovidos por interessados da esfera privada. Esse desumano tipo de apostas na morte corrói a decência e a empatia humanas e deve ser desestimulado, e não promovido, pelo governo.

O que torna o mercado do terrorismo a futuro moralmente mais complexo é que, ao contrário dos bolões da morte, ele supostamente pretende promover o bem. Presumindo-se que funcione, é capaz de gerar informações valiosas, o que o torna análogo aos viáticos. O dilema moral tem a mesma estrutura em ambos os casos: deveríamos promover uma finalidade valiosa e digna — o financiamento do atendimento médico, no caso de uma pessoa moribunda; impedir um atentado terrorista — ao custo moral de conferir a investidores um interesse financeiro na morte e na infelicidade dos outros?

Há quem responda: "Sim, claro." Foi a resposta de um economista que contribuiu para a concepção do projeto da Darpa:

> Em nome da inteligência, muita gente mente, trapaceia, rouba e mata. Em comparação com esse tipo de coisa, nossa proposta era bastante moderada. Pretendíamos simplesmente obter dinheiro de certas pessoas e transferi-lo para outras, em função daquele que estivesse certo.[51]

Mas é uma resposta fácil demais. Ela ignora que o mercado tende a sobrepujar e desalojar as normas. Ao denunciar o mercado de terrorismo a futuro como algo "ultrajante", "repugnante" e "grotesco", senadores e editorialistas estavam assinalando na verdade o caráter moralmente repulsivo do ato de apostar na morte de alguém e esperar que essa pessoa de fato morra para poder lucrar. Embora haja em nossa sociedade circunstâncias em que isso já acontece, o fato de o governo patrocinar uma instituição que o torna algo rotineiro é um elemento moralmente corruptor.

É possível que em circunstâncias extremas fosse um preço moral que valesse a pena pagar. Os argumentos em torno da questão da corrupção nem sempre são decisivos. Mas eles chamam nossa atenção para uma consideração de ordem moral que os entusiastas do mercado muitas vezes não veem. Se estivéssemos convencidos de que um mercado do terrorismo a futuro fosse a única ou a melhor maneira de proteger o país de um atentado, talvez pudéssemos tomar a decisão de conviver com a degradação da sensibilidade moral que um tal mercado geraria. Mas seria uma barganha com o diabo e seria importante manter-se atento ao seu caráter repugnante.

Quando os mercados da morte se tornam habituais e rotineiros, não é fácil preservar a capacidade de clamor moral. É importante tê-lo em mente numa época em que os seguros de vida voltam a tornar-se, como na Inglaterra do século XVIII, um instrumento de especulação. Hoje, apostar na vida de estranhos deixou de ser um balcão de apostas isolado para se transformar numa grande indústria.

A vida dos estranhos

As drogas capazes de prolongar a vida de pacientes de Aids foram uma bênção para a saúde, mas uma maldição para a indústria dos viáticos. Os investidores viram-se na contingência de pagar ágio por apólices de seguro de vida que não "amadureciam" com a rapidez esperada. Para que o negócio sobrevivesse, os operadores precisavam encontrar mortes mais confiáveis para o investimento. Depois de examinar os pacientes de câncer e outras doenças terminais, saíram-se com uma ideia mais ousada: por que limitar o negócio a pessoas acometidas de doenças? Por que não comprar apólices de seguro de vida de cidadãos saudáveis da terceira idade dispostos a tirar vantagem delas?

Alan Buerger foi um pioneiro dessa nova indústria. No início da década de 1990, ele vendia seguros do zelador a empresas. Quando o Congresso cortou os benefícios fiscais do seguro do zelador, Buerger considerou a possibilidade de se transferir para os viáticos. Mas então lhe ocorreu que os idosos ricos e saudáveis representavam um mercado maior e mais promissor. "Foi como se eu tivesse sido atingido por um raio", disse Buerger ao *Wall Street Journal*.[52]

Em 2000, ele começou a comprar apólices de seguro de vida de pessoas de 65 anos ou mais, vendendo-as a investidores. O negócio funciona como o dos viáticos, com a ressalva de que as expectativas de vida são maiores e o valor da apólice costuma ser mais alto, em geral na esfera de US$ 1 milhão ou mais. Os investidores compram as apólices de pessoas que já não as querem, pagam o ágio e recebem o benefício quando a pessoa morre. Para evitar a imagem negativa que veio a ser associada aos viáticos, o novo negócio adotou o nome de indústria do "acordo de vida". A empresa de Buerger, Coventry First, é uma das mais bem-sucedidas do ramo.[53]

A indústria do acordo de vida apresenta-se como "um mercado livre do seguro de vida". Anteriormente, as pessoas que não queriam mais ou não precisavam mais das apólices de seguro de vida não tinham opção senão deixar que vencessem ou, em certos casos, devolvê-las à companhia de seguros por um pequeno valor de desistência. Agora, podem obter mais por essas apólices, vendendo-as a "investidores".[54]

Parece um bom acerto para todos os envolvidos. As pessoas idosas conseguem um preço decente para as apólices que não lhes interessam mais e os investidores colhem os benefícios quando elas vencem. Mas o mercado secundário do seguro de vida gerou algumas controvérsias e uma avalancha de processos judiciais.

Uma dessas polêmicas decorre do funcionamento econômico da indústria dos seguros. As companhias de seguros não gostam dos acordos de vida. Ao estabelecerem os ágios, elas sempre partiram do princípio de que um certo número de pessoas acabará abrindo mão de suas apólices antes de morrer. Com as crianças crescidas e o cônjuge assistido, os detentores de apólices muitas vezes param de pagar o ágio e deixam a apólice prescrever. Na verdade, quase 40% das apólices de seguro de vida não resultam em pagamento de benefício por morte. Entretanto, com o aumento das vendas de apólices a investidores, diminui o número daquelas que prescrevem, e as companhias de seguros são obrigadas a pagar maior número de benefícios por morte (ou seja, a investidores que continuam pagando o ágio e acabam por recolher o benefício[55]).

Outra polêmica envolve a delicada questão moral da aposta contra a vida. Tal como no caso dos viáticos, também com os acordos de vida o índice de lucratividade do investimento depende do tempo que a pessoa leva para morrer. Em 2010, o *Wall Street Journal* informou que a Life Partners Holdings, uma companhia de acordos de vida do Texas, subestimava sistematicamente a expectativa de vida de pessoas cujas apólices vendia a investidores. Por exemplo, a companhia vendeu a investidores por US$ 2 milhões uma apólice de seguro de vida de um fazendeiro de 79 anos do Idaho, alegando que ele tinha apenas dois a quatro anos de vida. Mais de cinco anos depois, o fazendeiro, então com 84 anos, continuava firme e forte, corria em sua esteira, levantava pesos e cortava lenha. "Tenho uma saúde de cavalo", declarou ele. "Vai ter muito investidor decepcionado por aí".[56]

O jornal descobriu que o saudável fazendeiro não era o único investimento decepcionante. Em 95% dos casos de apólices corretadas pela Life Partners, a pessoa segurada continuava viva no fim da expectativa de vida prevista pela empresa. As previsões de mortalidade excessivamente otimistas eram feitas por um médico de Reno, Nevada, contratado pela empresa. Pouco depois da publicação da reportagem, a empresa veio a ser investigada pela comissão de valores mobiliários do Texas e sua correspondente federal por suas estimativas duvidosas de longevidade.[57]

Outra empresa de acordos de vida foi fechada pelo governo do Texas em 2010, por induzir os investidores ao erro na questão das expectativas de vida. Sharon Brady, policial aposentada de Fort Worth, foi informada de que poderia esperar um rendimento anual de 16% ao investir na vida de idosos. "Eles nos mostraram um livro com fotos de pessoas e suas respectivas idades e havia também um médico explicando o que havia de errado com cada uma delas e o tempo de vida que deveriam ter", disse Brady. "A gente não vai desejar que alguém morra, mas ganha dinheiro quando isso acontece. De modo que na verdade estamos apostando na sua morte."

Brady acrescentava que se sentia "um tanto estranha com essa história. A gente obtém um rendimento tão alto com o dinheiro investido". Era uma proposta algo incômoda, mas financeiramente tentadora. Ela e o marido investiram US$ 50.000, mas descobriram que as estimativas de mortalidade eram por assim dizer boas demais para ser verdadeiras. "Parece que as pessoas viviam o dobro do tempo previsto pelo médico".[58]

Outra característica polêmica do negócio dizia respeito à maneira inventiva de encontrar apólices a serem vendidas. Em meados da década de 2000, o mercado secundário de seguros de vida se havia transformado num grande negócio. Os fundos *hedge* e instituições financeiras como o Credit Suisse e o Deutsche Bank gastavam bilhões de dólares na compra de apólices de seguro de vida de pessoas idosas e ricas. À medida que aumentava a demanda desse tipo de apólices, certos corretores começaram a pagar a pessoas idosas que não tinham nenhum seguro para adquirirem polpudas apólices de vida e em seguida entregá-las a especuladores para revenda. Essas apólices ficaram conhecidas como apólices de especuladores ou "de vida prolongada".[59]

Em 2006, o *New York Times* estimava que o mercado de apólices de vida prolongada chegava perto de US$ 13 bilhões por ano. O jornal descrevia o frenesi da busca de novos negócios:

> Os acertos são tão lucrativos que as pessoas idosas estão sendo seduzidas de todas as maneiras possíveis e imagináveis. Na Flórida, os investidores têm patrocinado cruzeiros gratuitos para pessoas idosas dispostas a se submeter a exames médicos e comprar seguros de vida durante o passeio.[60]

Em Minnesota, um homem de 82 anos comprou US$ 120 milhões em seguros de vida de sete companhias e em seguida revendeu as apólices a especuladores, com excelente lucro. As empresas protestaram, queixando-se de que a manipulação especulativa do seguro de vida ia de encontro a seu objetivo fundamental de proteger as famílias da ruína financeira e de que as apólices de vida prolongada elevariam o custo do seguro de vida para os clientes realmente interessados.[61]

Alguns casos de apólices de vida prolongada foram parar na Justiça. Em alguns deles, as companhias de seguro recusaram-se a pagar os benefícios por morte, sob a alegação de que os especuladores não tinham interesse segurável. As companhias de acordos de vida, por sua vez, afirmavam que muitas seguradoras, entre elas a AIG (American International Group), a gigante desse mercado, haviam recebido bem o negócio do seguro de vida prolongada e seus ágios elevados e queixavam-se apenas na hora de pagar. Outros processos foram movidos contra corretores pelos clientes idosos que haviam recrutado para a compra de seguros de vida a serem revendidos a especuladores.[62]

Um desses clientes insatisfeitos do mercado de vida prolongada era o apresentador de programas de entrevistas Larry King, que havia comprado e imediatamente revendido duas apólices de seguro de vida, num valor nominal total de US$ 15 milhões. King recebera US$ 1,4 milhão na operação, mas alegou num processo judicial que o corretor o havia induzido a erro quanto às comissões, taxas e consequências fiscais. Queixou-se também de não ter como descobrir quem podia agora ter algum interesse financeiro em sua morte. "Não sabemos se o proprietário é um fundo *hedge* de Wall Street ou um chefão da máfia", declarou seu advogado.[63]

A batalha entre as companhias de seguros e a indústria do acordo de vida deu-se também em assembleias legislativas de todo o país. Em 2007, a Goldman Sachs, o Credit Suisse, a UBS, o Bear Sterns e outros bancos fundaram a Associação Institucional dos Mercados de Vida para promover a indústria do acordo de vida e resistir às tentativas de restringi-la. Missão dessa associação: gerar "soluções inovadoras no mercado de capitais" para "o mercado vinculado à longevidade e à mortalidade".[64] Era uma maneira educada de se referir ao mercado das apostas na morte.

Em 2009, a maioria dos Estados promulgara leis que proibiam o esquema da vida prolongada ou "seguro de vida originado por estranhos" (*stranger-originate life insurance* [Stoli]), como veio a ser conhecido. Mas eles permitiam que os corretores continuassem negociando apólices de seguro de vida de pessoas idosas ou doentes que as haviam comprado por iniciativa própria sem a interferência de especuladores. Para impedir a aprovação de novas regulamentações, a indústria do acordo de vida tentou estabelecer uma distinção de princípio entre "seguro de vida de propriedade de estranhos" (que merecia seu apoio) e "seguro de vida originado por estranhos" (ao qual agora se opunha[65]).

Em termos morais, não há grande diferença. A ação de especuladores de induzir pessoas idosas a comprar e transferir seguros de vida para obter lucro rápido de fato parece especialmente criticável. É algo que certamente vai de encontro ao objetivo que justifica o seguro de vida: proteger famílias e empresas da ruína financeira que poderia ser ocasionada pela morte de um pai de família ou de um executivo importante. Mas esse aspecto criticável é encontrado em qualquer desses chamados acordos de vida. Especular com a vida de outras pessoas é algo moralmente questionável, independentemente de quem tenha originado a apólice.

Ao prestar depoimento no julgamento de um processo envolvendo seguros na Flórida, Doug Head, porta-voz da indústria dos acordos de vida, argumentou que o fato de as pessoas poderem vender seus seguros a especuladores "corrobora os direitos de propriedade e representa o triunfo da competição e da economia de livre mercado". Quando uma pessoa com legítimo interesse segurável adquire uma apólice, deve ter o direito de vendê-la a quem oferecer mais. "O 'seguro de vida de propriedade de estranhos' é uma decorrência natural do fundamental direito de propriedade do detentor de apólices, que pode livremente vendê-las no mercado aberto." As apólices originadas por estranhos, insistia Head, são um caso diferente. Podem ser consideradas ilegítimas, pois o especulador que as origina não tem um interesse segurável.[66]

O argumento é inconvincente. Em ambos os casos, o especulador que acaba de posse da apólice não tem interesse segurável na pessoa idosa cuja morte ocasionará o pagamento. Em ambos os casos, gera-se um interesse financeiro na morte prematura de um estranho. Se eu tenho, como afirmava Head, o direito fundamental de comprar e vender seguros sobre minha própria vida, que importância poderia ter que o exercesse por iniciativa própria ou por sugestão de outra pessoa? Se a vantagem dos acordos de vida está em "liberar o valor pecuniário" de uma apólice de seguro que já detenho, a vantagem das apólices de vida prolongada é que liberam o valor pecuniário dos meus anos de declínio. Em qualquer dos casos, um estranho adquire interesse na minha morte e eu ganho dinheiro por me colocar nessa posição.

Títulos da morte

Restava apenas um passo para que o crescente mercado das apostas na morte chegasse à maioridade: a securitização em Wall Street. Em 2009, o *New York Times* informava que os bancos de investimento de Wall Street pretendiam comprar acordos de vida, transformá-los em títulos e vender esses títulos a fundos de pensão e outros grandes investidores. Os títulos gerariam um fluxo de rendimentos a partir dos pagamentos de seguros que fossem feitos à medida que morressem os detentores originais das apólices. Wall Street faria no terreno da morte o que já fazia havia décadas no das hipotecas imobiliárias.[67]

Segundo o *Times*, "a Goldman Sachs desenvolveu uma tabela negociável de acordos de vida que permitia aos investidores apostar se as pessoas viverão mais do que o esperado ou morrerão mais cedo do que o pretendido". E o Credit Suisse está criando "uma linha de montagem financeira para comprar grande quantidade de apólices de seguro de vida, empacotá-las e revendê-las — exatamente como as empresas de Wall Street fizeram com os valores mobiliários de risco". Com a existência nos Estados Unidos de US$ 26 trilhões em apólices de seguro de vida e o crescente comércio de acordos de vida, o mercado da morte oferece a expectativa de um novo produto financeiro para compensar os rendimentos perdidos com o colapso do mercado de títulos hipotecários.[68]

Embora certas agências de cotação ainda não tenham se deixado convencer, pelo menos uma delas considera possível gerar um título baseado em acordos de vida que minimize o risco. Assim como os títulos hipotecários reúnem créditos de diferentes regiões do país, um título escorado em acordos de vida pode reunir apólices de pessoas "com todo um leque de doenças — leucemia, câncer de pulmão, doenças cardíacas, câncer de mama, diabetes, Alzheimer". Um título escorado numa carteira assim diversificada de problemas de saúde permitiria que os investidores descansassem tranquilos, pois a descoberta da cura de qualquer dessas doenças não faria despencar o valor do título.[69]

A AIG, o gigante do setor de seguros cujas complexas transações financeiras contribuíram para a crise de 2008, também manifestou interesse. Como companhia de seguro, ela se opôs à indústria do acordo de vida, recorrendo à Justiça. Mais discretamente comprou US$ 18 bilhões dos US$ 45 bilhões em apólices de acordos de vida que circulam atualmente no mercado e espera transformá-las em valores mobiliários para vendê-las como títulos.[70]

Qual seria, então, o estatuto moral dos títulos da morte? Sob certos aspectos, ele é comparável às apostas na morte que estão por trás deles. Se é moralmente condenável apostar na vida de seres humanos e lucrar com sua morte, os títulos da morte compartilham esse vício com as diferentes práticas que aqui examinamos — o seguro do zelador, os viáticos, os bolões da morte e todas as formas puramente especulativas de comércio de seguros de vida. Seria possível argumentar que o caráter anônimo e abstrato dos títulos da morte reduz em certa medida o efeito corrosivo em nossa sensibilidade moral. Uma vez que as apólices de seguro de vida sejam reunidas em grandes pacotes comerciais, retalhadas e oferecidas à venda para fundos de pensão e fundações universitárias, nenhum investidor terá interesse na morte de alguma pessoa específica. Naturalmente, os preços dos títulos da morte cairiam se a política nacional de saúde, os padrões ambientais e a melhoria dos hábitos de alimentação e exercício gerassem melhores padrões de saúde e expectativas de vida mais longas. No entanto, o fato de se apostar contra essa possibilidade de certa maneira parece menos incômodo do que contar os dias até a morte do nova-iorquino com Aids ou do fazendeiro de Idaho. Mas será mesmo?

Às vezes, podemos aceitar a convivência com uma prática de mercado moralmente corrosiva em nome do bem social que ela proporciona. O seguro de vida começou como um compromisso dessa natureza. A fim de protegerem famílias e empresas do risco financeiro de uma morte inesperada, as sociedades chegaram relutantemente à conclusão, nos dois últimos séculos, de que as pessoas com um interesse segurável na vida de alguém deveriam ser autorizadas a fazer uma aposta com a morte. Mas se revelou difícil conter a tentação especulativa.

Como demonstra o enorme mercado de vida e morte hoje em vigor, a trabalhosa tentativa de desvincular o seguro da aposta voltou à estaca zero. No momento em que Wall Street se encaminha a passos largos para o comércio dos títulos da morte, estamos de volta ao desregrado universo moral da cafeteria Lloyd's em Londres, só que agora numa escala que faz com que aquelas antigas apostas na morte e na infelicidade de estranhos pareçam adoráveis curiosidades de época.

5. Direitos de nome

Cresci em Minneapolis e sempre fui um grande torcedor de beisebol. Meu time, o Minnesota Twins, jogava em casa no Metropolitan Stadium. Em 1965, quando eu tinha 12 anos, os melhores assentos custavam US$ 3; na arquibancada, custavam US$ 1,5. Nesse ano, os Twins chegaram ao torneio de campeões da World Series e até hoje guardo o canhoto da entrada do sétimo jogo da série, ao qual compareci com meu pai. Nós sentamos no deque inferior, entre as posições do *home plate* e da *third base*, e a entrada custou US$ 8. De coração partido, vi o grande arremessador Sandy Koufax, dos Dodgers, derrotar os Twins e garantir a vitória no torneio para o seu time.

A estrela dos Twins nessa época era Harmon Killebrew, um dos grandes rebatedores de *home runs* de todos os tempos, hoje integrante da Galeria da Fama do beisebol. No auge de sua carreira, ele ganhava US$ 120.000 por ano. Era a época anterior ao passe livre, quando os times detinham direitos sobre um jogador ao longo de toda a carreira. Isso significava que o jogador não tinha muito poder na negociação de salários. Ele era obrigado a jogar para o time a que pertencia ou simplesmente não jogar. (Esse sistema foi derrubado em 1975.[1])

O negócio do beisebol mudou muito desde então. A grande estrela atual do Minnesota Twins, Joe Mauer, assinou recentemente um contrato de oito anos por US$ 184 milhões. À ordem de US$ 23 milhões por ano, Mauer ganha mais por jogo (na verdade, ganha mais até o sétimo dos nove tempos de cada jogo) do que Killebrew ganhava num campeonato.[2]

Não surpreende, assim, que os preços das entradas tenham disparado. Um assento de camarote no jogo dos Twins custa hoje em dia US$ 72 e o lugar mais barato na arquibancada, US$ 11. E os preços das entradas para os jogos dos Twins são relativamente baratos. O New York Yankees cobra US$ 260 por um assento de camarote e US$ 12 por um lugar sem visibilidade nas arquibancadas. Os camarotes corporativos ou de luxo, inexistentes nos estádios da minha juventude, são ainda mais caros e representam uma importante fonte de renda para os times.[3]

Outros aspectos do jogo também mudaram. Não me refiro aqui à instituição do chamado rebatedor designado, regra cuja introdução provocou muita polêmica, ao eximir os lançadores da necessidade de dar tacadas nos jogos da Liga Americana. O que tenho em mente são mudanças que refletem na esfera do beisebol o crescente papel do mercado, do comercialismo e da lógica econômica na vida social contemporânea. Desde as origens no fim do século XIX, o beisebol profissional sempre foi um negócio, pelo menos em parte. Mas nas três últimas décadas a mania do mercado de nossa época deixou sua marca em nosso passatempo nacional.

Autógrafos à venda

Veja-se por exemplo o negócio dos suvenires esportivos. Há muito tempo os jogadores de beisebol são perseguidos por jovens torcedores em busca de autógrafos. Os jogadores mais solícitos autografavam em cartões de marcação e bolas ao entrar em campo para jogar ou às vezes depois de terminada a partida ao deixar o estádio. Hoje, o inocente alinhamento de jogadores para os autógrafos foi substituído por um negócio bilionário de suvenires, dominado por corretores, atacadistas e os próprios times.

Minha mais memorável aventura em busca de autógrafos foi em 1968, quando eu tinha 15 anos. Na época, minha família mudara-se de Minneapolis para Los Angeles. Naquele inverno, fiquei rondando um torneio beneficente de golfe em La Costa, Califórnia. Alguns dos maiores jogadores de beisebol de todos os tempos participavam do torneio e em sua maioria davam autógrafos de bom grado entre um buraco e outro. Não tive a presença de espírito de levar bolas de beisebol e canetas com tinta indelével. Dispunha apenas de um estoque de cartões comuns. Alguns jogadores autografavam com tinta; outros, com os lápis que usavam para marcar sua pontuação no golfe. Mas saí dali com um verdadeiro tesouro de autógrafos e a empolgação de ter encontrado, ainda que brevemente, os heróis da minha juventude e algumas figuras lendárias que haviam jogado antes da minha época: Sandy Koufax, Willie Mays, Mickey Mantle, Joe DiMaggio, Bob Feller, Jackie Robinson e — sim! — Harmon Killebrew.

Jamais me teria ocorrido vender esses autógrafos ou sequer imaginar o que poderiam valer no mercado. Guardo-os ainda hoje, junto com minha coleção de cartões de beisebol. Na década de 1980, contudo, os autógrafos e toda a parafernália das figuras esportivas passaram a ser encarados como bens comercializáveis e são comprados e vendidos por crescentes legiões de colecionadores, corretores e revendedores.[4]

As estrelas do beisebol começaram a cobrar pela assinatura de autógrafos segundo escala de preços que variava de acordo com seu status. Em 1986, Bob Feller, arremessador da Galeria da Fama, vendia autógrafos em feiras de colecionadores a US$ 2 cada. Três anos depois, Joe DiMaggio assinava por US$ 20, Willie Mays, por US$ 10 a US$ 12, Ted Williams, por US$ 15. (O preço da assinatura de Feller subiu para US$ 10 na década de 1990.) Como esses gigantes aposentados do beisebol jogavam na era anterior aos salários estratosféricos, fica difícil censurá-los por embolsar algum quando surgia a oportunidade. Mas jogadores da ativa também entraram para o circuito desses autógrafos. Roger Clemens, na época o grande lançador do Boston Red Sox, recebia US$ 8,50 por autógrafo. Já outros, entre eles o lançador Orel Hershiser, dos Dodgers, eram contrários a essa prática. Os tradicionalistas do beisebol deploravam que os jogadores cobrassem para assinar autógrafos e lembravam que Babe Ruth sempre dera autógrafos de graça.[5]

Mas o mercado dos soveniress estava apenas surgindo. Em 1990, a revista *Sports Illustrated* publicou um artigo descrevendo a transformação que se operava na tradicional caça aos autógrafos. A "nova geração de colecionadores de autógrafos" era "agressiva, insistente e motivada pelo dinheiro" e importunava os jogadores em hotéis, restaurantes e até em suas residências.

> Se em outros tempos os caçadores de autógrafos eram apenas garotos fascinados com seus heróis, hoje em dia participam da caçada colecionadores, revendedores e investidores (...). Os revendedores, muitas vezes trabalhando com bandos remunerados de crianças, coletam os autógrafos e em seguida partem para a venda. Os investidores compram esses autógrafos partindo do princípio de que, como as obras de arte ou os objetos de importância histórica, uma assinatura de Bird, Jordan, Mattingly ou José Canseco terá seu valor aumentado com o tempo.[6]

Na década de 1990, os corretores começaram a pagar aos jogadores para assinar milhares de bolas, bastões, malhas e outros objetos. Os revendedores então passavam adiante esses suvenires produzidos em massa através de empresas trabalhando com catálogos, canais de TV a cabo e lojas do varejo. Em 1992, Mickey Mantle teria ganhado US$ 2,75 milhões para autografar vinte mil bolas de beisebol e participar pessoalmente de apresentações, o que representava mais dinheiro do que havia ganhado em toda a sua carreira com os Yankees.[7]

Mas a maior valorização é dos objetos que tenham sido usados nos jogos. O frenesi dos suvenires intensificou-se em 1998, quando Mark McGwire estabeleceu um novo recorde de *home runs* num campeonato. O torcedor que conseguiu agarrar a bola lançada no septuagésimo *home run* em que McGwire estabeleceu seu recorde obteve por ela US$ 3 milhões num leilão, o que a tornava o suvenir desportivo mais caro jamais vendido.[8]

A transformação das lembranças do beisebol em mercadorias alterou a relação dos torcedores com o jogo e entre eles. Quando McGwire chegou naquele campeonato ao 62° *home run* e quebrou o recorde, a pessoa que agarrou a bola não a vendeu, prontamente a devolvendo ao jogador. "Sr. McGwire, tenho aqui algo que acho que é seu", disse Tim Forneris ao lhe entregar a bola.[9]

Considerando-se o valor de mercado do beisebol, esse ato de generosidade suscitou uma avalancha de comentários — em sua maioria elogiosos, mas alguns críticos também. Empregado na manutenção do gramado em tempo parcial, Forneris, de 22 anos, foi homenageado num desfile em Disney World, entrevistado no programa de David Letterman e convidado à Casa Branca pelo presidente Clinton. Fez palestras em escolas sobre a importância de fazer a coisa certa. Apesar de todo esse reconhecimento, contudo, foi criticado por um colunista de finanças pessoais da revista *Time* por imprudência. Sua decisão de devolver a bola foi considerada como um exemplo dos "vários pecados que todos cometemos na esfera das finanças pessoais". Uma vez que havia "posto as mãos nela, a bola lhe pertencia", escreveu o colunista. A devolução a McGwire exemplificava "uma atitude que leva muitos de nós a cometer graves erros em questões cotidianas ligadas ao dinheiro".[10]

Eis, portanto, mais um exemplo da maneira como o mercado transforma as normas. A partir do momento em que uma bola de beisebol usada para bater um recorde é considerada uma mercadoria comercializável, devolvê-la ao jogador responsável pela proeza deixa de ser um simples gesto de decência. Passa a ser um heroico ato de generosidade ou um tolo desperdício.

Três anos depois, Barry Bonds bateu o recorde de McGwire e marcou 73 *home runs* num campeonato. A briga pela bola usada no 73° *home run* provocou uma cena consternadora no estádio e uma prolongada disputa judicial. O torcedor que a agarrou foi derrubado por uma turba ensandecida que tentava apoderar-se dela. A bola escapuliu de sua luva e foi apanhada por outro torcedor próximo. Ambos se consideravam no direito de ficar com ela. A disputa prolongou-se durante meses na Justiça e, no julgamento, seis advogados e um plantel de professores de direito designados pelo tribunal foram convidados a definir o que constitui posse de bola. O juiz decidiu que os dois requerentes vendessem a bola e dividissem a renda. Ela foi vendida por US$ 450.000.[11]

Hoje, a comercialização de suvenires é um elemento rotineiro do jogo. Até os detritos dos jogos de beisebol da Major League, tais como bastões quebrados e bolas usadas, são vendidos a vorazes interessados. Para que os colecionadores e investidores possam certificar-se da autenticidade dos objetos usados, todas as partidas da Major League devem contar com pelo menos um "autenticador" oficial de plantão. Munidos de etiquetas holográficas de última geração, esses profissionais registram e certificam a autenticidade de bolas, bastões, bases, malhas, cartões e outros objetos destinados a esse mercado bilionário de suvenires.[12]

Em 2011, a 1.003ª rebatida válida de Derek Jeter fez a festa da indústria do suvenir. Em acordo feito com um colecionador, o célebre *shortstop* dos Yankees autografou cerca de mil bolas, fotos e bastões comemorativos no dia seguinte ao seu feito. As bolas foram vendidas por US$ 699,99 e os bastões, por US$ 1.099,99. Chegou-se a vender até o chão em que ele pisara. Depois do jogo em que se deu a grande proeza, um empregado da manutenção do estádio recolheu cinco galões de terra das posições em que Jeter havia atuado em campo. O balde com a terra sagrada foi selado e autenticado com uma etiqueta holográfica e foi vendido a colheradas a torcedores e colecionadores. Também houve coleta de terra para venda quando o velho estádio dos Yankees foi derrubado. Uma empresa de suvenires afirma ter vendido mais de US$ 10 milhões de autêntico solo do Yankee Stadium.[13]

Certos operadores têm procurado faturar com proezas nem tão admiráveis. O campeão de pontos de todos os tempos, Pete Rose, banido do beisebol por promover apostas nas partidas, mantém um site para venda de suvenires relacionados ao caso. Por US$ 299, mais embalagem e frete, pode-se comprar uma bola de beisebol autografada por Rose e com um pedido de desculpas: "Lamento ter feito apostas no beisebol." Por US$ 500, ele envia um exemplar autografado do documento que o proíbe de voltar a jogar.[14]

Já outros jogadores se têm empenhado em vender objetos ainda mais estranhos. Em 2002, o *outfielder* Luis Gonzalez, do Arizona Diamondbacks, supostamente para fins beneficentes, leiloou online por US$ 10.000 um chiclete usado. Já o lançador Jeff Nelson, do Seattle Mariners, pôs à venda no eBay pedaços de osso do seu cotovelo depois de se submeter a uma cirurgia. Os lances chegaram a US$ 23.600, mas a eBay invocou uma norma contra a venda de partes do corpo humano e suspendeu o leilão. (Não foi noticiado se um autenticador esteve presente durante a cirurgia.[15])

O nome do jogo

Autógrafos e parafernália de jogadores não são as únicas coisas à venda. O mesmo acontece com os nomes dos estádios. Embora alguns deles ainda tenham seus nomes históricos — o Yankee Stadium, o Fenway Park —, a maioria dos times da liga nacional atualmente vende direitos de uso de seus nomes a quem oferecer mais.

Bancos, companhias de energia, empresas aéreas, firmas de tecnologia e outras corporações dispõem-se a pagar somas elevadas pela visibilidade de que podem desfrutar com a associação de seus nomes aos estádios dos grandes times.[16]

Durante 81 anos, o Chicago White Sox jogou no Comiskey Park, batizado com nome de um dos primeiros proprietários do time. Atualmente a equipe joga num confortável estádio chamado U.S. Cellular Field, nome de uma empresa de telefonia móvel. O San Diego Padres jogam no Petco Park, nome de uma empresa de produtos destinados a animais de estimação. Meu velho time, o Minnesota Twins, tem sua sede atualmente no Target Field, patrocinado pelo gigante do varejo de Minneapolis que também empresta seu nome ao estádio de basquete ali perto (o Target Center), onde joga o Minnesota Timberwolves. Num dos mais vultosos acordos de cessão de direitos de nome no mundo dos esportes, a empresa de serviços financeiros Citigroup aceitou no fim de 2006 pagar US$ 400 milhões pelo direito de batizar o novo estádio dos New York Mets, o Citi Field. Em 2009, quando os Mets atuaram pela primeira vez no estádio, a crise financeira ameaçava o acordo de patrocínio, que na época, queixavam-se os críticos, passava a ser subsidiado pelos contribuintes, cujo dinheiro servia para tirar o Citigroup da crise.[17]

Os estádios de futebol americano também são verdadeiros ímãs para o patrocínio corporativo. O New England Patriots joga no Gillette Stadium e o Washington Redskins, no FedEx Field. Recentemente, a Mercedes-Benz comprou os direitos de nome do Superdome, em Nova Orleans, sede dos Saints. Em 2011, 22 dos 32 times da Liga Nacional de Futebol jogavam em estádios batizados com nomes de empresas patrocinadoras.[18]

A venda dos direitos de nome dos estádios esportivos tornou-se tão corriqueira que é fácil esquecer que a prática só passou a ser adotada recentemente. Ela surgiu mais ou menos na mesma época em que os jogadores começaram a vender autógrafos. Em 1988, só três estádios tinham acordos de direitos de nome, que somavam apenas US$ 25 milhões. Em 2004, esses acordos haviam chegado a 66, totalizando US$ 3,6 bilhões — o que correspondia a mais da metade de todos os estádios das equipes profissionais de beisebol, futebol americano, basquete e hóquei. Em 2010, mais de cem empresas já haviam desembolsado dinheiro para dar nome a um estádio de equipes da primeira divisão nos Estados Unidos. Em 2011, a MasterCard comprou os direitos de nome do estádio de basquete das Olimpíadas de Pequim.[19]

O direito adquirido de dar nome não se limita ao letreiro no portão do estádio; cada vez mais se estende até às palavras usadas pelos locutores das transmissões radiofônicas e televisivas para descrever o que acontece em campo durante os jogos. Quando um banco comprou o direito de batizar o estádio dos Diamondbacks, no Arizona, com o nome Bank One Ballpark, o acordo também exigia que os locutores da equipe se referissem a cada *home run* como uma "rajada Bank One". A maioria dos times ainda não tem *home runs* patrocinados. Mas alguns já venderam direitos de nome das substituições de arremessadores. Quando o treinador se encaminha para a pequena elevação a partir da qual o arremessador atua, certos locutores são obrigados por contrato a anunciar a troca como uma "visita AT&T ao morrinho".[20]

Até a corrida do rebatedor para a base principal, o *home run*, passou a ser um momento patrocinado por empresas. A empresa de seguros New York Life fez com dez grandes times de beisebol da liga nacional um acordo pelo qual uma mensagem promocional é disparada toda vez que um jogador consegue chegar à base. Assim, por exemplo, quando o árbitro declara que o jogador conseguiu chegar à base do rebatedor, um logotipo aparece na tela de televisão e o locutor do estádio deve dizer "Seguro na base. Seguro e garantido. New York Life". Não é uma mensagem comercial transmitida nos intervalos, mas uma forma patrocinada de narrar o próprio jogo. "Essa mensagem se integra naturalmente na ação durante o jogo", explica o vice-presidente e diretor de publicidade da New York Life. É "uma excelente maneira de lembrar aos torcedores, vibrando para que seus jogadores prediletos cheguem seguros à base, que também podem sentir-se seguros e tranquilos com a maior empresa de seguros de vida dos Estados Unidos".[21]

Em 2011, os Hagerstown Suns, time da segunda divisão do beisebol em Maryland, levou o patrocínio comercial às últimas fronteiras do jogo e vendeu a uma empresa local de serviço público direitos de nome das tacadas de um jogador. Toda vez que Bryce Harper, o melhor rebater do time e candidato a se integrar à primeira liga, se posicionava para dar uma tacada, o locutor da equipe anunciava: "Preparando-se para defender, Bryce Harper, oferecimento de Miss Utility, lembrando a você que não se esqueça de discar 811 antes de abrir um buraco". Qual seria o objetivo da incongruente mensagem comercial? Aparentemente, a empresa via nela uma maneira de se dirigir a torcedores de beisebol que trabalhassem em projetos de construção suscetíveis de danificar suas linhas subterrâneas. Seu diretor de marketing explicou: "Falar aos torcedores antes de Bryce Harper escavar na base do rebatedor é uma excelente maneira de lembrar aos presentes a importância de entrarem em contato com a Miss Utility antes de qualquer projeto que envolva escavações."[22]

Até o momento, nenhum time da primeira divisão vendeu direitos de nome dos seus jogadores. Mas em 2004 a Major League Baseball de fato tentou vender anúncios nas bases. Num acordo promocional com a Columbia Pictures, dirigentes do beisebol concordaram em expor um logotipo do filme *Homem-Aranha 2*, que estava para ser lançado, na primeira, na segunda e na terceira bases de todos os estádios da primeira divisão durante três dias em junho. Só a base do rebatedor ficaria isenta. Uma onda de protestos levou ao cancelamento da inovadora iniciativa. Mesmo num jogo entulhado de comercialismo, as bases, aparentemente, ainda são sagradas.[23]

Camarotes especiais

Como poucas outras instituições na vida americana, o beisebol, o futebol, o basquete e o hóquei são um fator de coesão social e orgulho cívico. Do Yankee Stadium em Nova York ao Candlestick Park em San Francisco, os estádios esportivos são verdadeiras catedrais da nossa religião civil, espaços públicos que atraem pessoas de diferentes camadas sociais em rituais de perda e esperança, profanidade e oração.[24]

Mas o esporte profissional não é apenas um fator de identidade cívica. É também um negócio. E nas últimas décadas o dinheiro tem desalojado o senso comunitário no mundo dos esportes. Seria um exagero afirmar que os direitos de nome e os patrocínios empresariais estragaram a experiência de torcer pelo time local. Mas o fato é que mudar o nome de um marco cívico altera o seu significado. Esse é um dos motivos pelos quais os torcedores de Detroit lamentaram quando o Tiger Stadium, batizado com o nome do time, passou a se chamar Comerica Park, do nome de um banco. Por isso também é que os torcedores do Denver Broncos torceram o nariz quando seu querido Mile High Stadium, profundamente associado ao lugar onde viviam, passou a ser chamado de Invesco Field, em referência a uma companhia de fundos mútuos.[25]

Naturalmente, os estádios esportivos são essencialmente lugares onde as pessoas se reúnem para assistir a eventos atléticos. Quando os torcedores vão ao estádio, não estão basicamente em busca de uma experiência cívica. Vão para ver David Ortiz completar um *home run* no último tempo ou Tom Brady passar a bola para um gol nos últimos minutos do jogo. Mas o caráter público do evento não deixa de transmitir um ensinamento cívico: estamos todos juntos nisso e pelo menos durante algumas horas compartilhamos um sentimento de enraizamento e orgulho cívico. À medida que os estádios deixam de ser, sobretudo, marcos referenciais para se aproximar mais de painéis publicitários, seu caráter público vai desaparecendo. E o mesmo talvez aconteça também com os vínculos sociais e os sentimentos cívicos que eles inspiram.

O ensinamento cívico dos esportes é corroído de maneira ainda mais acentuada por uma outra tendência que vem acompanhando a ascensão dos direitos de nome corporativos: a proliferação dos camarotes de luxo. Quando eu ia aos jogos do Minnesota Twins no meado da década de 1960, as diferenças de preço entre os assentos mais caros e os mais baratos era de US$ 2. Na verdade, durante a maior parte do século XX, os estádios eram lugares onde os executivos empresariais sentavam-se lado a lado com os operários, todo mundo entrava nas mesmas filas para comprar cachorro-quente e cerveja, e ricos e pobres igualmente se molhavam se chovesse. Nas últimas décadas, contudo, isso mudou. O advento de camarotes especiais muito acima do campo separou os abastados e privilegiados das pessoas comuns nas tribunas e arquibancadas mais embaixo.

Embora os camarotes de luxo tenham surgido inicialmente no futurista Astrodome de Houston em 1965, a tendência começou na verdade quando o Dallas Cowboys instalou suítes de luxo no Texas Stadium na década de 1970. As empresas pagavam centenas de milhares de dólares para entreter executivos e clientes em ambientes sofisticados separados da multidão. Na década de 1980, mais de uma dúzia de times seguiu o exemplo dos Cowboys, paparicando torcedores endinheirados em poleiros envidraçados lá no alto. No fim dessa década, o Congresso determinou um corte nas deduções fiscais de que as corporações podiam beneficiar-se para investir nesses camarotes, o que, no entanto, não diminuiu a demanda desses refúgios refrigerados.

As rendas obtidas com a exploração dessas suítes de luxo representavam um maná financeiro para os times e fomentaram um boom na construção de estádios na década de 1990. Mas os críticos queixavam-se de que os camarotes punham a perder a possibilidade de confraternização de classes representada pelos esportes. "Os camarotes, em que pese o frívolo aconchego que oferecem", escreveu Jonathan Cohn, "falam de um defeito essencial da vida social americana: o desejo e mesmo a ânsia das elites de se separar do resto da multidão (...). Os esportes profissionais, outrora um antídoto para a ansiedade de status, foram cruelmente acometidos da doença". Frank Deford, articulista da *Newsweek*, observou que o mais mágico elemento do esporte popular sempre fora sua "democracia essencial (...). O estádio representava uma grande convocação pública, um território comunitário do século XX, onde podíamos todos nos reunir no entusiasmo comum". Mas a recente tendência dos camarotes de luxo "de tal maneira isolou os chiques da gentalha que se poderia dizer que o palácio americano de esportes passou a representar a mais estratificada distribuição de assentos do mundo do entretenimento." Um jornal do Texas referiu-se aos camarotes como "o equivalente desportivo das ruas isoladas por guaritas" e que permitiam aos usuários "segregar-se do resto do público".[26]

Apesar das críticas, os camarotes tornaram-se um elemento familiar da maioria dos estádios esportivos profissionais, assim como de muitas arenas universitárias. Embora os acentos privilegiados, entre eles os das suítes e os reservados a clubes, sejam uma pequena fração do total, representam quase 40% dos rendimentos auferidos com a venda de entradas em alguns times da primeira divisão. O novo Yankee Stadium, inaugurado em 2009, dispõe de três mil lugares a menos do que o antecessor, mas do triplo de suítes de luxo. O Boston Red Sox tem uma lista de espera para as quarenta suítes no Fenway Park, que chegam a custar US$ 350.000 por campeonato.[27]

As universidades com programas importantes na esfera esportiva também acabaram achando irresistível a renda dos camarotes. Em 1996, quase três dúzias de estádios universitários comportavam camarotes de luxo. Em 2011, eles podiam ser encontrados em quase todos os programas de futebol americano das universidades, exceto Notre Dame. A receita federal confere uma isenção fiscal especial aos que usam os camarotes dos estádios universitários que permitem aos compradores de suítes de luxo deduzir 80% do custo como contribuição beneficente para a instituição de ensino.[28]

O mais recente debate em torno da ética dos camarotes ocorreu na Universidade de Michigan, que abriga o maior estádio universitário do país. Conhecido como Big House, o estádio de Michigan atrai mais de cem mil torcedores para os jogos desde 1975. Em 2007, como a direção da universidade estudasse um projeto de reforma que, ao custo de US$ 226 milhões, incluía a construção de camarotes no lendário estádio, alguns ex-alunos protestaram. "Uma das melhores coisas no futebol universitário, especialmente em Michigan, é o fato de ser um espaço público", argumentou um deles, "um lugar onde operários da indústria automobilística e milionários podem se juntar para torcer pelo time."[29]

Um movimento que adotou o nome de "Salvar o Big House" começou a colher assinaturas para tentar convencer a direção da universidade a rejeitar o plano com suítes de luxo. Durante 125 anos, "os fiéis seguidores do time se mantiveram unidos, sofreram, vibraram e venceram juntos, lado a lado", escreveram os críticos.

> Os camarotes privados de luxo representam a própria antítese dessa tradição, dividem os torcedores de Michigan em função da renda e minam a união, a empolgação e o companheirismo que os torcedores de todas as idades e procedências compartilham na experiência conjunta dos jogos. A simples ideia de camarotes privados de luxo no Michigan Stadium vai de encontro aos ideais igualitários para os quais está voltada a Universidade de Michigan.[30]

O protesto não deu resultado. O conselho diretor aprovou por cinco votos a três a construção de 81 suítes de luxo no Michigan Stadium. Quando ele foi reinaugurado depois da reforma em 2010, os preços de uma suíte para 16 pessoas chegavam a US$ 85.000 por campeonato, com direito a estacionamento.[31]

Dinheirobol

A ascensão dos mercados de suvenires, direitos de nome e camarotes especiais nas últimas décadas reflete uma realidade de nossas sociedades centradas nos valores de mercado. Um outro exemplo de pensamento voltado para o mercado no mundo dos esportes é a recente transformação do beisebol em “moneyball”, ou “dinheirobol”. A expressão veio de um best-seller lançado em 2003 por Michael Lewis, que dissecou com sua sensibilidade para questões financeiras uma história do mundo do beisebol. Em *Moneyball: The Art of Winning an Unfair Game* [A arte de ganhar um jogo injusto], Lewis conta de que maneira o Oakland Athletics, time pequeno que não podia contratar estrelas a preço de ouro, conseguiu ganhar tantos jogos quanto o rico New York Yankees, apesar de uma folha de pagamento valendo apenas um terço.

Liderados pelo treinador Billy Beane, os As, como são conhecidos, conseguiram formar com pouco dinheiro um time competitivo ao recorrer a análises estatísticas para identificar os jogadores de capacidade não reconhecida e usar estratégias que iam de encontro ao senso comum prevalecente no mundo do beisebol. Por exemplo, descobriram que um percentual alto de bases ganhadas é mais importante para a vitória do que uma média elevada de rebatidas ou um percentual alto de tacadas violentas. Assim, passaram a contratar jogadores que, apesar de menos famosos do que os artilheiros mais bem remunerados, conseguiam muitas vezes ganhar a base de graça. E apesar da tradicional visão de que o roubo da base ajuda a ganhar o jogo, constataram que as tentativas de roubo geralmente reduzem, em vez de aumentar, as chances de marcar pontos. Desse modo, passaram a desestimular até mesmo os jogadores mais rápidos de tentar roubar as bases.

A estratégia de Beane funcionou pelo menos por algum tempo. Em 2002, quando Lewis acompanhou o time, o Athletics venceu o campeonato da divisão ocidental da Liga Americana. Embora fosse derrotado nos jogos decisivos, a história do A representava uma interessante versão do confronto entre David e Golias: um azarão de caixa baixa recorre à inteligência e às ferramentas da moderna econometria para competir com potências ricas como o time dos Yankees. E também era, no relato de Lewis, uma autêntica lição prática das possibilidades de compensação que a exploração das brechas do mercado pode representar para investidores argutos. Billy Beane levava para o beisebol o que a nova geração de operadores quantitativos levara para Wall Street: a capacidade de se valer das análises facultadas pela informática para levar vantagem sobre tradicionalistas contando apenas com o instinto e a experiência pessoal.[32]

Em 2011, *Moneyball* foi transformado em um filme hollywoodiano (*O homem que mudou o jogo*), com Brad Pitt no papel de Billy Beane. O filme não me sensibilizou. Inicialmente, não entendi muito bem por quê. Brad Pitt mostrava-se sedutor e carismático como sempre. Por que então o filme parecia tão insatisfatório? Em parte por ignorar as estrelas do time — três excelentes jovens arremessadores e a estrela dos *shortstops*, Miguel Tejada — e voltar sua atenção para jogadores secundários contratados por Beane por mostrarem boa mobilidade em campo. Mas o real motivo, em minha opinião, é que é difícil comemorar o triunfo de métodos quantitativos e mecanismos mais eficientes de precificação. Mais do que os jogadores, eram esses os heróis de *O homem que mudou o jogo*.[33]

Na verdade, conheço pelo menos uma pessoa que se emociona com eficiência em matéria de política de preços — meu amigo e colega Larry Summers (o economista cuja oração matinal sobre economia de altruísmo mencionei anteriormente). Em palestra que proferiu em 2004 quando era presidente de Harvard, Summers citava *Moneyball* como exemplo de "uma importante revolução intelectual que vem ocorrendo nos últimos trinta ou quarenta anos": a ascensão da ciência social e, especialmente, da economia "como uma forma atual de ciência". Ele explicava então que "um treinador e gestor muito inteligente contratou um PhD em econometria" para descobrir quais as habilidades e as estratégias que faziam um time vitorioso no beisebol. Summers vislumbrava no sucesso de Beane uma verdade mais ampla: sua abordagem guardava lições para o resto da vida. "O que se aplica ao beisebol aplica-se na verdade a um espectro muito mais amplo de atividades humanas."

Em que outras frentes, na visão de Summers, a sabedoria dessa abordagem científica do tipo *moneyball* estava prevalecendo? No campo da regulamentação ambiental, no qual "militantes e advogados engajados" estavam sendo substituídos por "pessoas capacitadas em análises de custo-benefício". Nas campanhas presidenciais, nas quais os jovens e brilhantes advogados que predominavam no passado já pareciam menos necessários do que "brilhantes economistas e brilhantes detentores de diplomas de MBA". E em Wall Street, onde geniozinhos quantitativos capazes de arrasar nos computadores inventavam novos e complexos derivativos e tomavam o lugar de operadores dotados de lábia: "Nos últimos trinta anos", observava Summers,

> o campo dos bancos de investimento deixou de ser dominado por pessoas hábeis na conversa com os clientes em restaurantes e passou a ser ocupado por gente boa na solução de problemas matemáticos extremamente difíceis que ocorrem na gestão de preços dos valores mobiliários derivativos.[34]

Tínhamos aqui, quatro anos antes da crise financeira, uma bela demonstração do credo triunfalista de mercado — o credo *moneyball*.

Como mostrariam os acontecimentos, a coisa não terminou bem — nem para a economia nem para o Oakland Athletics. O time conseguiu chegar às finais pela última vez em 2006 e desde então não fez nenhuma campanha vitoriosa. Para sermos justos, isso não aconteceu porque a abordagem *moneyball* fracassou, mas justamente por se ter disseminado. Graças em parte ao livro de Lewis, outros times, inclusive equipes com mais dinheiro, aprenderam o valor da contratação de jogadores com um elevado percentual de bases ganhadas. Em 2004, esse tipo de jogador já não saía barato, pois os times ricos começaram a elevar seus salários. Os salários dos jogadores pacientes na base do rebatedor e capazes de ganhar a base de graça passaram a refletir sua contribuição para a vitória nos jogos. As deficiências de mercado que Beane havia explorado deixaram de existir.[35]

Revelou-se então que *moneyball* não era uma estratégia de azarões, não pelo menos a longo prazo. Times ricos também podiam convocar estatísticos e sair na frente na contratação dos jogadores por eles recomendados. O Boston Red Sox, com uma das maiores folhas de pagamento do beisebol, saiu vitorioso nos campeonatos da World Series em 2004 e 2007 com um proprietário e um gerente-geral que eram apóstolos do método. Nos anos subsequentes à publicação do livro de Lewis, o dinheiro passou a ser mais, e não menos, importante no estabelecimento dos percentuais de vitória das equipes do primeiro time.[36]

O que não entra em conflito com as previsões da teoria econômica. Com uma política de preços eficaz para os talentos do beisebol, os times com mais dinheiro para gastar nos salários dos jogadores provavelmente haverão de se sair melhor. Mas isso levanta uma questão mais ampla. O *moneyball* tornou o beisebol mais eficiente, no sentido atribuído ao conceito pelos economistas. Mas será que o tornou melhor? Provavelmente não.

Vejamos por exemplo as mudanças que o *moneyball* ocasionou na maneira de conduzir o jogo propriamente dito: mais demora para dar tacadas, mais bases ganhas de graça, mais arremessos, mais substituições de arremessadores, movimentação menos livre, menos ousadia no percurso até a base, menos cabeçadas e bases roubadas. Seria difícil considerar que sejam melhorias. A demora para dar a tacada com as bases todas ocupadas e um empate no último tempo podem ser um momento clássico do beisebol. O *moneyball* não arruinou o beisebol, mas — como outras manifestações de intrusão do mercado nos últimos anos — contribuiu para apequená-lo.

Isso serve para demonstrar uma tese sobre diferentes bens e atividades que venho tentando sustentar ao longo deste livro: tornar o mercado mais eficiente não é em si mesmo uma virtude. A real questão é saber se a introdução deste ou daquele mecanismo de mercado vai aprimorar ou prejudicar a atividade. Uma questão que merece ser levantada não só em relação ao beisebol, mas também às sociedades em que vivemos.

Espaço para publicidade

O mundo dos esportes não é o único em que grassam os mercados e o comercialismo. Nas duas últimas décadas, a publicidade comercial ultrapassou as fronteiras dos seus veículos habituais — jornais, revistas, rádio e televisão — para colonizar todos os recantos da vida.

Em 2000, um foguete russo que ostentava um gigantesco logotipo da Pizza Hut levou a publicidade ao espaço sideral. Mas em sua maioria os novos espaços que têm sido invadidos pelos anúncios desde a década de 1990 são decididamente bem terrenos. Nos supermercados, adesivos de promoção do mais recente filme de Hollywood ou da nova série da televisão a cabo começaram a aparecer em maçãs e bananas. Ovos com anúncios da programação de outono da rede de televisão CBS apareceram na seção de hortifrutigranjeiros. Os anúncios não eram afixados nas embalagens, mas em cada ovo individualmente, graças a uma nova tecnologia de gravação a laser que permitia inscrever o logotipo e a mensagem da empresa (delicada, mas indelevelmente) na casca.[37]

Telas de vídeo estrategicamente localizadas permitiam aos anunciantes atrair a atenção das pessoas naqueles breves momentos do dia em que até mesmo os mais apressados e distraídos não têm opção senão ficar de pé esperando — em elevadores, até chegar ao andar desejado, em caixas automáticos, para sacar dinheiro, nos postos de gasolina, enquanto o tanque enche, e até em mictórios de restaurantes, bares e outros locais públicos.[38]

Houve tempo em que os anúncios encontráveis em banheiros eram adesivos ilícitos ou pichações em boxes e paredes com os números de telefone de prostitutas e acompanhantes. Mas, na década de 1990, esse tipo de publicidade tornou-se uma tendência generalizada. Segundo artigo publicado em *Advertising Age*,

> grandes empresas como Sony, Unilever e Nintendo, ao lado de fabricantes de bebidas alcoólicas e redes de televisão, vêm disputando espaço com prostitutas e outros profissionais exóticos para fazer suas mensagens comerciais chegarem bem à frente de um grupo demográfico com as calças abaixadas e o zíper aberto.

Anúncios de caprichada produção que vendem as virtudes de desodorantes, carros, cantores e videogames tornaram-se habituais em boxes de toaletes e paredes de mictórios. Em 2004, a publicidade em banheiros, que tem como alvo um público jovem, abastado e necessariamente cativo, se havia transformado num negócio de US$ 50 milhões. As empresas do ramo têm a própria associação comercial, que recentemente fez em Las Vegas sua 14ª convenção anual.[39]

Enquanto os publicitários começavam a comprar espaço nas paredes de banheiros, os anúncios também abriam caminho até os livros. O *merchandising* de produtos há muito faz parte de filmes e programas de televisão. Em 2011, o romancista britânico Fay Weldon escreveu um livro encomendado pela Bulgari, fabricante italiana de joias. Em troca de remuneração em valor não revelado, Weldon concordou em mencionar as joias Bulgari no romance pelo menos uma dúzia de vezes. O livro, muito apropriadamente intitulado *The Bulgari Connection*, foi publicado pela HarperCollins na Grã-Bretanha e pela Grove/Atlantic nos Estados Unidos. Weldon foi bem além do número de menções exigido, referindo-se à Bulgari 34 vezes.[40]

Alguns autores mostraram-se indignados com a ideia de um romance com patrocínio comercial e exortaram os editores literários de publicações periódicas a não enviar o livro de Weldon a resenhistas. Um desses críticos disse que o *merchandising* provavelmente contribuiria para "minar a confiança do leitor na autenticidade da narrativa". Outro chamou a atenção para a prosa canhestra em frases com citações do produto, como esta: "Mais vale um colar Bulgari na mão do que dois voando", disse Doris. Ou esta: "Eles se aninharam felizes por um momento, passada a onda de paixão; e ela o encontrou na Bulgari na hora do almoço."[41]

Embora o *merchandising* em livros não se tenha generalizado, o surgimento de dispositivos digitais de leitura e publicação eletrônica provavelmente deixará a leitura de livros mais perto da publicidade. Em 2011, a Amazon começou a vender duas versões do seu popular leitor Kindle, um deles com e o outro sem "ofertas especiais e protetores de tela patrocinados". O modelo com ofertas especiais custa US$ 40 menos do que a versão comum, mas vem com anúncios rotativos no protetor de tela e na parte inferior da página inicial.[42]

O transporte aéreo é outra atividade cada vez mais impregnada de comercialismo. Vimos no Capítulo 1 que as companhias aéreas transformaram as filas nos aeroportos em oportunidades de lucro ao cobrar taxas extras pelo acesso a filas menores nos controles de segurança e por privilégios na hora de embarcar nos aviões. Mas a coisa não para por aí. Depois de superar as filas, entrar no avião e ocupar seu assento, é provável que você agora se veja cercado de anúncios. Alguns anos atrás, a US Airways começou a vender espaço para anúncios nas mesinhas afixadas às cadeiras recostáveis, nos guardanapos e — por mais improvável que pareça — nos sacos de vômito. A Spirit Airlines e a Ryanair, duas companhias aéreas de preços reduzidos, passaram a pespegar anúncios nos compartimentos de bagagens acima dos assentos. A Delta Airlines tentou recentemente mostrar um anúncio de automóveis Lincoln antes do vídeo sobre medidas de segurança que antecede a decolagem. Como houvesse queixas de que o entulho comercial poderia levar os passageiros a ignorar as medidas de segurança, a companhia transferiu o anúncio para o fim do vídeo.[43]

Hoje em dia, nem só escritores e linhas aéreas atraem patrocínio empresarial. Basta por exemplo ter um carro, desde que você se disponha a transformar seu veículo num outdoor ambulante. As agências de publicidade pagam até US$ 900 por mês para envolver seu automóvel numa capa de vinil com logotipos e anúncios de bebidas energéticas, companhias de telefonia móvel, detergentes ou da loja de material hidráulico mais próxima. Os acordos estão sujeitos a algumas restrições importantes. Se você estiver fazendo publicidade de um produto da Coca-Cola, por exemplo, não poderá ser apanhado bebendo Pepsi-Cola ao volante. Os anunciantes estimam que, circulando com seu carro publicitário pela cidade, você estará expondo a mensagem comercial a até setenta mil pessoas por dia.[44]

Você também pode transformar a sua casa num outdoor. Em 2011, a Adzookie, pequena empresa de publicidade da Califórnia, fez uma proposta de particular interesse para os proprietários que enfrentavam a eventualidade de uma execução hipotecária ou dificuldades para pagar as prestações da hipoteca. Se permitissem que a empresa pintasse todo o exterior da casa (exceto o telhado) com anúncios multicoloridos, ela pagaria as prestações mensais enquanto eles fossem exibidos. "Se você estiver disposto a enfrentar as cores vivas e o olhar dos vizinhos", explicava a empresa no seu site, "basta preencher o formulário abaixo." Os responsáveis pela iniciativa receberam uma avalanche de respostas de interessados. Embora esperasse pintar dez residências, a empresa recebeu 22 mil inscrições em menos de dois meses.[45]

Mesmo que você não tenha carro nem casa, resta uma outra maneira de faturar com a orgia publicitária dos últimos anos: seu corpo também pode ser transformado num outdoor. Até onde sei, a prática começou no Casa Sanchez, pequeno restaurante familiar mexicano em San Francisco. Em 1998, os proprietários fizeram uma oferta de almoço livre pelo resto da vida a qualquer pessoa que aceitasse ter o seu logotipo — um garoto de sombrero cavalgando uma gigantesca espiga de milho — tatuado no corpo. A família Sanchez achava que poucas pessoas ou mesmo nenhuma aceitaria a oferta. Mas estava errada. Em questão de meses, mais de quarenta pessoas caminhavam pelas ruas de San Francisco com tatuagens do Casa Sanchez. E muitas vezes davam uma passada no restaurante na hora do almoço para exigir os seus burritos de graça.

Os proprietários ficaram felizes com o sucesso da iniciativa, mas caíram na real quando se deram conta de que, se todas as pessoas tatuadas aparecessem na hora do almoço diariamente nos cinquenta anos seguintes, o restaurante teria uma conta de US$ 5,8 milhões em burritos a pagar.[46]

Alguns anos depois, uma agência londrina começou a vender espaço publicitário na testa das pessoas. Ao contrário da promoção do Casa Sanchez, as tatuagens eram temporárias, e não permanentes. Mas a parte do corpo em questão era mais ostensiva. A agência recrutou estudantes universitários dispostos a levar logotipos na testa por £ 4,20 (US$ 6,83) por hora. Um possível interessado em assim anunciar sua marca elogiou a ideia e disse que os anúncios na testa eram "uma extensão das pranchas-sanduíche penduradas no ombro, só que um pouco mais orgânicas".[47]

Outras agências publicitárias desenvolveram variações em torno da possibilidade de anúncios corporais. A Air New Zealand contratou trinta pessoas como "outdoors cranianos". Os participantes raspavam a cabeça e usavam uma tatuagem temporária na parte de trás, com os dizeres: "Precisando mudar? Viaje para a Nova Zelândia." Remuneração pela exibição do comercial craniano durante duas semanas: uma passagem de ida e volta à Nova Zelândia (no valor de US$ 1.200) ou US$ 777 em dinheiro (para simbolizar o avião Boeing 777 usado pela empresa[48]).

O caso mais radical que envolvia a ideia de outdoor corporal foi o de uma mulher de Utah, de 30 anos, que leiloou o acesso comercial à própria testa. Mãe solteira de um menino de 11 anos com problemas na escola, Kari Smith precisava de dinheiro para a educação do filho. Num leilão online feito em 2005, ela se oferecia para tatuar um anúncio permanente na testa para qualquer patrocinador comercial que se dispusesse a pagar US$ 10.000. Um cassino online aceitou pagar o preço. Embora o tatuador tentasse dissuadi-la, Smith persistiu e teve o endereço eletrônico do cassino tatuado na testa.[49]

O que há de errado com o comercialismo?

Muitas pessoas encararam a explosão publicitária e de direitos de nome na década de 1990 e no início da década de 2000 com contrariedade e mesmo alarme. A ansiedade podia ser percebida em inúmeras manchetes de jornal: "Impossível escapar da metralha de anúncios" (*Los Angeles Times*); "Massacre publicitário" (*The Sunday Times*, Londres); "Ads infinitum"* (*The Washington Post*); "Até onde o olho alcançar, é provável agora que encontre um anúncio" (*The New York Times*); "Anúncios por toda parte" (*USA Today*).

Críticos e militantes atacavam os "vulgares valores comerciais" e a "degradação da publicidade e do comercialismo". Consideravam esse comercialismo "uma peste" que estava "vulgarizando corações, mentes e comunidades em todo o país". Havia quem se referisse à publicidade como "uma espécie de poluição". Uma consumidora, como lhe perguntassem por que lhe desagradava encontrar adesivos com anúncios de filmes nas frutas do supermercado, explicou: "Não quero que minha maçã seja poluída com anúncios." Até um executivo da publicidade declarou: "Acho que nada mais é sagrado."[50]

Seria difícil negar a força moral dessas manifestações. E, no entanto, nos termos habituais do discurso público, não é fácil explicar o que

*Jogo de palavras com *ad* (*advertisement*: anúncio). (*N. do T.*)

está errado com a proliferação de anúncios a que vimos assistindo nas duas últimas décadas.

Na verdade, formas agressivas e intrusivas de publicidade há muito são objeto de queixa. Escrevendo em dezembro de 1914, Walter Lippmann lamentava "o clamor fraudulento que desfigura o cenário, cobre cercas, emplastra a cidade e fica piscando para a gente noite adentro". Parecia haver anúncios em toda parte. O céu do leste era "coberto de chicletes, o do norte, de escovas de dente e roupas íntimas, o do oeste, de uísque, e o do sul, de anáguas, brilhando todo o firmamento com monstruosas mulheres sedutoras".[51]

Se Lippmann tivesse percorrido as estradas do interior no Meio-Oeste e no Sul, suas preocupações se teriam confirmado. Ele teria visto milhares de celeiros pintados de cores berrantes com anúncios de tabaco para mascar: "Masque o tabaco Mail Pouch: Você merece o melhor". A partir do fim da década de 1890, os empreendedores donos da Mail Pouch Tobacco Company pagavam aos fazendeiros que tinham celeiros perto de estradas movimentadas entre US$ 1 e US$ 10 (com a pintura de graça) para transformá-los em outdoors. Esse celeiros publicitários, um dos primeiros exemplos de propaganda ao ar livre (*outdoor*), foram precursores da recente tentativa de pintar anúncios em residências.[52]

Apesar dos precedentes, o comercialismo das duas últimas décadas evidencia uma tendência muito própria para a ausência de limites, que bem simboliza um mundo em que tudo está à venda. Muitos consideram inquietante um mundo assim organizado, e não sem razão. Mas o que exatamente é censurável nele?

Há quem diga: "Nada". Desde que o que é vendido para os anúncios e patrocínios — a casa ou o celeiro, o estádio ou o banheiro público, o bíceps ou a testa — pertença realmente à pessoa que o vende e desde que a venda seja voluntária, ninguém tem o direito de objetar. Se a maçã, o avião ou o time de beisebol é meu, devo ter o direito de vender direitos de nome e espaço publicitário como bem entender. É o argumento em favor de um mercado de publicidade completamente livre.

Como vimos em outros contextos, esse argumento do tipo *laissez-faire* suscita dois tipos de objeção. Uma tem a ver com coerção e iniquidade; a outra, com coerção e degradação.

Na primeira objeção, o princípio da liberdade de escolha é aceito, mas se questiona se todas as manifestações de escolha no mercado são realmente voluntárias. Se o proprietário de um imóvel residencial sob ameaça de iminente execução hipotecária concorda com a pintura de um anúncio berrante na casa, sua escolha talvez não seja realmente livre se foi feita sob coação. Se o pai ou a mãe de uma criança doente que precisa desesperadamente de dinheiro para comprar remédios concorda com uma tatuagem publicitária no próprio corpo, a decisão talvez não possa ser considerada assim tão voluntária. A objeção da coerção sustenta que as relações de mercado só podem ser consideradas livres quando as condições do contexto em que vendemos e compramos são justas, quando a pessoa não é coagida por grave necessidade econômica.

A maioria dos debates políticos hoje em dia é conduzida nesses termos: entre os favoráveis à ausência de controles no mercado e os que sustentam que as decisões de mercado só são livres quando tomadas em condições de igualdade, quando os termos básicos da cooperação social podem ser considerados justos.

Mas nenhuma dessas duas posições ajuda-nos a entender o que é que fica parecendo errado num mundo em que a lógica e as relações de mercado invadem todas as atividades humanas. Para perceber o que é preocupante nessa situação, precisamos do vocabulário moral da corrupção e da degradação. E falar de corrupção e degradação é recorrer, pelo menos implicitamente, às concepções do que é desejável na vida.

Veja-se, por exemplo, a linguagem usada pelos críticos do comercialismo: "humilhação", "degradação", "vulgaridade", "poluição", perda do senso do "sagrado". É uma linguagem espiritualmente carregada que aponta para formas mais elevadas de viver e ser. Não se trata de coerção e iniquidade, mas da degradação de certas atitudes, práticas e certos bens. A crítica moral do comercialismo é um exemplo daquilo a que nos referimos como objeção da corrupção.

Nos casos dos direitos de nome e da publicidade, a corrupção pode manifestar-se em dois níveis. Em certos casos, a comercialização de uma prática é em si mesma degradante. Assim, por exemplo, sair por aí com uma tatuagem na testa patrocinada é humilhante, ainda que a decisão da venda tenha sido livremente tomada.

Ou então vejamos este exemplo que não pode deixar de ser considerado um caso extremo de direitos de nome: em 2001, um casal que aguardava o nascimento de um menino leiloou o seu nome no eBay e no Yahoo! Esperava que uma empresa comprasse os direitos de nome e, em troca, lhes financiasse a compra de uma casa confortável e outros recursos para a família. No fim das contas, contudo, nenhuma empresa dispôs-se a pagar o preço que pediam, US$ 500,000, e eles tiveram de desistir, batizando o filho da maneira tradicional. (O nome escolhido foi Zane.[53])

Você poderia argumentar que a venda de direitos de nome a uma empresa no nascimento de um filho está errada porque a criança não deu seu consentimento (a objeção da coerção). Mas não é esse o principal motivo pelo qual podemos considerá-la censurável. Afinal, as crianças não escolhem seus nomes. Normalmente, ficamos com o nome escolhido por nossos pais e não consideramos coerção. O único motivo de se colocar a questão da coerção no caso de um filho batizado para fazer propaganda de uma empresa é que passar a vida inteira com um nome assim (digamos, Walmart Wilson, Pepsi Peterson ou Jamba Juice Jones) é humilhante — até mesmo, diriam alguns, se a criança tiver consentido.

Nem todos os casos de comercialismo são corruptores. Alguns são adequados, como os anúncios há muito adotados nos painéis de estádios esportivos e mesmo nos muros externos. Mas a coisa é diferente quando a propaganda empresarial invade a cabine dos locutores e se impõe a cada jogada da partida. Esse caso é mais semelhante ao *merchandising* num romance. Se você acompanhou recentemente a transmissão de um jogo de beisebol por rádio ou televisão, sabe do que estou falando. Os constantes slogans comerciais introduzidos pelos anunciantes interferem no jogo e estragam a narrativa inventiva e autêntica que pode ser o relato de cada lance.

Assim, para decidir em que circunstâncias a publicidade é adequada e quais aquelas em que não convém, não basta argumentar com direitos de propriedade, por um lado, e de equidade, por outro. Temos de levar em conta também o significado das práticas sociais e os bens que corporificam. E a cada caso devemos perguntar se a comercialização da prática pode degradá-la.

Existe uma outra consideração: certos casos de publicidade que não são corruptores em si mesmos podem ainda assim contribuir para a comercialização da vida social como um todo. Nesse caso, a analogia com a poluição faz sentido. A emissão de dióxido de carbono não é errada em si mesma; é o que fazemos ao respirar. E, no entanto, o excesso de emissões de carbono pode ser um fator de destruição ambiental. Da mesma forma, certas manifestações de extensão da publicidade a novos terrenos que em si mesmas podem não ser censuráveis acabam por gerar, quando se disseminam, uma sociedade dominada pelos patrocínios empresariais e o consumismo, uma sociedade na qual tudo nos é "oferecido por" MasterCard ou McDonald's. Também aí temos uma forma de degradação.

Lembremos, por exemplo, a consumidora que não queria que suas maçãs fossem "poluídas" por adesivos publicitários. A rigor, um exagero. Um adesivo não polui uma fruta (desde que não deixe marcas). O sabor da maçã ou da banana não será afetado. Há muito tempo vemos nas bananas o adesivo Chiquita e quase ninguém reclamava. Não seria estranho, assim, que alguém se queixasse de um adesivo promovendo um filme ou um programa de televisão? Não necessariamente. Podemos considerar que a objeção da consumidora não se dirige especificamente a esse anúncio nessa maçã, mas à invasão da vida cotidiana pela publicidade comercial. A "poluição" não é da maçã, mas do mundo em que vivemos, cada vez mais dominado por valores de mercado e necessidades comerciais.

O efeito corrosivo da publicidade é menos relevante no supermercado do que na praça pública, onde se generalizam os direitos de nome e os patrocínios empresariais. A expressão que se passou a usar é "marketing municipal", algo que ameaça levar o comercialismo ao coração da vida cívica. Nas duas últimas décadas, estados e cidades que enfrentam problemas financeiros vêm tentando fechar as contas com a venda do acesso de anunciantes a praias e parques públicos, estações de metrô, escolas e marcos culturais.

Marketing municipal

A tendência começou na década de 1990. No momento em que os acordos que envolvem direitos de nome revelavam-se lucrativos para os donos dos times da primeira divisão, funcionários governamentais começaram a buscar patrocínio empresarial para serviços e instalações municipais.

Salvamento nas praias e fornecimento de bebidas

No verão de 1998, os banhistas que chegavam para passar o dia na praia de Seaside Heights, em Nova Jersey, deram com cinco mil imagens de potinhos da manteiga de amendoim Skippy espalhadas na areia a perder de vista. Era um dispositivo recém-inventado que permite estampar anúncios na areia, e a Skippy pagou uma taxa à municipalidade para instalar seus anúncios aos pés dos banhistas.[54]

No outro lado do país, em Orange County, na Califórnia, a garantia de salvamento nas praias passou a ser oferecida pela Chevrolet. Num acordo de patrocínio que valia US$ 2,5 milhões, a General Motors dotou os salva-vidas locais de 42 novas caminhonetes com anúncios que as apresentavam como "Veículo oficial de salvamento marítimo das praias de Orange Coast". Pelo acordo, a Chevrolet também tinha livre acesso às praias para sessões de foto. Os Ford Ranchers passaram a ser os veículos oficiais das praias do condado de Los Angeles, ali perto, onde os salva-vidas usavam trajes de banho patrocinados pela Speedo.[55]

Em 1999, a Coca-Cola pagou US$ 6 milhões para se tornar o refrigerante oficial da praia de Huntington, na Califórnia. Pelo acordo, passava a deter direitos exclusivos de venda de refrigerantes, sucos e água mineral nas praias, nos parques e prédios municipais, paralelamente ao uso do logotipo Huntington Beach's Surf City em sua publicidade.

Cerca de 12 cidades de todo o país fizeram acordos semelhantes com fabricantes de refrigerantes. Em San Diego, a Pepsi-Cola comprou direitos exclusivos de fornecimento de bebidas, num acordo de US$ 6,7 milhões. San Diego tinha alguns outros contratos de patrocínio, entre eles o que tornava a Verizon "parceiro oficial de telefonia sem fio" da cidade e o que transformava uma empresa chamada Cardiac Science em fornecedora oficial de desfibriladores do município.[56]

Em Nova York, o prefeito Michael Bloomberg, grande adepto do marketing municipal, nomeou em 2003 o primeiro diretor de marketing da cidade. Sua primeira grande iniciativa foi um acordo de cinco anos com a Snapple, no valor de US$ 166 milhões, que deu à fabricante de bebidas direito de exclusividade na venda de sucos e água mineral nas escolas públicas da cidade, além da venda de chás, água e bebidas chocolatadas em seis mil instalações da prefeitura. Os críticos disseram que a Big Apple estava sendo vendida para ser transformada em Big Snapple. Mas o marketing municipal tornava-se um negócio em rápido crescimento, passando de apenas US$ 10 milhões em 1994 a mais de US$ 175 milhões em 2002.[57]

Estações de metrô e trilhas naturais

No caso de certos equipamentos públicos, os acordos de direitos de nome demoravam a chegar. Em 2001, o Departamento de Transportes da Baía de Massachusetts tentou vender direitos de nome de quatro estações históricas do metrô de Boston, mas nenhuma empresa se interessou. Recentemente, contudo, algumas cidades conseguiram vender direitos de nome de estações de metrô. Em 2009, o Departamento de Transportes Metropolitanos de Nova York vendeu ao Barclays Bank, por US$ 4 milhões num prazo de vinte anos, o direito de dar seu nome a uma das mais antigas e movimentadas estações de metrô do Brooklyn. O banco, com sede em Londres, queria esses direitos porque a estação atende aos passageiros que demandam um estádio esportivo que também leva o nome de Barclays. Além de vender os direitos de nome, o governo municipal adotou uma agressiva política de venda de espaço publicitário nas estações, embrulhou trens inteiros e recobriu colunas, roletas e pisos das estações com anúncios. A renda com anúncios no sistema de transporte subterrâneo de Nova York aumentou de US$ 38 milhões em 1997 para US$ 125 milhões em 2008.[58]

Em 2010, o Departamento de Transportes da Filadélfia vendeu à AT&T o direito de rebatizar a estação Pattison, uma parada do metrô cujo nome homenageava um governador da Pensilvânia no século XIX. A empresa de telefonia pagou US$ 3,4 milhões ao governo municipal, além de US$ 2 milhões à agência de publicidade que promovera o acordo. A estação AT&T, como passou a ser chamada, é um local muito em vista porque atende aos estádios das equipes desportivas da Filadélfia. Esses estádios, por sinal, levam os nomes de bancos e empresas de serviços financeiros: Citizens Bank Park (o dos Phillies, de beisebol), Wells Fargo Center (76ers, basquete, e Flyers, hóquei) e Lincoln Financial Field (Eagles, futebol americano). O ex-presidente de um comitê consultivo de cidadãos argumentou contra a venda do nome da estação e observou que "o tráfego é um serviço público e os nomes constituem uma ligação importante com as ruas e os bairros próximos". Mas um funcionário do Departamento de Transportes retrucou que o dinheiro era necessário e que a venda do nome "ajudaria a financiar custos para os usuários e contribuintes".[59]

Certas cidades e Estados têm buscado patrocínios empresariais para os parques públicos, trilhas e áreas silvestres. Em 2003, a Assembleia Legislativa de Massachusetts resolveu estudar a viabilidade da venda de direitos de nome dos seiscentos parques, florestas e áreas recreativas do Estado. O *Boston Globe* lembrou em editorial que o Lago Walden, tão caro a Thoreau,* poderia ser transformado em "Lago Wal-Mart". Massachusetts abriu mão do projeto. No entanto, recentemente alguns grandes patrocinadores corporativos conseguiram acordos para que suas marcas fossem colocadas em parques públicos de todo o país.[60]

North Face, o fabricante de roupas sofisticadas, tem seu logotipo estampado na sinalização das trilhas dos parques públicos em Virgínia e Maryland. A Coca-Cola ganhou o direito de exibir seu logotipo num parque estadual da Califórnia por ter patrocinado um projeto de

*O escritor americano Henry David Thoureau (1817-1862), que construiu uma casa à beira do lago, é conhecido, entre outros, por seu livro *Walden*, uma reflexão sobre a vida simples cercada pela natureza. (*N. do T.*)

reflorestamento depois de um incêndio. A marca Juicy Juce, da Nestlé, aparece na sinalização de vários parques de Nova York, nos quais a empresa instalou playgrounds. A Odwalla, concorrente no ramo dos sucos, financiou um programa de plantio de árvores em troca de propaganda da marca em parques públicos de todo o país. Em Los Angeles, os adversários da ideia derrotaram em 2010 uma tentativa de vender espaço publicitário nos parques municipais. A promoção teria levado anúncios de um filme do urso Yogi a construções, mesas de piquenique e latas de lixo desses parques.[61]

Em 2011, foram apresentados na Assembleia Legislativa da Flórida projetos de lei para permitir a venda de direitos de nome e espaço publicitário ao longo de trilhas naturais de parques públicos. As verbas oficiais para o cinturão verde de trilhas de bicicletas, caminhadas e canoagem haviam sido cortadas nos últimos anos e alguns deputados encaravam a publicidade como uma forma de compensar a defasagem orçamentária. Uma empresa chamada Grupo de Soluções Governamentais faz a corretagem desses acordos entre os parques estaduais e os patrocinadores empresariais. A diretora-presidente, Shari Boyer, considera que os parques estaduais são um veículo ideal de propaganda. Seus visitantes são "excelentes consumidores", pessoas de renda alta, explica ela. Além disso, o cenário do parque é "um ambiente extremamente tranquilo para o marketing", com poucas distrações. "É um ótimo lugar para atingir as pessoas; elas estão no estado de espírito ideal."[62]

Carros de polícia e hidrantes

No início da década de 2000, muitas cidades com problemas financeiros sentiram-se tentadas por uma oferta que parecia boa demais para ser verdade. Uma empresa da Carolina do Norte oferecia carros de polícia novos e totalmente equipados, inclusive com luzes piscantes e barras carcerárias no assento traseiro, por US$ 1 por ano. A oferta era acompanhada de uma pequena condição: os carros seriam cobertos com anúncios e logotipos comerciais.[63]

Certos departamentos de polícia e funcionários municipais consideravam os anúncios um pequeno preço a ser pago por veículos que em outras condições custariam US$ 28.000 a unidade. Mais de 160 prefeituras de 28 Estados aceitaram o acordo. Government Acquisitions, a empresa que oferecia os carros de patrulha, assinou contratos com as cidades interessadas e vendeu o espaço publicitário a companhias locais e nacionais. A empresa fazia questão de frisar que os anúncios seriam de bom gosto — nada de álcool, cigarros, armas de fogo ou jogos de azar. Em seu site na Internet, ilustrava a ideia com a foto de um carro de polícia que ostentava os arcos dourados da McDonald's no capô. Entre seus clientes estavam Dr Pepper, Napa Auto Parts, molho de pimenta Tabasco, Correios americanos, Exército dos EUA e Valvoline. A empresa também pretendia oferecer seus serviços de venda de espaço publicitário a bancos, redes de televisão a cabo, revendedoras de carros, companhias de seguros e estações de rádio e televisão.[64]

A perspectiva de carros de polícia em circulação pela cidade cobertos de publicidade gerou controvérsia. A ideia enfrentou críticas em artigos de opinião na imprensa e da parte de alguns policiais, por diferentes motivos. Havia quem se preocupasse com o risco de favoritismo policial em relação a esses patrocinadores. Outros achavam que o fato de os serviços policiais serem oferecidos pela McDonald's, pelos Dunkin' Donuts ou pela loja de ferragens local comprometia a dignidade e a autoridade da função. Outros ainda argumentavam que o plano teria má repercussão no próprio governo e na disposição da opinião pública de financiar serviços essenciais. "Certas coisas são tão fundamentais para o bom funcionamento de uma sociedade", escreveu o colunista Leonard Pitts Jr., "tão intrínsecas à sua dignidade, que tradicionalmente são confiadas apenas a pessoas contratadas e pagas por todos nós, coletivamente, em nome do bem comum. A manutenção da ordem pública é uma dessas funções. Ou pelo menos costumava ser".[65]

Os defensores do acordo reconheciam que havia algo de inusitado em ver carros de polícia apregoando produtos comerciais. Argumentavam, contudo, que, numa época de dificuldades financeiras, o público certamente preferiria ser atendido por carros de polícia cobertos de publicidade do que não ser atendido. "As pessoas podem achar graça quando virem um desses carros passando pela rua com anúncios", comentou um chefe de polícia. "Mas quando esse carro atender a uma emergência vão ficar muito felizes pelo fato de ele estar ali." Um vereador de Omaha disse que não gostara da ideia inicialmente, mas acabara se convencendo pela economia a ser feita. E fez uma analogia: "Nosso estádio tem anúncios nos alambrados e corredores, assim como nosso auditório cívico. Desde que seja feita com bom gosto, a publicidade nos carros de polícia não é diferente."[66]

Os direitos de nome e os patrocínios empresariais nos estádios, como vimos, acabaram por se revelar moralmente contagiosos ou pelo menos sugestivos. No momento em que surgiu a polêmica em torno dos carros de patrulha, eles já haviam preparado a opinião pública para contemplar a hipótese de novas incursões das práticas comerciais na vida cívica.

No fim das contas, a empresa da Carolina do Norte não forneceu os carros de polícia. Frente à oposição gerada, com direito até a uma campanha para dissuadir anunciantes nacionais de participarem, ela aparentemente desistiu e posteriormente viria a fechar as portas. Mas a ideia da publicidade em carros de polícia não desapareceu. Na Grã-Bretanha, os carros de patrulha com patrocínio comercial começaram a aparecer na década de 1990, depois que o Ministério do Interior baixou nova regulamentação permitindo que os departamentos de polícia obtivessem até 1% de seu orçamento anual junto a patrocinadores comerciais. "Até recentemente era território proibido", comentou um policial. "Agora, é na base do quem dá mais." Em 1996, a loja de departamentos Harrods presenteou alguns membros da polícia especial de Londres com um carro de patrulha que levava a inscrição: "Este carro é patrocinado pela Harrods."[67]

A publicidade em carros policiais acabou por chegar aos Estados Unidos. Em 2006, a polícia de Littleton, Massachusetts, passou a usar um carro de patrulha com três discretos anúncios da rede local de supermercados Donelan's. Os anúncios, que mais pareciam adesivos-gigante de para-choque, eram pespegados na mala e nos dois para-lamas traseiros. Em troca da publicidade, o supermercado deposita anualmente

US$ 12.000 nos cofres da municipalidade, o equivalente ao custo de *leasing* de um carro.[68]

Até onde sei, ninguém até hoje tentou vender espaço publicitário em carros de combate a incêndio. Mas em 2010 a Kentucky Fried Chicken fez um acordo de patrocínio com o Corpo de Bombeiros de Indianápolis para promover o lançamento de um novo item em seu cardápio: "ardentes" asas de frango grelhadas. Do acordo fazia parte uma sessão de fotos com integrantes da corporação e a exibição do logotipo da KFC (inclusive a célebre imagem do coronel Sanders) nos extintores de incêndio dos centros de recreação da cidade. Em outra cidade de Indiana, a KFC fez um acordo semelhante, que incluía o direito de colocar seu logotipo em hidrantes.[69]

Cadeias e escolas

A publicidade também invadiu as duas instituições mais fundamentais da autoridade civil e do interesse público: as cadeias e as escolas. Em 2011, o Centro de Detenção do Condado de Erie, em Buffalo, Nova York, começou a transmitir anúncios numa tela de televisão de alta definição que os suspeitos têm diante de si momentos depois da detenção. Que anunciantes teriam interesse em se dirigir a esse público? Agentes de fiança e advogados de defesa. Os comerciais custavam US$ 40 por semana, com comprometimento de um ano. Passavam acompanhados de informações do centro de detenção a respeito das regras e dos horários de visita. Eles também aparecem numa tela instalada na sala de espera para parentes e amigos em visita. O governo do condado recebe um terço da renda publicitária, o que contribuirá para engordar os cofres em US$ 8.000 a US$ 15.000 por ano.[70]

Os anúncios foram rapidamente vendidos. Anthony N. Diina, diretor da agência publicitária que fez o acordo, explicou seu interesse:

"O que esperam as pessoas que estão num centro de detenção? Elas querem sair. E não querem ser condenadas. Portanto, esperam poder pagar uma fiança. E querem um advogado." Os anúncios se adequavam perfeitamente ao público-alvo. "O anunciante tem interesse em se dirigir a alguém exatamente no momento em que essa pessoa precisa tomar uma decisão", declarou Diina ao *Buffalo News*. "É o que acontece aqui. É o máximo que se pode esperar em matéria de público cativo."[71]

O Channel One derrama mensagens publicitárias sobre um público cativo de outro tipo: os milhões de adolescentes que são obrigados a assistir a ele em salas de aula de todo o país. Esse noticiário televisivo de 12 minutos, com patrocínio comercial, foi lançado em 1989 pelo empresário Chris Whittle. Ele ofereceu às escolas aparelhos de televisão gratuitos, equipamentos de vídeo e uma conexão por satélite em troca de um acordo para a apresentação diária e a obrigação, para os alunos, de assistir ao programa, inclusive durante os dois minutos de anúncios nele incluídos. Embora Nova York tenha proibido o Channel One em suas escolas, não foi o que fez a maioria dos outros Estados e, em 2000, o programa era visto por oito milhões de alunos em 12 mil escolas. Como se dirigia a mais de 40% dos adolescentes do país, o programa estava em condições de cobrar de anunciantes como Pepsi-Cola, Snickers, Clearasil, Gatorade, Reebok, Taco Bell e Exército americano preços elevados, em torno de US$ 200.000 por trinta segundos de anúncio (valor comparável aos preços publicitários na televisão a cabo[72]).

Um executivo do Channel One explicou o sucesso financeiro numa conferência de marketing para jovens em 1994:

> O maior argumento de venda para os anunciantes [é que] estamos obrigando a garotada a assistir a dois minutos de comerciais. O anunciante tem nas mãos um grupo de adolescentes que não pode ir ao banheiro, mudar de estação, ouvir a mãe gritando ao fundo, jogar Nintendo nem usar fones de ouvido.[73]

Whittle vendeu a Channel One alguns anos atrás e está abrindo uma escola particular em Nova York. Sua antiga empresa já não é a potência que foi em certa época. Desde o seu auge no início da década de 2000, a Channel One perdeu cerca de um terço das escolas e muitos dos seus principais anunciantes. Mas conseguiu derrubar o tabu contra comerciais na sala de aula. Hoje, as escolas públicas estão inundadas de publicidade, patrocínios empresariais, *advertizing* e até acordos de direitos de nome.[74]

A presença do comercialismo nas salas de aula não é totalmente nova. Na década de 1920, a fabricante Ivory doava barras às escolas para concursos de escultura em sabão. A inclusão de logotipos de empresas em placares e anúncios nos anuários universitários é uma prática habitual há muito tempo. Mas na década de 1990 assistiu-se a um dramático aumento do envolvimento de empresas nas escolas. As empresas cobriam os professores de vídeos, cartazes e "kits de aprendizado" gratuitos, para melhorar a imagem empresarial e inculcar marcas no espírito das crianças. Consideravam estar distribuindo "materiais educacionais patrocinados". Os alunos podiam aprender nutrição em materiais curriculares fornecidos pelo chocolate Hershey's ou a McDonald's ou então estudar os efeitos de um vazamento de óleo ocorrido no Alasca num vídeo produzido pela Exxon. A Procter & Gamble oferecia um programa ambientalista que explicava por que as fraldas descartáveis são boas para o planeta.[75]

Em 2009, a Scholastic, a maior editora de livros infantis do mundo, distribuiu gratuitamente a 66 mil professores da 4ª série materiais curriculares sobre a indústria de energia. O currículo, intitulado "Estados Unidos da Energia", era financiado pela Fundação Americana do Carvão. Esse plano de aulas patrocinado pela indústria chamava a atenção para os benefícios do carvão, sem mencionar acidentes de mineração, lixo tóxico, gases do efeito estufa ou outros efeitos ambientais. Quando começaram a sair na imprensa críticas generalizadas a um currículo tão parcial, a Scholastic anunciou que reduziria suas publicações com patrocínio empresarial.[76]

Nem todas as bocas-livres com patrocínio empresarial estão voltadas para a promoção de temas ideológicos. Algumas se limitam simplesmente a fazer propaganda da marca. Num dos exemplos mais conhecidos, o fabricante de sopas Campbell distribuiu um kit gratuito com a pretensão de ensinar o método científico. Valendo-se de uma colher sulcada (incluída no kit), os alunos aprendiam a provar que o molho de espaguete Prego, fabricado pela Campbell, era mais espesso do que o da Ragú, marca concorrente. A General Mills enviou aos professores um programa escolar científico sobre os vulcões, intitulado "Jorros de petróleo: maravilhas do planeta". Do kit faziam parte amostras grátis da bala Fruit Gushers, por ela fabricada, com recheio mole que "jorrava" quando mordido. O manual de orientação dos professores sugeria que os alunos mordessem a bala e comparassem o efeito com uma erupção geotérmica. Um kit do fabricante de balas Tootsie Roll mostrava de que maneira os alunos da 3ª série podiam praticar matemática contando Tootsie Rolls. Para um exercício de redação, recomendava que as crianças entrevistassem parentes sobre suas lembranças com as balas da marca.[77]

A onda de publicidade nas escolas reflete o crescente poder aquisitivo das crianças e sua influência cada vez maior nas despesas da família. Em 1983, as empresas americanas gastaram US$ 100 milhões em publicidade voltada para crianças. Em 2005, o gasto foi de US$ 16,8 bilhões. Como as crianças passam a maior parte do dia na escola, os profissionais de marketing trabalham agressivamente para alcançá-las lá mesmo. E a falta de verbas para a educação só contribui para fazer com que as escolas públicas se disponham de bom grado a abrir-lhes os braços.[78]

Em 2001, uma escola pública primária de Nova Jersey tornou-se a primeira do país a vender direitos de nome a um patrocinador empresarial. Em troca de uma doação de US$ 100.000 de um supermercado local, rebatizou seu ginásio com o nome de ShopRite of Brooklawn Center. Viriam em seguida outros acordos que envolviam direitos de nome. Os mais lucrativos eram os dos campos de futebol americano dos colégios, que variavam de US$ 100.000 a US$ 1 milhão. Em 2006, um novo colégio público de Filadélfia apostou alto e publicou uma lista de preços de direitos de nome em oferta: US$ 1 milhão para o pavilhão de artes cênicas, US$ 750.000 para o ginásio, US$ 50.000 para o laboratório de ciências e US$ 5 milhões pelo direito de dar nome à própria instituição. A Microsoft deu US$ 100.000 pelo nome do centro de visitantes do colégio. Algumas oportunidades na área dos direitos de nome são menos dispendiosas. Um colégio de Newburyport, Massachusetts, ofereceu por contrato o direito de dar nome ao gabinete do diretor por US$ 10.000.[79]

Muitos distritos escolares optaram sem rodeios pela publicidade pura e simples, de todas as maneiras possíveis e imagináveis. Em 2011, um distrito do Colorado vendeu espaço publicitário nos boletins escolares. Anos antes, uma escola primária da Flórida lançou boletins com capas que ostentavam anúncios do McDonald's, com direito a um desenho de Ronald McDonald e do logotipo com os arcos dourados. O anúncio, na verdade, integrava um esquema de "incentivo aos boletins" no qual as crianças com notas mais altas ou menos de três faltas ganhavam um lanche gratuito no McDonald's. A grita que então se gerou na comunidade local levou ao cancelamento da promoção.[80]

Em 2011, sete Estados tinham aprovado a publicidade nas laterais de ônibus escolares. Esse tipo de publicidade começou na década de 1990 no Colorado, cujas escolas também foram das primeiras a aceitar publicidade no seu interior. Em Colorado Springs, os corredores das escolas ostentavam anúncios da Mountain Dew e as laterais dos ônibus escolares levavam publicidade da Burger King. Mais recentemente, escolas de Minnesota, Pensilvânia e outros lugares autorizaram os anunciantes a instalar enormes anúncios "supergráficos" em paredes e pisos, bancos de vestiários, envoltórios plásticos de armários e mesas de lanchonete.[81]

A desenfreada comercialização das escolas corrompe de duas maneiras. Em primeiro lugar, a maior parte do material curricular com patrocínio empresarial está cheio de distorções, tendenciosidade e superficialismo. Um estudo feito pela Consumers Union constatou, como se poderia esperar, que cerca de 80% dos materiais educacionais patrocinados revelam-se tendenciosos em relação ao produto ou ponto de vista do patrocinador. Mas, ainda que os patrocinadores empresariais fornecessem ferramentas de ensino objetivas e de impecável qualidade, a publicidade comercial continuaria sendo uma presença perniciosa na sala de aula, pois vai de encontro ao objetivo das escolas. A publicidade estimula as pessoas a querer coisas e a satisfazer seus desejos. A educação as estimula a refletir criticamente sobre seus desejos para contê-los ou aprimorá-los. O objetivo da publicidade é recrutar consumidores; o objetivo das escolas é cultivar cidadãos.[82]

Não é fácil ensinar aos alunos como ser cidadãos, capazes de pensar criticamente sobre o mundo ao seu redor, quando um esforço tão grande é despendido para treinar as crianças para uma sociedade de consumo. Numa época em que muitas crianças vão à escola como verdadeiros anúncios ambulantes de logotipos, etiquetas e roupas de grife, tanto mais difícil — e tanto mais importante — se torna que as escolas estabeleçam uma certa distância em relação a uma cultura popular impregnada da ótica do consumismo.

Mas a publicidade é avessa à distância. Ela confunde as fronteiras e transforma qualquer ambiente num ponto de venda. "Descubra suas oportunidades de rendimento nos portões da escola!", proclamava um panfleto que promovia uma conferência de marketing para anunciantes em escolas. "Sejam crianças que aprendem a ler ou adolescentes que compram o primeiro carro, garantimos a introdução do seu produto e da sua empresa a esses estudantes, no contexto tradicional da sala de aula!"[83]

No momento em que os marqueteiros invadem as escolas, os estabelecimentos de ensino, em dificuldades financeiras, tentando recuperar-se da recessão, do aumento do imposto predial, dos cortes orçamentários e da perda de um número cada vez maior de alunos, não parecem ter opção senão aceitá-los. Mas a responsabilidade não está tanto nas escolas, e sim nas mãos dos cidadãos. Em vez de aumentar as verbas públicas de que precisamos para educar nossos filhos, preferimos vender seu tempo e alugar suas mentes à Burger King e à Mountain Dew.

Camarotização

O comercialismo não destrói tudo que toca. Um hidrante com o logotipo da KFC serve de qualquer maneira para apagar chamas com a água. Um vagão do metrô embrulhado num plástico coberto com o anúncio de um filme de Hollywood será capaz de qualquer maneira de fazê-lo chegar em casa para jantar. As crianças podem aprender aritmética contando Tootsie Rolls. Os torcedores continuam torcendo por seu time no Bank of America Stadium, no AT&T Park e no Lincoln Financial Field, embora poucos de nós sejamos capazes de saber quais os times que consideram esses estádios como sua casa.

Entretanto, a afixação de logotipos corporativos nas coisas muda o seu significado. Os mercados deixam sua marca. O *merchandising* compromete a integridade dos livros e corrompe a relação do autor com o leitor. Os anúncios tatuados no corpo humano coisificam e degradam as pessoas remuneradas para ostentá-los. Os comerciais na sala de aula minam o objetivo educacional das escolas.

Reconheço que são avaliações contestáveis. Existem discordâncias quanto ao significado de livros, corpos e escolas, e o modo de valorá-los. Na verdade, discordamos a respeito das normas adequadas a muitos dos terrenos invadidos pelo mercado: vida familiar, amizade, sexo, procriação, saúde, educação, natureza, arte, cidadania, esportes e a maneira como encaramos a perspectiva da morte. Mas é precisamente a minha tese: tendo constatado que o mercado e o comércio alteram o caráter dos bens, precisamos nos perguntar qual o lugar do mercado e onde é que ele não deve estar. E não podemos responder a essa pergunta sem examinar o significado e o objetivo dos bens, assim como os valores que devem governá-los.

Essa ponderação inevitavelmente afeta concepções conflitantes do que é certo e desejável. É um terreno em que às vezes tememos nos aventurar. Por medo da polêmica, hesitamos em expor publicamente nossas convicções morais e espirituais. Mas o fato de recuarmos diante dessas questões não as deixa num estado de indeterminação. Significa simplesmente que o mercado decidirá por nós a respeito. É a lição que pudemos aprender nas três últimas décadas. A era do triunfalismo de mercado coincidiu com uma época em que o discurso público se esvaziou consideravelmente de qualquer substância moral e espiritual. Nossa única esperança de manter o mercado em seu devido lugar é discutir aberta e publicamente o significado dos bens e das práticas sociais que valorizamos.

Além de debater o significado deste ou daquele bem, também precisamos fazer uma pergunta de caráter mais genérico sobre o tipo de sociedade em que desejamos viver. À medida que os direitos de nome e o marketing municipal apropriam-se do mundo comum, o seu caráter público vai encolhendo. Além dos danos que causa a bens específicos, o comercialismo corrói o comunitarismo. Quanto maior o número de coisas que o dinheiro compra, menor o número de oportunidades para que as pessoas de diferentes estratos sociais se encontrem. É o que podemos ver quando vamos a um jogo de beisebol e contemplamos os camarotes especiais ou, em situação inversa, observamos o resto do estádio a partir deles. O desaparecimento do convívio entre classes outrora vivenciado nos estádios representa uma perda não só para os que olham de baixo para cima, mas também para os que olham de cima para baixo.

Algo semelhante vem acontecendo na sociedade como um todo. Numa época de crescente desigualdade, a marquetização de tudo significa que as pessoas abastadas e as de poucos recursos levam vidas cada vez mais separadas. Vivemos, trabalhamos, compramos e nos distraímos em lugares diferentes. Nossos filhos vão a escolas diferentes. Estamos falando de uma espécie de camarotização da vida americana. Não é bom para a democracia e nem sequer é uma maneira satisfatória de levar a vida.

Democracia não quer dizer igualdade perfeita, mas de fato exige que os cidadãos compartilhem uma vida comum. O importante é que pessoas de contextos e posições sociais diferentes encontrem-se e convivam na vida cotidiana, pois é assim que aprendemos a negociar e respeitar as diferenças ao cuidar do bem comum.

E assim, no fim das contas, a questão do mercado significa na verdade tentar descobrir como queremos viver juntos. Queremos uma sociedade onde tudo esteja à venda? Ou será que existem certos bens morais e cívicos que não são honrados pelo mercado e que o dinheiro não compra?

Notas

Introdução: O mercado e a moral

1. Jennifer Steinhauer, "For $82 a Day, Booking a Cell in a 5-Star Jail", *The New York Times*, 29/4/2007.
2. Daniel Machalaba, "Paying for VIP Treatment in a Traffic Jam: More Cities Give Drivers Access to Express Lanes-for a Fee", *Wall Street Journal*, 21/6/2007.
3. Sam Dolnick, "World Outsources Pregnancies to India", *USA Today*, 31/12/2007; Amelia Gentleman. "India Nurtures Business of Surrogate Motherhood", *New York Times*, 10/3/2008.
4. Eliot Brown, "Help Fund a Project, and Get a Green Card", *Wall Street Journal*, 2/2/2011; Sumathi Reddy, "Program Gives Investors Chance at Visa", *Wall Street Journal*, 7/6/2011.
5. Brendan Borrell, "Saving the Rhino Through Sacrifice", *Bloomberg Businessweek*, 9/12/2010.
6. Tom Murphy, "Patients Paying for Extra Time with Doctor: 'Concierge' Practices, Growing in Popularity, Raise Access Concerns", *Washington Post*, 24/1/2010; Paul Sullivan, "Putting Your Doctor, or a Whole Team of Them, on Retainer", *New York Times*, 30/4/2011.
7. O preço atual em euros pode ser encontrado em <www.pointcarbon.com>.
8. Daniel Golden, "At Many Colleges, the Rich Kids Get Affirmative Action: Verking Donors, Duke Courts 'Development Admits'", *Wall Street Journal*, 20/2/2003.
9. Andrew Adam Newman, "The Body as Billboard: Your Ad Here", *New York Times*, 18/2/2009.
10. Carl Elliott, "Guinea-Pigging", *New Yorker*, 7/1/2008.
11. Matthew Quirk, "Private Military Contractors: A Buyer's Guide", *Atlantic*, set./2004, p. 39, citando P.W. Singer; Mark Hemingway, "Warriors for Hire", *Weekly Standard*, 18/12/2006; Jeffrey Gettleman, Mark Massetti e Eric Schmitt, "U.S. Relies on Contractors in Somalia Conflict", *New York Times*, 10/8/2011.

12. Sarah O'Connor, "Packed Agenda Proves Boon for Army Standing in Line", *Financial Times*, 13/10/2009; Lisa Lerer, "Waiting for Good Dough", *Politico*, 26/7/2007; Tara Palmeri, "Homeless Stand in for Lobbyists on Capitol Hill", CNN. Disponível em: <http://edition.cnn.com/2009/POLITICS/07/13/line.standers/>.
13. Amanda Ripley, "Is Cash the Answer?", *Time*, 19/4/2010, pp. 44,45.
14. Num dos estudos sobre perda de peso, os participantes ganharam em média US$ 378,49 pela perda de seis quilos em 16 semanas. Ver Kevin G. Volpp, "Paying People to Lose Weight and Stop Smoking", *Issue Brief*, Leonard Davis Institute of Health Economics, University of Pennsylvania, v. 14, fev./ 2009; K.G. Volpp *et al.*, "Financial Incentive-Based Approaches for Weight Loss", *JAMA* 300 (10/12/2008): 2631-37.
15. Sophia Grene, "Securitising Life Policies Has Dangers", *Financial Times*, 2/8/2010; Mark Maremont e Leslie Scism, "Odds Skew Against Investors in Bets on Strangers' Lives", *Wall Street Journal*, 21/12/2010.
16. T. Christian Miller, "Contractors Outnumber Troops in Iraq", *Los Angeles Times*, 4/7/2007; James Glanz, "Contractors Outnumber U.S. Troops in Afghanistan", *New York Times*, 2/9/2009.
17. "Policing for Profit: Welcome to the New World of Private Security", *Economist*, 19/4/1997.
18. Baseio-me aqui no esclarecedor relato de Elizabeth Anderson, in: *Value in Ethics and Economics*, Cambridge, Harvard University Press, 1993.
19. Edmund L. Andrews, "Greenspan Concedes Error on Regulation" *New York Times*, 24/10/2008.
20. "What Went Wrong with Economics", *The Economist*, 16/7/2009.
21. Frank Newport, "Americans Blame Government More Than Wall Street for Economy", Pesquisa Gallup, 19/10/2011. Disponível em: <www.gallup.com/poll/150191/Americans-Blame-Gov-Wall-Street-Economy.aspx>.
22. William Douglas, "Occupy Wall Street Shares Roots with Tea Party Protesters — but Different Goals", *Miami Herald*, 19/10/2011; David S. Meyer, "What Occupy Wall Street Learned from the Tea Party", *Washington Post*, 7/10/2011; Dunstan Prial, "Occupy Wall Street, Tea Party Movements Both Born of Bank Bailouts", Fox Business, 10/10/2011. Disponível em: <www.foxbusiness.com/markets/2011/10/19/occupy-wall-street-tea-party-born-bank-bailouts>.

1. Furando a fila

1. Cristopher Caldwell, "First-Class Privilege", *New York Times Magazine*, 11/5/2008, pp. 9,10.

2. A Premier Line da United Airlines é apresentada em <https://store.united.com/traveloptions/control/category?category_id=UM_PMRLINE&navSource=Travel+Options+Main+Menu&linkTitle=UM_PMRLINE>; David Millward, "Luton Airport Charges to Jump Security Queue", Telegraph, 26/3/2009. Disponível em: <www.london-luton.co.uk/en/prioritylane>.
3. Caldwell, "First-Class Privilege".
4. Ramin Setoodeh, "Step Right Up! Amusement-Park Visitors Pay Premium to Avoid Long Lines", *Wall Street Journal*, 12/7/2004, p. B1; Chris Mohney, "Changing Lines: Paying to Skip the Queues at Theme Parks", *Slate*, 3/7/2002; Steve Rushin, "The Waiting Game", *Time*, 10/9/2007, p. 88; Harry Wallop, "£350 to Queue Jump at a Theme Park", *Telegraph*, 13/2/2011. A citação é de Mohney, "Changing Lines".
5. Setoodeh, "Step Right Up!"; Mohney, "Changing Lines"; <www.universalstudioshollywood.com/ticket_front_of_line.html>.
6. <www.esbnyc.com/observatory_visitors_tips.asp>; <https://ticketing.esbnyc.com/Webstore/Content.aspx?Kind=LandingPage>.
7. <www.hbo.com/curb-your-enthusiasm/episodes/index.html#1/curb-your-enthusiasm/episodes/4/36-the-car-pool-lane/synopsis.html>.
8. Timothy Egan, "Paying on the Highway to Get Out of First Gear", *New York Times*, 28/4/2005, p. A1; Larry Copeland, "Solo in the Car-pool Lane?", *USA Today*, 9/5/2005, p. 3A; Daniel Machalaba, "Paying for VIP Treatment in a Traffic Jam", *Wall Street Journal*, 21/6/2007, p. 1; Larry Lane, "'HOT' Lanes Wide Open to Solo Drivers-For a Price", *Seattle Post-Intelligencer*, 3/4/2008, p. A1; Michael Cabanatuan, "Bay Area's First Express Lane to Open on 1-680", *San Francisco Chronicle*, 13/9/2010.
9. Joe Dziemianowicz, "Shakedown in the Park: Putting a Price on Free Shakespeare Tickets Sparks an Ugly Drama", *Daily News*, 9/6/2010, p. 39.
10. Ibid.; Glenn Blain, "Attorney General Andrew Cuomo Cracks Down on Scalping of Shakespeare in the Park Tickets", *Daily News*, 11/6/2010; "Still Acting Like Attorney General, Cuomo Goes After Shakespeare Scalpers", *Wall Street Journal*, 11/6/2010.
11. Brian Montopoli, "The Queue Crew", *Legal Affairs*, jan.-fev./2004; Libby Copeland, "The Line Starts Here", *Washington Post*, 2/3/2005; Lisa Lerer, "Waiting for Good Dough", *Politico*, 26/7/2007; Tara Palmeri, "Homeless Stand in for Lobbyists on Capitol Hill", CNN. Disponível em: <http://edition.cnn.com/2009/POLITICS/07/13/line.standers>.
12. Sam Hananel, "Lawmaker Wants to Ban Hill Line Standers", *Washington Post*, 17/10/2007; Mike Mills, "It Pays to Wait: On the Hill, Entrepreneurs Take Profitable Queue from Lobbyists", *Washington Post*, 24/5/1995; "Hustling Congress", *Washington Post*, 29/5/1995. O senador McCaskill é citado in Sarah

O'Connor, "Packed Agenda Proves Boon for Army Standing in Line", *Financial Times*, 13/10/2009.

13. Robyn Hagan Cain, "Need a Seat at Supreme Court Oral Arguments? Hire a Line Stander", FindLaw, 2/9/2011. Disponível em: <http://blogs.findlaw.com/supreme_court/2011/09/need-a-seat-at-supreme-court-oral-arguments-hire-a-line-stander.html>; <www.qmsdc.com/linestanding.html>.
14. <www.linestanding.com>. Declaração de Mark Gross em <http://qmsdc.com/Response%20to%20S-2177.htm>.
15. Gomes, citado in Palmeri, "Homeless Stand in for Lobbyists on Capitol Hill".
16. Ibid.
17. David Pierson, "In China, Shift to Privatized Healthcare Brings Long Lines and Frustration", *Los Angeles Times*, 11/2/2010; Evan Osnos, "In China, Health Care Is Scalpers, Lines, Debt", *Chicago Tribune*, 28/9/2005; "China Focus: Private Hospitals Shoulder Hopes of Revamping China's Ailing Medical System", agência de notícias Xinhua, 11/3/2010. Disponível em: <www.istockanalyst.com/article/viewiStockNews/articleid/3938009>.
18. Yang Wanli, "Scalpers Sell Appointments for 3,000 Yuan", *China Daily*, 24/12/2009. Disponível em: <www.chinadaily.com.cn/bizchina/2009-12/24/content_9224785.htm>; Pierson, "In China, Shift to Privatized Healthcare Brings Long Lines and Frustration".
19. Osnos, "In China, Health Care Is Scalpers, Lines, Debt".
20. Murphy, "Patients Paying for Extra Time with Doctor"; Abigail Zuger, "For a Retainer, Lavish Care by 'Boutique Doctors'", *New York Times*, 30/10/2005.
21. Paul Sullivan, "Putting Your Doctor, or a Whole Team of Them, on Retainer", *New York Times*, 30/4/2011, p. 6; Kevin Sack, "Despite Recession, Personalized Health Care Remains in Demand", *New York Times*, 11/5/2009.
22. Sack, "Despite Recession, Personalized Health Care Remains in Demand".
23. <www.md2.com/md2-vip-medical.php>.
24. <www.md2.com/md2-vip-medical.php?qsx=21>.
25. Samantha Marshall, "Concierge Medicine", *Town & Country*, jan./2011.
26. Sullivan, "Putting Your Doctor, or a Whole Team of Them, on Retainer"; Drew Lindsay, "I Want to Talk to My Doctor", *Washingtonian*, fev./2010, pp. 27-33.
27. Zuger, "For a Retainer, Lavish Care by 'Boutique Doctors'".
28. Lindsay, "I Want to Talk to My Doctor"; Murphy, "Patients Paying for Extra Time with Doctor"; Zuger, "For a Retainer, Lavish Care by 'Boutique Doctors'"; Sack, "Despite Recession, Personalized Health Care Remains in Demand".
29. Constatou-se em estudo recente que em Massachusetts a maioria dos médicos de família e de medicina interna não aceitava novos pacientes. Ver Robert Pear, "U.S. Plans Stealth Survey on Access to Doctors", *New York Times*, 26/6/2011.

30. N. Gregory Mankiw, *Principles of Microeconomics*. 5ª ed. Mason, South-Western Cengage Learning, 2009, pp. 147, 149, 151.
31. N. Gregory Mankiw, *Principles of Microeconomics*. 1ª ed. Mason: South-Western Cengage Learning, 1998, p. 148.
32. Blain, "Attorney General Cuomo Cracks Down on Scalping of Shakespeare in the Park Tickets".
33. Richard H. Thaler, economista, citado in: John Tierney, "Tickets? Supply Meets Demand on Sidewalk", *New York Times*, 26/12/1992.
34. Marjie Lundstrom, "Scalpers Flipping Yosemite Reservations", *Sacramento Bee*, 18/4/2011.
35. "Scalpers Strike Yosemite Park: Is Nothing Sacred?", editorial, *Sacramento Bee*, 19/4/2011.
36. Suzanne Sataline, "In First U.S. Visit, Pope Benedict Has Mass Appeal: Catholic Church Tries to Deter Ticket Scalping", *Wall Street Journal*, 16/4/2008.
37. John Seabrook, "The Price of the Ticket", *New Yorker*, 10/8/2009. O valor de US$ 4 milhões foi extraído de Marie Connolly e Alan R. Krueger, "Rockonomics: The Economics of Popular Music", mar./2005. Disponível em: <www.krueger.princeton.edu/working_papers.html>.
38. Seabrook, "The Price of the Ticket".
39. Andrew Bibby, "Big Spenders Jump the Queue", *Mail on Sunday* (Londres), 13/3/2006; Steve Huettel, "Delta Thinks of Charging More for American Voice on the Phone", *St. Petersburg Times*, 28/7/2004; Gersh Kuntzman, "Delta Nixes Special Fee for Tickets", *New York Post*, 29/7/2004.

2. Incentivos

1. Michelle Cottle, "Say Yes to Crack", *New Republic*, 23/8/1999; William Lee Adams, "Why Drug Addicts Are Getting Sterilized for Cash", *Time*, 17/4/2010. O número de viciados e alcoólatras (mulheres e homens) que receberam do Project Prevention pagamento pela esterilização ou por programas de contracepção de longo prazo, em agosto de 2011, era de 3,848, segundo <http://projectprevention.org/statistics>.
2. Pam Belluck, "Cash for Sterilization Plan Draws Addicts and Critics", *New York Times*, 24/7/1999; Adams, "Why Drug Addicts Are Getting Sterilized for Cash"; Cottle, "Say Yes to Crack".
3. Adams, "Why Drug Addicts Are Getting Sterilized for Cash"; Jon Swaine, "Drug Addict Sterilized for Cash", *Telegraph*, 19/10/2010; Jane Beresford, "Should Drug Addicts Be Paid to Get Sterilized?", *BBC News Magazine*, 8/2/2010. Disponível em: <http://news.bbc.co.uk/2/hi/uk_news/magazine/8500285.stm>.

4. Deborah Orr, "Project Prevention Puts the Price of a Vasectomy — and for Forfeiting a Future — at £200", *Guardian*, 21/10/2010; Andrew M. Brown, "Paying Drug Addicts to be Sterilised Is Utterly Wrong", *Telegraph*, 19/10/2010; Michael Seamark, "The American Woman Who Wants to 'Bribe' UK Heroin Users with £200 to Have Vasectomies", *Daily Mail*, 22/10/2010; Anso Thom, "HIV Sterilisation Shock: Health Ministry Slams Contraception Idea", *Daily News* (África do Sul), 13/4/2011; "Outrage over 'Cash for Contraception' Offer to HIV Positive Women", *Africa News*, 12/5/2011.
5. Adams, "Why Drug Addicts Are Getting Sterilized for Cash".
6. Gary S. Becker, *The Economic Approach to Human Behavior*, Chicago, University of Chicago Press, 1976, pp. 3,4.
7. Ibid., pp. 5-8.
8. Ibid., pp. 7,8.
9. Ibid., p. 10. Grifos no original.
10. Ibid., pp. 12,13.
11. Amanda Ripley, "Should Kids Be Bribed to Do Well in School?", *Time*, 19/4/2010.
12. Os resultados do estudo de Fryer são resumidos ibid. Para os resultados completos, ver Roland G. Fryer Jr., "Financial Incentives and Student Achievement: Evidence from Randomized Trials", *Quarterly Journal of Economics,* 126, nov./1011): 1755-98. Disponível em: <www.economics.harvard.edu/faculty/fryer/papers_fryer>.
13. Fryer, "Financial Incentives and Student Achievement"; Jennifer Medina, "Next Question: Can Students Be Paid to Excel?", *New York Times*, 5/3/2008.
14. Fryer, "Financial Incentives and Student Achievement"; Bill Turque, "D.C. Students Respond to Cash Awards, Harvard Study Shows", *Washington Post*, 10/4/2010.
15. Fryer, "Financial Incentives and Student Achievement".
16. Ibid.
17. Ibid.
18. Michael S. Holstead; Terry E. Spradlin; Margaret E. McGillivray e Nathan Burroughs, "The Impact of Advanced Placement Incentive Programs", Indiana University, Center for Evaluation & Education Policy, Education Policy Brief, v. 8, inverno/2010; Scott J. Cech, "Tying Cash Awards to AP-Exam Scores Seen as Paying Off", *Education Week*, 16/1/2008; C. Kirabo Jackson, "A Little Now for a Lot Later: A Look at a Texas Advanced Placement Incentive Program", *Journal of Human Resources* 45 (2010). Disponível em: <http://works.bepress.com/c_kirabo.jackson/1/>.
19. "Should the Best Teachers Get More Than an Apple?", *Governing Magazine*, ago./2009; National Incentive-Pay Initiatives, National Center on Performance Incentives, Vanderbilt University. Disponível em: <www.performanceincentives.org/news/detail.aspx?pageaction=ViewSinglePublic&LinkID=46&ModuleID=2

8&NEWSPID=1>; Matthew G. Springer *et al.*, "Teacher Pay for Performance," National Center on Performance Incentives, 21/9/2010. Disponível em: <www.performanceincentives.org/news/detail.aspx?pageaction=ViewSinglePublic&LinkID=561&ModuleID=48&NEWSPID=1≥; Nick Anderson, "Study Undercuts Teacher Bonuses", Washington Post, 22/9/2010.

20. Sam Dillon, "Incentives for Advanced Work Let Pupils and Teachers Cash In", *New York Times*, 3/10/2011.
21. Jackson, "A Little Now for a Lot Later".
22. Ibid.
23. Pam Belluck, "For Forgetful, Cash Helps the Medicine Go Down", *New York Times*, 13/6/2010.
24. Ibid.; Theresa Marteau, Richard Ashcroft e Adam Oliver, "Using Financial Incentives to Achieve Healthy Behavior", *British Medical Journal* 338 (25/4/2009): 983-85; Libby Brooks, "A Nudge Too Far", *Guardian*, 15/10/2009; Michelle Roberts, "Psychiatric Jabs for Cash Tested", BBC News, 6/10/2010; Daniel Martin, "HMV Voucher Bribe for Teenage Girls to Have Cervical Jabs", *Daily Mail* (Londres), 26/10/2010.
25. Jordan Lite, "Money over Matter: Can Cash Incentives Keep People Healthy?", *Scientific American*, 21/3/2011; Kevin G. Volpp *et al.*, "A Randomized, Controlled Trial of Financial Incentives for Smoking Cessation", *New England Journal of Medicine*, 360 (12/2/2009); Brendan Borrell, "The Fairness of Health Insurance Incentives", *Los Angeles Times*, 3/1/2011; Robert Langreth, "Healthy Bribes", *Forbes*, 24/8/2009; Julian Mincer, "Get Healthy or Else...", *Wall Street Journal*, 16/5/2010.
26. <www.nbc.com/the-biggest-loser>.
27. K.G. Volpp *et al.*, "Financial Incentive-Based Approaches for Weight Loss", *JAMA* 300 (10/12/2008): 2631-37; Liz Hollis, "A Pound for a Pound", *Prospect*, ago./2010.
28. Victoria Fletcher, "Disgust over NHS Bribes to Lose Weight and Cut Smoking", *Express* (Londres), 27/9/2010; Sarah-Kate Templeton, "Anger Over NHS Plan to Give Addicts iPods", *Sunday Times* (Londres), 22/7/2007; Tom Sutcliffe, "Should I Be Bribed to Stay Healthy?", *Independent* (Londres), 28/9/2010; "MP Raps NHS Diet-for-Cash Scheme", BBC News, 15/1/2009; Miriam Stoppard, "Why We Should Never Pay for People to Be Healthy!", *Mirror* (Londres), 11/10/2010.
29. Harald Schmidt, Kristin Voigt e Daniel Wikler, "Carrots, Sticks, and Health Care Reform-Problems with Wellness Incentives", *New England Journal of Medicine*, 362 (14/1/2010); Harald Schmidt, "Wellness Incentives Are Key but May Unfairly Shift Healthcare Costs to Employees", *Los Angeles Times*, 3/1/2011; Julie Kosterlitz, "Better Get Fit-Or Else!", *National Journal*, 26/9/2009; Rebecca Vesely, "Wellness Incentives Under Fire", *Modern Healthcare*, 16/11/ 2009.

30. Para uma discussão sobre a objeção ao suborno em relação a outras objeções, ver Richard E. Ashcroft, "Personal Financial Incentives in Health Promotion: Where Do They Fit in an Ethic of Autonomy?", *Health Expectations*, 14 (jun./2011): 191-200.
31. V. Paul-Ebhohimhen e A. Avenell, "Systematic Review of the Use of Financial Incentives in Treatments for Obesity and Overweight", *Obesity Reviews*, 9 (jul./2008): 355-67; Lite, "Money over Matter"; Volpp, "A Randomized, Controlled Trial of Financial Incentives for Smoking Cessation"; Marteau, "Using Financial Incentives to Achieve Healthy Behaviour".
32. Gary S. Becker, "Why Not Let Immigrants Pay for Speedy Entry", in: Gary S. Becker e Guity Nashat Becker (Ed.), *The Economics of Life*, Nova York, McGraw Hill, 1997, pp. 58-60, publicado originalmente in: *BusinessWeek*, 2/3/1987; Gary S. Becker, "Sell the Right to Immigrate", Becker-Posner Blog, 21/2/2005. Disponível em: <www.becker-posner-blog.com/2005/02/sell-the-right-to-immigrate-becker.html>.
33. Julian L. Simon, "Auction the Right to Be an Immigrant", *New York Times*, 28/1/1986.
34. Sumathi Reddy e Joseph de Avila, "Program Gives Investors Chance at Visa", *Wall Street Journal*, 7/6/2011; Eliot Brown, "Help Fund a Project, and Get a Green Card", *Wall Street Journal*, 2/2/2011; Nick Timiraos, "Foreigners' Sweetener: Buy House, Get a Visa", *Wall Street Journal*, 20/10/2011.
35. Becker, "Sell the Right to Immigrate".
36. Peter H. Schuck, "Share the Refugees", *New York Times*, 13/8/1994; Peter H. Schuck, "Refugee Burden-Sharing: A Modest Proposal", *Yale Journal of International Law*, 22 (1997): 243-97.
37. Uri Gneezy e Aldo Rustichini, "A Fine Is a Price", *Journal of Legal Studies*, 29 (jan./2000): 1-17.
38. Peter Ford, "Egalitarian Finland Most Competitive, Too", *Christian Science Monitor*, 26/10/2005; "Finn's Speed Fine Is a Bit Rich", BBC News, 10/2/2004. Disponível em: <http://news.bbc.co.uk/2/hi/business/3472785.stm>; "Nokia Boss Gets Record Speeding Fine", BBC News, 14/1/2002. Disponível em: <http://news.bbc.co.uk/2/hi/europe/1759791.stm>.
39. Sandra Chereb, "Pedal-to-Metal Will Fill Nevada Budget Woes?", Associated Press State and Local Wire, 4/9/2010; Rex Roy, "Pay to Speed in Nevada", AOL, 2/10/2010. Disponível em: <http://autos.aol.com/article/pay-to-speed-nevada/>.
40. Henry Chu, "Paris Metro's Cheaters Say Solidarity Is the Ticket", *Los Angeles Times*, 22/6/ 2010.
41. Malcolm Moore, "China's One-Child Policy Undermined by the Rich", *Telegraph* (Londres), 15/6/2009; Michael Bristow, "Grey Areas in China's One-Child

Policy", BBC News, 21/9/2007. Disponível em: <http://news.bbc.co.uk/2/hi/asia-pacific/700220l.stm>; Clifford Coonan, "China Eases Rules on One Child Policy", *Independent* (Londres), 1/4/2011; Zhang Ming'ai, "Heavy Fines for Violators of One-Child Policy", china.org.cn, 18/9/2007. Disponível em: <www.china.org.cn/english/government/224913.htm>.

42. "Beijing to Fine Celebrities Who Break 'One Child' Rule", agência de notícias Xinhua, 20/1/ 2008. Disponível em: <http://english.sina.com/china/l/2008/0120/142656.html>; Melinda Liu, "China's One Child Left Behind", *Newsweek*, 19/1/ 2008; Moore, "China's One-Child Policy Undermined by the Rich".

43. Kenneth E. Boulding, *The Meaning of the Twentieth Century*, Nova York, Harper, 1964, pp. 135,36.

44. David de la Croix e Axel Gosseries, "Procreation, Migration, and Tradable Quotas", CORE Discussion Paper nº. 2006/98, nov./2006. Disponível em: SSRN, <http://ssrn.com/abstract=970294>.

45. Michael J. Sandel, "It's Immoral to Buy the Right to Pollute", *New York Times*, 15/12/ 1997.

46. Cartas ao editor de Sanford E. Gaines, Michael Leifman, Eric S. Maskin, Steven Shavell, Robert N. Stavins, "Emissions Trading Will Lead to Less Pollution", *New York Times*, 17/12/ 1997. Várias dessas cartas, juntamente com o artigo original, são reproduzidas in: Robert N. Stavins (Ed.), *Economics of the Environment: Selected Readings*, 5ª ed., Nova York, Norton, 2005, pp. 355-58. Ver também Mark Sagoff, "Controlling Global Climate: The Debate over Pollution Trading", *Report from the Institute for Philosophy & Public Policy* 19, nº 1 (inverno/1999).

47. Uma palavra em minha defesa. O artigo original não afirmava que a emissão de dióxido de carbono é condenável em si mesma, embora a manchete provocadora "É imoral comprar o direito de poluir" (escolhida pelo editor, e não por mim) possa ter estimulado essa interpretação. O fato de muitas pessoas terem feito essa leitura é motivo suficiente para esclarecer minha objeção. Sou grato a Peter Cannavo e Joshua Cohen pelo debate sobre a questão. Também quero aqui registrar meu reconhecimento a Jeffrey Skopek, na época aluno da Faculdade de Direito de Harvard, que escreveu uma esclarecedora dissertação a respeito para o meu seminário.

48. Paul Krugman, "Green Economics", *New York Times Magazine*, 11/4/ 2010.

49. Ver Richard B. Stewart, "Controlling Environmental Risks Through Economic Incentives", *Columbia Journal of Environmental Law* 13 (1988): 153-69; Bruce A. Ackerman e Richard B. Stewart, "Reforming Environmental Law", *Stanford Law Review* 37 (1985); Bruce A. Ackerman e Richard B. Stewart, "Reforming Environmental Law: The Democratic Case for Market Incentives", *Columbia Journal of Environmental Law* 13 (1988): 171-99; Lisa Heinzerling, "Selling

Pollution, Forcing Democracy", *Stanford Environmental Law Journal* 14 (1995): 300-44. Ver Stavins, *Economics of the Environment*.

50. John M. Broder, "From a Theory to a Consensus on Emissions", *New York Times*, 17/5/2009; Krugman, "Green Economics".
51. Broder, "From a Theory to a Consensus on Emissions". Para uma avaliação crítica da abordagem de tipo limitar-e-negociar na questão das emissões de enxofre, ver James Hansen, "Cap and Fade", *New York Times*, 7/12/ 2009.
52. Ver o site da BP, <www.bp.com/sectionbodycopy.do?categoryId=9080&contentId=7058126>; a estimativa anual de £ 20 encontra-se em <www.bp.com/sectiongenericarticle.do?categoryId=9032616&contentId=7038962>; sobre os projetos de compensação pelas emissões de carbono da British Airways, ver <www.britishairways.com/travel/csr-projects/public/en_gb>.
53. Jeffrey M. Skopek, aluno do meu seminário na Faculdade de Direito de Harvard, desenvolve muito bem essa crítica das compensações pelas emissões de carbono in: "Note: Uncommon Goods: On Environmental Virtues and Voluntary Carbon Offsets", *Harvard Law Review* 123, nº 8 (jun./2010): 2065-87.
54. Para uma defesa das compensações pelas emissões de carbono por parte de um economista ponderado, ver Robert M. Frank, "Carbon Offsets: A Small Price to Pay for Efficiency", *New York Times*, 31/5/ 2009.
55. Brendan Borrell, "Saving the Rhino Through Sacrifice", *Bloomberg Businessweek*, 9/12/ 2010.
56. Ibid.
57. C.J. Chivers, "A Big Game", *New York Times Magazine*, 25/8/ 2002.
58. Ibid.
59. Paul A. Samuelson. *Economics: An Introductory Analysis*. 4ª ed., Nova York, McGraw-Hill, 1958, pp. 6,7.
60. N. Gregory Mankiw. *Principles of Economics*. 3ª ed., Mason, Thomson South-Western, 2004, p. 4.
61. Steven D. Levitt e Stephen J. Dubner. *Freakonomics: A Rogue Economist Explores the Hidden Side of Everything*, ed. revista e ampliada, Nova York, William Morrow, 2006, p. 16.
62. Para uma esclarecedora discussão do conceito de incentivos e sua história, ver Ruth W. Grant, "Ethics and Incentives: A Political Approach", *American Political Science Review* 100 (fev./2006): 29-39.
63. Google Books Ngram Viewer. Disponível em: <http://ngrams.googlelabs.com/graph?content=incentives&year_start=1940&year_end=2008&corpus=0&smoothing=3. Acessado em 9/9/ 2011.
64. Levitt e Dubner, *Freakonomics*, p. 16.
65. Ibid., p. 17.

66. Google Books Ngram Viewer. Disponível em: <http://ngrams.googlelabs.com/graph?content=incentivize&year_start=1990&year_end=2008&008corpus=0&smoothing=3>. Acesso em: 9/9/2011.
67. Pesquisa LexisNexis em grandes jornais, por década, pelos termos "*incentivize*" ou "*incentivise*". Acessado em 9/9/ 2011.
68. Dados compilados do American Presidency Project, University of California, Santa Barbara, arquivo Public Papers of the Presidents. Disponível em: <www.presidency.ucsb.edu/ws/index.php#1TLVOyrZt>.
69. Discurso do primeiro-ministro no World Economic Forum, Davos, 28/1/2011. Disponível em: <www.numberl0.gov.uk/news/prime-ministers-speech-at-the-world-economic-forum/>; Cameron citado após revoltas londrinas in: John F. Burns e Alan Cowell, "After Riots, British Leaders Offer Divergent Proposals", *New York Times*, 16/8/ 2011.
70. Levitt em Dubner, *Freakonomics*, pp. 190, 46, 11.
71. Mankiw, *Principles of Economics*, 3ª ed., p. 148.
72. Para uma discussão mais ampla dessa objeção ao utilitarismo, ver Michael J. Sandel. *Justice: What's the Right Thing to Do?*, Nova York, Farrar, Straus and Giroux, 2009, pp. 41-48, 52-56.

3. Como o mercado descarta a moral

1. Daniel E. Slotnik, "Too Few Friends? A Web Site Lets You Buy Some (and They're Hot)", *New York Times*, 26/2/2007.
2. Heathcliff Rothman, "I'd Really Like to Thank My Pal at the Auction House", *New York Times*, 12/2/ 2006.
3. Richard A. Posner, "The Regulation of the Market in Adoptions", *Boston University Law Review* 67 (1987): 59-72; Elizabeth M. Landes e Richard A. Posner, "The Economics of the Baby Shortage", *Journal of Legal Studies* 7 (1978): 323-48.
4. Elisabeth Rosenthal. "For a Fee, This Chinese Firm Will Beg Pardon for Anyone", *New York Times*, 3/1/ 2001.
5. Rachel Emma Silverman, "Here's to My Friends, the Happy Couple, a Speech I Bought: Best Men of Few Words Get Them on the Internet to Toast Bride and Groom", *Wall Street Journal*, 19/6/2002; Eilene Zimmerman, "A Toast from Your Heart, Written by Someone Else", *Christian Science Monitor*, 31/5/2002.
6. <www.theperfecttoast.com; www.instantweddingtoasts.com>.
7. Joel Waldfogel, "The Deadweight Loss of Christmas", *American Economic Review* 83, nº 5 (dez./1993): 1328-36; Joel Waldfogel. *Scroogenomics: Why You Shouldn't Buy Presents for the Holidays*, Princeton, Princeton University Press, 2009, p. 14.
8. Waldfogel, *Scroogenomics*, pp. 14,15.

9. Joel Waldfogel, "You Shouldn't Have: The Economic Argument for Never Giving Another Gift", *Slate*, 8/12/ 2009. Disponível em: <www.slate.com/articles/business/the_dismal_science/2009/12/you_shouldnt_have.html>.
10. Mankiw, *Principles of Economics*, 3ª ed., p. 483.
11. Alex Tabarrok, "Giving to My Wild Self", 21/12/ 2006. Disponível em: <http://marginalrevolution.com/marginalrevolution/2006/12/giving_to_my_wi.html>.
12. Waldfogel, *Scroogenomics*, p. 48.
13. Ibid., pp. 48-50, 55.
14. Stephen J. Dubner e Steven D. Levitt, "The Gift-Card Economy", *New York Times*, 7/1/2007.
15. Waldfogel, *Scroogenomics*, pp. 55,56.
16. Jennifer Steinhauer, "Harried Shoppers Turned to Gift Certificates", *New York Times*, 4/1/1997; Jennifer Pate Offenberg, "Markets: Gift Cards", *Journal of Economic Perspectives* 21, nº 2 (primavera/2007): 227-38; Yian Q. Mui, "Gift-Card Sales Rise After Falling for Two Years", *Washington Post*, 27/12/2010; 2010 National Retail Federation Holiday Consumer Spending Report, citado in "Gift Cards: Opportunities and Issues for Retailers", Grant Thornton LLP, 2011, p. 2. Disponível em: <www.grantthornton.com/portal/site/gtcom/menuitem.91c078ed5cOef4ca80cd8710033841ca/?vgnextoid=a047bfc210VgnVCM1000003a8314RCRD&vgnextfmt=default>.
17. Judith Martin, citada in: Tracie Rozhon, "The Weary Holiday Shopper Is Giving Plastic This Season", *New York Times*, 9/12/2002; Liz Pulliam Weston, "Gift Cards Are Not Gifts", MSN Money. Disponível em: <http://articles.moneycentral.msn.com/SavingandDebt/FindDealsOnline/GiftCardsAreNotGifts.aspx>.
18. "Secondary Gift Card Economy Vers Significant Growth in 2010", Marketwire, 20/1/ 2011. Disponível em: <www.marketwire.com/press-release/secondary-gift-card-economy-sees-significant-growth-in-201O-1383451.htm>; os valores mencionados são preços constantes do site Plastic Jungle, <www.plasticjungle.com>. Acesso em 21/1/2011.
19. Offenberg, "Markets: Gift Cards", p. 237.
20. Sabra Chartrand, "How to Send an Unwanted Present on Its Merry Way, Online and Untouched", *New York Times*, 8/12/2003; Wesley Morris, "Regifter's Delight: New Software Promises to Solve a Holiday Dilemma", *Boston Globe*, 28/12/2003.
21. Ver Daniel Golden. *The Price of Admission*, Nova York, Crown, 2006; Richard D. Kahlenberg (Ed.). *Affirmative Action for the Rich*, Nova York, Century Foundation Press, 2010.
22. Ver comentários do presidente de Yale, Rick Levin, in: Kathrin Lassila, "Why Yale Favors Its Own", *Yale Alumni Magazine*, nov./dez./2004. Disponível em: <www.yalealumni magazine.com/issues/2004_11/q_a/html>; e comentários da presidente

de Princeton, Shirley Tilghman, in: John Hechinger, "The Tiger Roars: Under Tilghman, Princeton Adds Students, Battles Suits, Takes on the Eating Clubs", *Wall Street Journal*, 17/7/2006.

23. Apresentei uma versão dessas duas objeções à mercadorização em minhas Conferências Tanner no Brasenose College, Universidade de Oxford, em 1998. Incluo nessa seção uma versão revista. Ver Michael J. Sandel, "What Money Can't Buy", in: Grethe B. Peterson (Ed.),*The Tanner Lectures on Human Values*, v. 21., Salt Lake City, University of Utah Press, 2000, pp. 87-122.
24. Bruno S. Frey, Felix Oberholzer-Gee, Reiner Eichenberger, "The Old Lady Visits Your Backyard: A Tale of Morals and Markets", *Journal of Political Economy* 104, nº 6 (dez./1996): 1297-1313; Bruno S. Frey e Felix Oberholzer-Gee, "The Cost of Price Incentives: An Empirical Analysis of Motivation Crowding-Out", *American Economic Review* 87, nº 4 (set./1997): 746-55. Ver também Bruno S. Frey. *Not Just for the Money: An Economic Theory of Personal Motivation*, Cheltenham, Edward Elgar Publishing, 1997, pp. 67-78.
25. Frey, Oberholzer-Gee e Eichenberger, "The Old Lady Visits Your Backyard", pp. 1300, 1307; Frey e Oberholzer-Gee, "The Cost of Price Incentives", p. 750. Os valores variavam de US$ 2.175 a US$ 8.700 por ano enquanto perdurassem as instalações. A renda mensal média dos domicílios participantes era de US$ 4.565; Howard Kunreuther e Doug Easterling, "The Role of Compensation in Siting Hazardous Facilities", *Journal of Policy Analysis and Management* 15, nº 4 (outono/1996): 606-608.
26. Frey, Oberholzer-Gee e Eichenberger, "The Old Lady Visits Your Backyard", p. 1306.
27. Frey e Oberholzer-Gee, "The Cost of Price Incentives", p. 753.
28. Kunreuther e Easterling, "The Role of Compensation in Siting Hazardous Facilities", pp. 615-19; Frey, Oberholzer-Gee e Eichenberger, "The Old Lady Visits Your Backyard", p. 1301. Para uma argumentação a favor da indenização monetária, ver Michael O'Hare, "'Not on My Block You Don't': Facility Siting and the Strategic Importance of Compensation", *Public Policy*, 25, nº 4 (outono/1977): 407-58.
29. Carol Mansfield, George L. Van Houtven e Joel Huber, "Compensating for Public Harms: Why Public Goods Are Preferred to Money", *Land Economics* 78, nº 3 (ago./2002): 368-89.
30. Uri Gneezy e Aldo Rustichini, "Pay Enough or Don't Pay at All", *Quarterly Journal of Economics* (ago./2000): 798-99.
31. Ibid., pp. 799-803.
32. Ibid., pp. 802-807.
33. Uri Gneezy e Aldo Rustichini, "A Fine Is a Price", *Journal of Legal Studies* 29, nº 1 (jan./2000): 1-17.

34. Fred Hirsch. *The Social Limits to Growth*, Cambridge, Harvard University Press, 1976, pp. 87, 92, 93.
35. Dan Ariely. *Predictably Irrational*, ed. rev., Nova York, Harper, 2010, pp. 75-102; James Heyman e Dan Ariely, "Effort for Payment", *Psychological Science* 15, nº 11 (2004): 787-93.
36. Para um apanhado analítico de 128 estudos sobre os efeitos das recompensas extrínsecas nas motivações intrínsecas, ver Edward L. Deci, Richard Koestner e Richard M. Ryan, "A Meta-Analytic Review of Experiments Examining the Effects of Extrinsic Rewards on Intrinsic Motivation", *Psychological Bulletin* 125, nº 6 (1999): 627-68.
37. Bruno S. Frey e Reto Jegen, "Motivation Crowding Theory", *Journal of Economic Surveys* 15, nº 5 (2001): 590. Ver também Maarten C.W. Janssen e Ewa Mendys-Kamphorst, "The Price of a Price: On the Crowding Out and In of Social Norms", *Journal of Economic Behavior & Organization* 55 (2004): 377-95.
38. Richard M. Titmuss. *The Gift Relationship: From Human Blood to Social Policy*, Nova York, Pantheon, 1971, pp. 231,32.
39. Ibid., pp. 134,35, 277.
40. Ibid., pp. 117, 223,24.
41. Ibid., p. 224.
42. Ibid., pp. 255, 270-74, 277.
43. Kenneth J. Arrow, "Gifts and Exchanges", *Philosophy & Public Affairs* 1, nº 4 (verão/1972): 343-62. Para uma contestação perspicaz, ver Peter Singer, "Altruism and Commerce: A Defense of Titmuss Against Arrow", *Philosophy & Public Affairs* 2 (primavera/1973): 312-20.
44. Arrow, "Gifts and Exchanges", pp. 349,50.
45. Ibid., p. 351.
46. Ibid., pp. 354,55.
47. Sir Dennis H. Robertson, "What Does the Economist Economize?", Columbia University, maio/1954, reproduzido in: Dennis H. Robertson, *Economic Commentaries*, Westport, Greenwood Press, 1978 [1956], p. 148.
48. Ibid.
49. Ibid., p. 154.
50. Aristóteles. *Nicomachean Ethics*. Trad. David Ross. Nova York, Oxford University Press, 1925, livro II, cap. 1 [1103a, 1103b].
51. Jean-Jacques Rousseau. *The Social Contract*. Trad. G.D.H. Cole. Ed. rev. Nova York, Knopf, 1993 [1762], livro III, cap. 15, pp. 239,40.
52. Lawrence H. Summers, "Economics and Moral Questions", Morning Prayers, Memorial Church, 15/9/ 2003, reproduzido in: *Harvard Magazine*, nov.-dez./2003. Disponível em: <www.harvard.edu/president/speeches/summers_2003/prayer.php>.

4. Mercados na vida e na morte

1. Associated Press, "Woman Sues over Store's Insurance Policy", 7/12/2002; Sarah Schweitzer, "A Matter of Policy: Suit Hits Wal-Mart Role as Worker Life Insurance Beneficiary", *Boston Globe*, 10/12/2002.
2. Associated Press, "Woman Sues over Store's Insurance Policy".
3. Schweitzer, "A Matter of Policy".
4. Ibid.
5. Ellen E. Schultz e Theo Francis, "Valued Employees: Worker Dies, Firm Profits-Why?", *Wall Street Journal*, 19/4/2002.
6. Ibid.; Theo Francis e Ellen E. Schultz, "Why Secret Insurance on Employees Pays Off", *Wall Street Journal*, 25/4/2002.
7. Ellen E. Schultz e Theo Francis, "Why Are Workers in the Dark?", *Wall Street Journal*, 24/4/2002.
8. Theo Francis e Ellen E. Schultz, "Big Banks Quietly Pile Up 'Janitors Insurance'", *Wall Street Journal*, 2/5/2002; Ellen E. Schulz e Theo Francis, "Death Benefit: How Corporations Built Finance Tool Out of Life Insurance", *Wall Street Journal*, 30/12/2002.
9. Schultz e Francis, "Valued Employees"; idem, "Death Benefit".
10. Schultz e Francis, "Death Benefit"; Ellen E. Schultz, "Banks Use Life Insurance to Fund Bonuses", *Wall Street Journal*, 20/5/2009.
11. Ellen E. Schultz e Theo Francis, "How Life Insurance Morphed Into a Corporate Finance Tool", *Wall Street Journal*, 30/12/2002.
12. Ibid.
13. Schultz e Francis, "Valued Employees".
14. As isenções fiscais vinculadas a seguros de vida corporativos custam ao contribuinte US$ 1,9 bilhão por ano, de acordo com estimativas do orçamento federal em 2003. Ver Theo Francis, "Workers' Lives: Best Tax Break?", *Wall Street Journal*, 19/2/2003.
15. Nessa seção, recorro a meu artigo "You Bet Your Life", *New Republic*, 7/9/1998.
16. William Scott Page, citado in: Helen Huntley, "Turning Profit, Helping the Dying", *St. Petersburg Times*, 25/1/1998.
17. David W. Dunlap, "Aids Drugs Alter an Industry's Math: Recalculating Death-Benefit Deals", *New York Times*, 30/7/1996; Marcia Vickers, "For 'Death Futures', the Playing Field Is Slippery", *New York Times*, 27/4/1997.
18. Stephen Rae, "Aids: Still Waiting", *New York Times Magazine*, 19/7/1998.
19. William Kelley, citado in: "Special Bulletin: Many Viatical Settlements Exempt from Federal Tax", Viatical Association of America, out./1997, citado in: Sandel, "You Bet Your Life".

20. Molly Ivins, "Chisum Vers Profit in Aids Deaths", *Austin American-Statesman*, 16/3/1994. Ver também Leigh Hop, "Aids Sufferers Swap Insurance for Ready Cash", *Houston Post*, 1/4/1994.
21. Charles LeDuff, "Body Collector in Detroit Answers When Death Calls", *New York Times*, 18/9/2006.
22. John Powers, "End Game", *Boston Globe*, 8/7/1998; Mark Gollom, "Web 'Death Pools' Make a Killing", *Ottawa Citizen*, 15/2/1998; Marianne Costantinou, "Ghoul Pools Bet on Who Goes Next", *San Francisco Examiner*, 22/2/1998.
23. Victor Li, "Celebrity Death Pools Make a Killing", Columbia News Service, 26/2/2010. Disponível em: <http://columbianewsservice.com/2010/02/celebrity-death-pools-make-a-killing/>; <http://stiffs.com/blog/rules/>.
24. Laura Pedersen-Pietersen, "The Ghoul Pool: Morbid, Tasteless, and Popular", *New York Times*, 7/6/1998; Bill Ward, "Dead Pools: Dead Reckoning", *Minneapolis Star Tribune*, 3/1/2009. Listas atualizadas de celebridades podem ser encontradas em <http://stiffs.com/stats> e <www.ghoulpool.us./?page_id=571>; Gollom, "Web 'Death Pools' Make a Killing"; Costantinou, "Ghoul Pools Bet on Who Goes Next".
25. Pedersen-Pietersen, "The Ghoul Pool".
26. <www.deathbeeper.com/>; Bakst, citado in: Ward, "Dead Pools: Dead Reckoning".
27. Geoffrey Clark, *Betting on Lives: The Culture of Life Insurance in England, 1695-1775*, Manchester, Manchester University Press, 1999, pp. 3-10; Roy Kreitner, *Calculating Promises: The Emergence of Modern American Contract Doctrine*, Stanford, Stanford University Press, 2007, pp. 97-104; Lorraine J. Daston, "The Domestication of Risk: Mathematical Probability and Insurance 1650-1830", in: Lorenz Kruger, Lorraine J. Daston e Michael Heidelberger (Ed.), *The Probabilistic Revolution*, v. I, Cambridge, MIT Press, 1987, pp. 237-60.
28. Clark, *Betting on Lives*, pp. 3-10; Kreitner, *Calculating Promises*, pp. 97-104; Daston, "The Domestication of Risk"; Viviana A. Rotman Zelizer, *Morals & Markets: The Development of Life Insurance in the United States*, Nova York, Columbia University Press, 1979, pp. 33, 38 (citando o jurista francês Emerignon).
29. Clark, *Betting on Lives*, pp. 8-10, 13-27.
30. Kreitner, *Calculating Promises*, pp. 126-29.
31. Clark, *Betting on Lives*, pp. 44-53.
32. Ibid., p. 50; Zelizer, *Morals & Markets*, p. 69, citando John Francis, *Annals, Anecdotes, and Legends*, Londres, Longman, Brown, Green, and Longmans, 1853, p. 144.
33. Lei do Seguro de Vida de 1774, cap. 48 14 Geo 3. Disponível em: <www.legislation.gov.uk/apgb/Geo3/14/48/introduction>; Clark, *Betting on Lives*, pp. 9, 22, 34,35, 52,53.
34. Zelizer, *Morals & Markets*, pp. 30, 43. Ver também pp. 91-112, 119-47.

35. Ibid., p. 62.
36. Ibid., p. 108.
37. Ibid., p. 124.
38. Ibid., pp. 146,47.
39. Ibid., pp. 71-72; Kreitner, *Calculating Promises*, pp. 131-46.
40. *Grigsby v. Russell*, 222 U.S. 149 (1911), p. 154. Ver Kreitner, *Calculating Promises*, pp. 140-42.
41. *Grigsby v. Russell*, pp. 155,56.
42. Carl Hulse, "Pentagon Prepares a Futures Market on Terror Attacks", *New York Times*, 29/7/2003; Carl Hulse, "Swiftly, Plan for Terrorism Futures Market Slips into Dustbin of Ideas", *New York Times*, 29/7/2003.
43. Ken Guggenheim, "Senators Say Pentagon Plan Would Allow Betting on Terrorism, Assassination", Associated Press, 28/7/2003; Josh Meyer, "Trading on the Future of Terror: A Market System Would Help Pentagon Predict Turmoil", *Los Angeles Times*, 29/7/2003.
44. Bradley Graham e Vernon Loeb, "Pentagon Drops Bid for Futures Market", *Washington Post*, 30/7/2003; Hulse, "Swiftly, Plan for Terrorism Futures Market Slips into Dustbin of Ideas".
45. Guggenheim, "Senators Say Pentagon Plan Would Allow Betting on Terrorism, Assassination"; Meyer, "Trading on the Future of Terror"; Robert Schlesinger, "Plan Halted for a Futures Market on Terror", *Boston Globe*, 30/7/2003; Graham e Loeb, "Pentagon Drops Bid for Futures Market".
46. Hulse, "Pentagon Prepares a Futures Market on Terror Attacks".
47. Hal R. Varian, "A Market in Terrorism Indicators Was a Good Idea; It Just Got Bad Publicity", *New York Times*, 31/7/2003; Justin Wolfers e Eric Zitzewitz, "The Furor over 'Terrorism Futures'", *Washington Post*, 31/7/2003.
48. Michael Schrage e Sam Savage, "If This Is Harebrained, Bet on the Hare", *Washington Post*, 3/8/2003; Noam Scheiber, "Futures Markets in Everything", *New York Times Magazine*, 14/12/2003, p. 117; Floyd Norris, "Betting on Terror: What Markets Can Reveal", *New York Times*, 3/8/2003; Mark Leibovich, "George Tenet's 'Slam-Dunk' into the History Books", *Washington Post*, 4/6/2004.
49. Schrage e Savage, "If This Is Harebrained". Ver também Kenneth Arrow *et al.*, "The Promise of Prediction Markets", *Science* 320 (16/5/2008): 877-78; Justin Wolfers e Eric Zitzewitz, "Prediction Markets", *Journal of Economic Perspectives* 18 (primavera/2004): 107-26; Reuven Brenner, "A Safe Bet", *Wall Street Journal*, 3/8/2003.
50. Sobre as limitações do mercado de previsões, ver Joseph E. Stiglitz, "Terrorism: There's No Futures in It", *Los Angeles Times*, 31/7/2003. Para uma defesa, ver Adam Meirowitz e Joshua A. Tucker, "Learning from Terrorism Markets",

Perspectives on Politics 2 (jun./2004), e James Surowiecki, "Damn the Slam PAM Plan!", *Slate*, 30/7/2003. Disponível em: <www.slate.com/articles/news_and_politics/hey_wait_a_minute/2003/07/damn_the_slam_pam_plan.html>. Para um resumo, ver Wolfers e Zitzewitz, "Prediction Markets".

51. Citação de Robin D. Hanson, economista na George Mason University, in: David Glenn, "Defending the 'Terrorism Futures' Market", *Chronicle of Higher Education*, 15/8/ 2003.
52. Liam Pleven e Rachel Emma Silverman, "Cashing In: An Insurance Man Builds a Lively Business in Death", *Wall Street Journal*, 26/11/2007.
53. Ibid.; <www.coventry.com/about-coventry/index.asp>.
54. <www.coventry.com/life-settlement-overview/secondary-market.asp>.
55. Ver Susan Lorde Martin, "Betting on the Lives of Strangers: Life Settlements, Stoli, and Securitization", *University of Pennsylvania Journal of Business Law* 13 (outono/2010): 190. O percentual de apólices de vida vencidas em 2008 era de 38%, segundo o *ACLI Life Insurers Fact Book*, 8/12/2009, p. 69, citado in Martin.
56. Mark Maremont e Leslie Scism, "Odds Skew Against Investors in Bets on Strangers' Lives", *Wall Street Journal*, 21/12/2010.
57. Ibid.; Mark Maremont, "Texas Sues Life Partners", *Wall Street Journal*, 30/7/2011.
58. Maria Woehr, "'Death Bonds' Look for New Life", The Street, 1/6/2011. Disponível em: <www.thestreet.com/story/11135581/1/death-bonds-look-for-new-life.html>.
59. Charles Duhigg, "Late in Life, Finding a Bonanza in Life Insurance", *New York Times*, 17/12/2006.
60. Ibid.
61. Ibid.
62. Leslie Scism, "Insurers Sued Over Death Bets", *Wall Street Journal*, 2/1/2011; Leslie Scism, "Insurers, Investors Fight Over Death Bets", *Wall Street Journal*, 9/7/2011.
63. Pleven e Silverman, "Cashing In".
64. Ibid. Citações extraídas da *home page* do site da Institutional Life Markets Association, <www.lifemarketsassociation.org/>.
65. Martin, "Betting on the Lives of Strangers", pp. 200-06.
66. Depoimento de Doug Head, diretor executivo da Life Insurance Settlement Association, no Florida Office of Insurance Regulation Informational Hearing, 28/8/2008. Disponível em: <www.floir.com/siteDocuments/LifeInsSettlementAssoc.pdf>.
67. Jenny Anderson, "Wall Street Pursues Profit in Bundles of Life Insurance", *New York Times*, 6/9/2009.
68. Ibid.
69. Ibid.
70. Leslie Scism, "AIG Tries to Sell Death-Bet Securities", *Wall Street Journal*, 22/4/2011.

5. Direitos de nome

1. O salário de Killebrew em 1969 consta do Baseball Almanac, <www.baseball-almanac.com/players/player.php?p=killeha01>.
2. Tyler Kepner, "Twins Give Mauer 8-Year Extension for $184 Million", *New York Times*, 21/3/ 2010. Disponível em: <http://espn.go.com/espn/thelife/salary/index?athleteID=5018022>.
3. Preços das entradas para os Twins em 2012 em <http://minnesota.twins.mlb.com/min/ticketing/season-tickecprices.jsp>; preços de entradas para os Yankees em 2012 em <http://newyork.yankees.mlb.com/nyy/ballpark/seating_pricing.jsp>.
4. Rita Reif, "The Boys of Summer Play Ball Forever, for Collectors", *New York Times*, 17/2/1991.
5. Michael Madden, "They Deal in Greed", *Boston Globe*, 26/4/1986; Dan Shaughnessy, "A Card-Carrying Hater of These Types of Shows", *Boston Globe*, 17/3/1997; Steven Marantz, "The Write Stuff Isn't Cheap", *Boston Globe*, 12/2/1989.
6. E.M. Swift, "Back Off!", *Sports Illustrated*, 13/8/1990.
7. Sabra Chartrand, "When the Pen Is Truly Mighty", *New York Times*, 14/7/1995; Shaughnessy, "A Card-Carrying Hater of These Types of Shows".
8. Fred Kaplan, "A Grand-Slam Bid for McGwire Ball", *Boston Globe*, 13/1/ 999; Ira Berkow, "From 'Eight Men Out' to EBay: Shoeless Joe's Bat", *New York Times*, 25/7/2001.
9. Daniel Kadlec, "Dropping the Ball", *Time*, 8/2/1999.
10. Rick Reilly, "What Price History?", *Sports Illustrated*, 12/7/1999; Kadlec, "Dropping the Ball".
11. Joe Garofoli, "Trial Over Bonds Ball Says It All-About Us", *San Francisco Chronicle*, 18/11/2002; Dean E. Murphy, "Solomonic Decree in Dispute Over Bonds Ball", *New York Times*, 19/12/2002; Ira Berkow, "73d Home Run Ball Sells for $450,000", *New York Times*, 26/6/2003.
12. John Branch, "Baseball Fights Fakery With an Army of Authenticators", *New York Times*, 21/4/2009.
13. Paul Sullivan, "From Honus to Derek, Memorabilia Is More Than Signed Bats", *New York Times*, 15/7/2011; Richard Sandomir, "Jeter's Milestone Hit Is Producing a Run on Merchandise", *New York Times*, 13/7/2011; Richard Sandomir, "After 3,000, Even Dirt Will Sell", *New York Times*, 21/6/2011.
14. <www.peterose.com>.
15. Alan Goldenbach, "Internet's Tangled Web of Sports Memorabilia", *Washington Post*, 18/5/2002; Dwight Chapin, "Bizarre Offers Have Limited Appeal", *San Francisco Chronicle*, 22/5/2002.

16. Richard Sandomir, "At (Your Name Here) Arena, Money Talks", *New York Times*, 2004; David Biderman, "The Stadium-Naming Game", *Wall Street Journal*, 3/2/2010.
17. Sandomir, "At (Your Name Here) Arena, Money Talks"; Rick Horrow e Karla Swatek, "Quirkiest Stadium Naming Rights Deals: What's in a Name?", *Bloomberg Businessweek*, 10/9/ 2010. Disponível em: <http://images.businessweek.com/ss/09/10/1027_quirkiest_stadium_naming_rights_deals/1.htm>; Evan Buxbaum, "Mets and the Citi: $400 Million for Stadium-Naming Rights Irks Some", CNN, 13/4/2009. Disponível em: <http://articles.cnn.com/2009-04-13/us/mets.ballpark_l_citi-field-mets-home-stadium-naming?_s=PM:US>.
18. Chris Woodyard, "Mercedes-Benz Buys Naming Rights to New Orleans' Superdome", *USA Today*, 3/10/2011; Brian Finkel, "MetLife Stadium's $400 Million Deal", *Bloomberg Businessweek*, 22/8/2011. Disponível em: <http://images.businessweek.com/slideshows/20110822/nfl-stadiums-with-the-most-expensive-naming-rights/>.
19. Sandomir, "At (Your Name Here) Arena, Money Talks", citando Dean Bonham, executivo de marketing na área esportiva, a respeito do número e dos valores dos acordos de direitos de nome.
20. Bruce Lowitt, "A Stadium by Any Other Name?", *St. Petersburg Times*, 31/8/1996; Alan Schwarz, "Ideas and Trends: Going, Going, Yawn: Why Baseball Is Homer Happy", *New York Times*, 10/10/1999.
21. "New York Life Adds Seven Teams to the Scoreboard of Major League Baseball Sponsorship Geared to 'Safe' Calls", comunicado de imprensa da New York Life, 19/5/2011. Disponível em: <www.newyorklife.com/nyl/v/index.jsp?vgnextoid=c4fbd4d392e1031OVgnVCM100000ac841cacRCRD>.
22. Scott Boeck, "Bryce Harper's Minor League At-Bats Sponsored by Miss Utility", *USA Today*, 16/3/2011; Emma Span, "Ad Nauseum", Baseball Prospectus, 29/3/2011. Disponível em: <www.baseballprospectus.com/article.php?articleid=13372>.
23. Darren Rovell, "Baseball Scales Back Movie Promotion", ESPN.com, 7/5/2004. Disponível em: <http://sports.espn.go.com/espn/sportsbusiness/news/story?id=1796765>.
24. Nesse parágrafo e nos seguintes, recorro a meu artigo "Spoiled Sports", *New Republic*, 25/5/1998.
25. Tom Kenworthy, "Denver Sports Fans Fight to Save Stadium's Name", *USA Today*, 27/10/2000; Cindy Brovsky, "We'll Call It Mile High", *Denver Post*, 8/8/2001; David Kesmodel, "Invesco Ready to Reap Benefits: Along with P.R., Firm Gets Access to Broncos", *Rocky Mountain News*, 14/8/2001; Michael Janofsky, "Denver Newspapers Spar Over Stadium's Name", *New York Times*, 23/8/2001.

26. Jonathan S. Cohn, "Divided the Stands: How Skyboxes Brought Snob Appeal to Sports", *Washington Monthly*, dez./1991; Frank Deford, "Seasons of Discontent", *Newsweek*, 29/12/1997; Robert Bryce, "Separation Anxiety", *Austin Chronicle*, 4/10/1996.
27. Richard Schmalbeck e Jay Soled, "Throw Out Skybox Tax Subsidies", *New York Times*, 5/4/2010; Russell Adams, "So Long to the Suite Life", *Wall Street Journal*, 17/2/2007.
28. Robert Bryce, "College Skyboxes Curb Elbow-to-Elbow Democracy", *New York Times*, 23/9/1996; Joe Nocera, "Skybox U.", *New York Times*, 28/10/2007; Daniel Golden, "Tax Breaks for Skyboxes", *Wall Street Journal*, 27/12/2006.
29. John U. Bacon, "Building — and Building on — Michigan Stadium", *Michigan Today*, 8/9/2010. Disponível em: <http://michigantoday.umich.edu/story.php?id=7865; Nocera, "Skybox U>.
30. <www.savethebighouse.com/index.html>.
31. "Michigan Stadium Suite and Seats Sell Slowly, Steadily in Sagging Economy", Associated Press, 12/2/2010. Disponível em: <www.annarbo.com/sports/um-football/michigan-stadium-suite-and-seats-sell-slowly-steadily-in-sagging-economy/>.
32. Adam Sternbergh, "Billy Beane of 'Moneyball' Has Given Up on His Own Hollywood Ending", *New York Times Magazine*, 21/9/2011.
33. Ibid.; Allen Barra, "The 'Moneyball' Myth", *Wall Street Journal*, 22/9/2011.
34. Presidente Lawrence H. Summers, "Fourth Annual Marshall J. Seidman Lecture on Health Policy", Boston, 27/4/2004. Disponível em: <www.harvard.edu/president/speeches/summers_2004/seidman.php>.
35. Jahn K. Hakes e Raymond D. Sauer, "An Economic Evaluation of the Moneyball Hypothesis", *Journal of Economic Perspectives* 20 (verão/2006): 173-85; Tyler Cowen e Kevin Grier, "The Economics of Moneyball", *Grantland*, 7/12/2011. Disponível em: <www.grantland.com/story/_/id/7328539/the-economics-moneyball>.
36. Cowen e Grier, "The Economics of Moneyball".
37. Richard Tomkins, "Advertising Takes Off", *Financial Times*, 20/7/2000; Carol Marie Cropper, "Fruit to Walls to Floor, Ads Are on the de March", *New York Times*, 26/2/1998; David S. Joachim, "For CBS's Fall Lineup, Check Inside Your Refrigerator", *New York Times*, 17/7/2006.
38. Steven Wilmsen, "Ads Galore Now Playing at a Screen Near You", *Boston Globe*, 28/3/2000; John Holusha, "Internet News Screens: A New Haven for Elevator Eyes", *New York Times*, 14/6/2000; Caroline E. Mayer, "Ads Infinitum: Restrooms, ATMs, Even Fruit Become Sites for Commercial Messages", *Washington Post*, 5/2/2000.

39. Lisa Sanders, "More Marketers Have to Go to the Bathroom", *Advertising Age*, 20/9/2004; "Restroom Advertising Companies Host Annual Conference in Vegas", comunicado de imprensa, 19/10/2011. Disponível em: <http://indooradvertising.org/pressroom.shtml>.
40. David D. Kirkpatrick, "Words From Our Sponsor: A jeweler Commissions a Novel", *New York Times*, 3/9/2001; Martin Arnold, "Placed Products, and Their Cost", *New York Times*, 13/9/2001.
41. Kirkpatrick, "Words From Our Sponsor"; Arnold, "Placed Products, and Their Cost".
42. Um exemplo recente de livro eletrônico com *merchandising* é descrito in: Erica Orden, "This Book Brought to You by...", *Wall Street Journal*, 26/4/2011; Stu Woo, "Cheaper Kindle in Works, But It Comes With Ads", *Wall Street Journal*, 12/4/2011. Em janeiro de 2012, o Kindle Touch era vendido por US$ 99 "com ofertas especiais" e US$ 139 "sem ofertas especiais". Disponível em: <www.amazon.com/gp/product/B005890G8Y/ref=famstripe_kt>.
43. Eric Pfanner, "At 30,000 Feet, Finding a Captive Audience for Advertising", *New York Times*, 27/8/2007; Gary Stoller, "Ads Add Up for Airlines, but Some Fliers Say It's Too Much", *USA Today*, 19/10/2011.
44. Andrew Adam Newman, "Your Ad Here on My S.U.V., and You'll Pay?", *New York Times*, 27/8/2007; <www.myfreecar.com>.
45. Allison Linn, "A Colorful Way to Avoid Foreclosure", MSNBC, 7/4/2001. Disponível em: <http://lifeinc/today/msnbc/msn.com/-news/2011/04/07/6420648-a-colorful-way-to-avoid-foreclosure>; Seth Fiegerman, "The New Product Placement", The Street, 28/5/2011. Disponível em: <www.thestreet.com/story/11136217/1/the-new-product-placement.html?cm_ven=GOOGLEN>. A empresa mudou de nome, passando a chamar-se Godialing: <www.godialing.com/paintmyhouse.php>.
46. Steve Rubenstein, "$5.8 Million Tattoo: Sanchez Family Counts the Cost of Lunch Offer", *San Francisco Chronicle*, 14/4/1999.
47. Erin White, "In-Your-Face Marketing: Ad Agency Rents Foreheads", *Wall Street Journal*, 11/2/2003.
48. Andrew Adam Newman, "The Body as Billboard: Your Ad Here", *New York Times*, 18/2/2009.
49. Aaron Falk, "Mom Sells Face Space for Tattoo Advertisement", *Deseret Morning News*, 30/6/2005.
50. Comunicado de imprensa do Commercial Alert de Ralph Nader: "Nader Starts Group to Oppose the Excesses of Marketing, Advertising and Commercialism", 8/9/1998. Disponível em: <www.commercialalert.org/issues/culture/ad-creep/nader-starts-group-to-oppose-the-excesses-of-marketing-advertising-and-commercialism>; Micah M. White, "Toxic Culture: A Unified Theory of Mental

Pollution", *Adbusters* nº 96, 20/6/2011. Disponível em: <www.adbusters.org/magazine/96/unified-theory-mental-pollution.html>; consumidora citada in: Cropper, "Fruit to Walls to Floor, Ads Are on the de March"; executivo de publicidade citado in: Skip Wollenberg, "Ads Turn Up in Beach Sand, Cash Machines, Bathrooms", Associated Press, 25/5/1999. Ver revista *Adbusters*, <www.adbusters.org/magazine>; Kalle Lasn. *Culture Jam: The Uncooling of America*, Nova York, Morrow, 1999; e Naomi Klein. *No Logo: Taking Aim at the Brand Bullies*, Nova York, Picador, 2000.

51. Walter Lippmann, *Drift and Mastery: An Attempt to Diagnose the Current Unrest*, Nova York: Mitchell Kennerley, 1914, p. 68.
52. Para um relato sobre os celeiros, com fotos marcantes, ver William G. Simmonds, *Advertising Barns: Vanishing American Landmarks*, St. Paul: MBI Publishing, 2004.
53. Janet Kornblum, "A Brand-New Name for Daddy's Little eBaby", *USA Today*, 26/7/2001; Don Oldenburg, "Ringing Up Baby: Companies Yawned at Child Naming Rights, but Was It an Idea Ahead of Its Time?", *Washington Post*, 11/9/2001.
54. Joe Sharkey, "Beach-Blanket Babel", *New York Times*, 5/7/1998; Wollenberg, "Ads Turn Up in Beach Sand, Cash Machines, Bathrooms".
55. David Parrish, "Orange County Beaches Might Be Ad Vehicle for Chevy", *Orange County Register*, 16/7/1998; Shelby Grad, "This Beach Is Being Brought to You by...", *Los Angeles Times*, 22/7/1998; Harry Hurt III, "Parks Brought to You by...", *U.S. News & World Report*, 11/8/1997; Melanie Wells, "Advertisers Link Up with Cities", *USA Today*, 28/5/1997.
56. Verne G. Kopytoff, "Now, Brought to You by Coke (or Pepsi): Your City Hall", *New York Times*, 29/11/1999; Matt Schwartz, "Proposed Ad Deals Draw Critics", *Houston Chronicle*, 26/1/2002.
57. Terry Lefton, "Made in New York: A Nike Swoosh on the Great Lawn?", *Brandweek*, 8/12/2003; Gregory Solman, "Awarding Keys to the Newly Sponsored City: Private/Public Partnerships Have Come a Long Way", *Adweek*, 22/9/2003.
58. Carey Goldberg, "Bid to Sell Naming Rights Runs Off Track in Boston", *New York Times*, 9/3/2001; Michael M. Grynbaum, "M.T.A. Sells Naming Rights to Subway Station", *New York Times*, 24/6/2009; Robert Klara, "Cities for Sale", *Brandweek*, 9/3/2009.
59. Paul Nussbaum, "Septa Approves Changing Name of Pattison Station to AT&T", *Philadelphia Inquirer*, 25/6/2010.
60. Cynthia Roy, "Mass. Eyes Revenue in Park Names", *Boston Globe*, 6/5/2003; editorial "On Wal-Mart Pond?", *Boston Globe*, 15/5/2003.

61. Ianthe Jeanne Dugan, "A Whole New Name Game", *Wall Street Journal*, 6/12/2010; Jennifer Rooney, "Government Solutions Group Helps Cash-Strapped State Parks Hook Up with Corporate Sponsor Dollars", *Advertising Age*, 14/2/2011; "Billboards and Parks Don't Mix", editorial, *Los Angeles Times*, 3/12/2011.
62. Fred Grimm, "New Florida State Motto: 'This Space Available'", *Miami Herald*, 1/10/2011; Rooney, "Government Solutions Group Helps Cash-Strapped State Parks Hook Up with Corporate Sponsor Dollars".
63. Daniel B. Wood, "Your Ad Here: Cop Cars as the Next Billboards", *Christian Science Monitor*, 3/10/2002; Larry Copeland, "Cities Consider Ads on Police Cars", *USA Today*, 30/10/2002; Jeff Holtz, "To Serve and Persuade", *New York Times*, 9/2/2003.
64. Holtz, "To Serve and Persuade"; "Reject Police-Car Advertising", editorial, *Charleston Post and Courier* (Carolina do Sul), 29/11/2002; "A Creepy Commercialism", editorial, *Hartford Courant*, 28/1/2003.
65. "Reject Police-Car Advertising"; "A Creepy Commercialism"; "A Badge, a Gun — and a Great Deal on Vinyl Siding", editorial, *Roanoke Times & World News* (Virginia), 29/11/2002; "To Protect and to Sell", editorial, *Toledo Blade*, 6/11/2002; Leonard Pitts Jr., "Don't Let Cop Cars Become Billboards", *Baltimore Sun*, 10/11/2002.
66. Holtz, "To Serve and Persuade"; Wood, "Your Ad Here".
67. Helen Nowicka, "A Police Car Is on Its Way", *Independent* (Londres), 8/9/1996; Stewart Tendler, "Police Look to Private Firms for Sponsorship Cash", *Times* (Londres), 6/1/1997.
68. Kathleen Burge, "Ad Watch: Police Sponsors Put Littleton Cruiser on the Road", *Boston Globe*, 14/2/2006; Ben Dobbin, "Some Police Agencies Sold on Sponsorship Deals", *Boston Globe*, 26/12/2011.
69. Anthony Schoettle, "City's Sponsorship Plan Takes Wing with KFC", *Indianapolis Business Journal*, 11/1/2010.
70. Matthew Spina, "Advertising Company Putting Ads in County Jail", *Buffalo News*, 27/3/2011.
71. Ibid.
72. Michael J. Sandel, "Ad Nauseum", *New Republic*, 1/9/1997; Russ Baker, "Stealth TV", *American Prospect* 12 (12/2/2001); William H. Honan, "Scholars Attack Public School TV Program", *New York Times*, 22/1/1997; "Captive Kids: A Report on Commercial Pressures on Kids at School", Consumers Union, 1997. Disponível em: <www.consumersunion.org/other/captivekids/clvcnn_chart.htm>; Simon Dumenco, "Controversial Ad-Supported In-School News Network Might Be an Idea Whose Time Has Come and Gone", *Advertising Age*, 16/7/2007.
73. Quoted in Baker, "Stealth TV".

74. Jenny Anderson, "The Best School $75 Million Can Buy", *New York Times*, 8/7/2011; Dumenco, "Controversial Ad-Supported In-School News Network Might Be an Idea Whose Time Has Come and Gone"; Mya Frazier, "Channel One: New Owner, Old Issues", *Advertising Age*, 26/11/2007; "The End of the Line for Channel One News?", informe de imprensa, Campaign for a Commercial-Free Childhood, 30/8/2011. Disponível em: <www.commondreams.org/newswire/2011/08/30-0>.
75. Deborah Stead, "Corporate Classrooms and Commercialism", *New York Times*, 5/1/1997; Kate Zernike, "Let's Make a Deal: Businesses Verk Classroom Access", *Boston Globe*, 2/2/1997; Sandel, "Ad Nauseum"; "Captive Kids". Disponível em: <www.consumersunion.org/other/captivekids/evaluations.htm>; Alex Molhar, *Giving Kids the Business: The Commercialization of American Schools*, Boulder, Westview Press, 1996.
76. Tamar Lewin, "Coal Curriculum Called Unfit for 4th Graders", *New York Times*, 11/5/2011; Kevin Sieff, "Energy Industry Shapes Lessons in Public Schools", *Washington Post*, 2/6/2011; Tamar Lewin, "Children's Publisher Backing Off Its Corporate Ties", *New York Times*, 31/7/2011.
77. David Shenk, "The Pedagogy of Pasta Sauce", *Harper's*, set./1995; Stead, "Corporate Classrooms and Commercialism"; Sandel, "Ad Nauseum"; Molnar, *Giving Kids the Business*.
78. Juliet Schor, *Born to Buy: The Commercialized Child and the New Consumer Culture*, Nova York, Scribner, 2004, p. 21; Bruce Horovitz, "Six Strategies Marketers Use to Get Kids to Want Stuff Bad", *USA Today*, 22/11/2006, citando James McNeal.
79. Bill Pennington, "Reading, Writing and Corporate Sponsorships", *New York Times*, 18/10/2004; Tamar Lewin, "In Public Schools, the Name Game as a Donor Lure", *New York Times*, 26/1/2006; Judy Keen, "Wisconsin Schools Find Corporate Sponsors", *USA Today*, 28/7/2006.
80. "District to Place Ad on Report Cards", KUSA-TV, Colorado, 13/11/2011. Disponível em: <http://origin.9news.com/article/229521/222/District-to-place-ad-on-report-cards>; Stuart Elliott, "Straight A's, With a Burger as a Prize", *New York Times*, 6/12/2007; Stuart Elliott, "McDonald's Ending Promotion on Jackets of Children's Report Cards", *New York Times*, 18/1/2008.
81. Catherine Rampell, "On School Buses, Ad Space for Rent", *New York Times*, 15/4/2011; Sandel, "Ad Nauseum"; Christina Hoag, "Schools Seek Extra Cash Through Campus Ads", Associated Press, 19/9/2010; Dan Hardy, "To Balance Budgets, Schools Allow Ads", *Philadelphia Inquirer*, 16/10/2011.
82. "Captive Kids". Nesse parágrafo e nos dois seguintes, baseio-me em Sandel, "Ad Nauseum".
83. Brochura da 4th Annual Kid Power Marketing Conference, citado in: Zernike, "Let's Make a Deal".

Agradecimentos

As origens deste livro remontam longe. Desde minha época na faculdade intrigavam-me as implicações normativas da economia. Pouco depois de começar a ensinar em Harvard em 1980, passei a explorar o tema ao dar cursos de graduação e pós-graduação sobre a relação entre mercado e moral. Há muitos anos dou o seminário "Ética, economia e direito" na Faculdade de Direito de Harvard para estudantes de direito e alunos de PhD em teoria política, filosofia, economia e história. O seminário cobre a maioria dos temas deste livro e aprendi muito com os muitos brilhantes alunos que o acompanharam.

Também pude desfrutar da vantagem de dar em colaboração com colegas de Harvard cursos sobre temas relacionados a este livro. Na primavera de 2005, dei o curso de graduação "Globalização e seus críticos", em colaboração com Lawrence Summers. O curso evoluiu para uma série de vigorosos debates sobre os méritos morais, políticos e econômicos da doutrina do livre mercado aplicada à globalização. Em algumas sessões juntou-se a nós meu amigo Thomas Friedman, que com maior frequência alinhava-se com Larry na linha de pensamento. Sou grato a eles, assim como a David Grewal, na época aluno de pós-graduação em teoria política, atualmente uma estrela em ascensão no corpo docente da Faculdade de Direito de Yale, que me educou na história do pensamento econômico e ajudou em minha preparação para o combate intelectual com Larry e Tom. Na primavera de 2008, dei um curso de pós-graduação em "Ética, economia e mercado", com Amartya Sen e Philippe van Parijs, filósofo da Universidade Católica de Louvain em visita a Harvard. Apesar de visões políticas em geral confluentes, nossos pontos de vista sobre os mercados divergiam consideravelmente e muito pude aprender com nossos debates. Embora não tenhamos dado nenhum curso juntos, Richard Tuck e eu tivemos muitas discussões sobre economia e teoria política ao longo dos anos, das quais sempre resultaram enriquecimento e esclarecimento para mim.

O curso de graduação sobre justiça que tenho dado também gerou oportunidades de explorar os temas deste livro. Em várias oportunidades, convidei N. Gregory Mankiw, professor do curso de introdução à economia em Harvard, a juntar-se a nós nas discussões sobre raciocínio de mercado e raciocínio moral. Sou grato a Greg, cuja presença serviu para ressaltar, para os alunos e para mim, as diferentes maneiras de pensar de economistas e filósofos políticos a respeito de questões sociais, econômicas e políticas. Por duas vezes, meu amigo Richard Posner, pioneiro na aplicação do raciocínio econômico ao direito, juntou-se a mim no curso sobre justiça e participou de debates sobre os limites morais do mercado. Anos atrás, Dick convidou-me a juntar-me a ele e a Gary Becker numa sessão de seu longo seminário na Universidade de Chicago sobre escolhas racionais, ponto de partida da abordagem econômica em qualquer questão. Para mim, foi uma oportunidade memorável de testar meus argumentos ante um público mais inclinado do que eu a encarar a lógica de mercado como chave do comportamento humano.

Minha primeira formulação da tese que se transformou neste livro deu-se nas Conferências Tanner sobre Valores Humanos no Brasenose College, na Universidade de Oxford, em 1998. Uma bolsa do Carnegie Scholars Program da Carnegie Corporation de Nova York em 2000-2002 representou o apoio indispensável nas primeiras etapas do projeto. Sou profundamente grato a Vartan Gregorian, Patricia Rosenfield e Heather McKay pela paciência, a generosidade e o constante apoio. Também fiquei em débito com os professores da oficina de verão da Faculdade de Direito de Harvard, na qual pude testar partes deste projeto com um estimulante grupo de colegas. Em 2009, um convite da Radio 4 da BBC para que apresentasse as Conferências Reith desafiou-me a traduzir meus argumentos a respeito dos limites morais do mercado em termos acessíveis a um público não acadêmico. O tema genérico das conferências era "Uma nova cidadania", mas duas das quatro tratavam de mercados e moral. Tenho um débito de gratidão com Mark Thompson, Mark Damazer, Mohit Bakaya, Gwyneth Williams, Sue Lawley, Sue Ellis e Jim Frank, que contribuíram para transformar a experiência num grande prazer.

Neste que é meu segundo livro com a Farrar, Straus and Giroux, fico mais uma vez grato a Jonathan Galassi e sua maravilhosa equipe, da qual fazem parte Eric Chinski, Jeff Seroy, Katie Freeman, Ryan Chapman, Debra Helfand, Karen Maine, Cynthia Merman e, sobretudo, meu magnífico editor, Paul Elie. Numa época em que as pressões de mercado lançam sua sombra sobre a negócio editorial, os profissionais da FSG encaram a edição de livros como uma missão, e não uma mercadoria. A mesma atitude tem minha agente literária, Esther Newberg. Sou grato a todos eles.

Minha mais profunda gratidão vai para minha família. Na mesa do jantar e durante as viagens em família, meus filhos Adam e Aaron sempre se mostraram alertas com reações inteligentes e moralmente ponderadas a qualquer novo dilema ético que envolvesse a questão do mercado com que os defrontasse. E sempre nos voltávamos para Kiku para saber quem estava com a razão. Dedico a ela este livro, com amor.

Índice

O texto deste livro foi composto em Sabon, desenho tipográfico de Jan Tschichold de 1964 baseado nos estudos de Claude Garamond e Jacques Sabon no século XVI, em corpo 11/15. Para títulos e destaques, foi utilizada a tipografia Frutiger, desenhada por Adrian Frutiger em 1975.

A impressão se deu sobre papel off-white 80g/m² na Gráfica Geográfica.